Biest & Bethany
Eine schleimige Überraschung –
Monster drin!

Bisher erschienen:

Band 1: Nicht zu zähmen
Band 2: Ein gefundenes Fressen
Band 3: Eine schleimige Überraschung

Jack Meggitt-Phillips

BIEST & BETHANY

Eine schleimige
Überraschung

MONSTER
DRIN!

Band 3

Mit Illustrationen von Isabelle Follath

Aus dem Englischen übersetzt
von Ulrich Thiele

ISBN 978-3-7432-1083-7
1. Auflage 2022
erschienen unter dem Originaltitel *The Beast and The Bethany: Battle of the Beast*
First published in 2022 by Farshore Books, an imprint of HarperCollins
Publishers Limited, 1 London Bridge Street, London SE1 9GF.
Für die deutschsprachige Ausgabe © 2022 Loewe Verlag GmbH,
Bühlstraße 4, D-95463 Bindlach
Aus dem Englischen übersetzt von Ulrich Thiele
Umschlag- und Innenillustrationen: Isabelle Follath
Umschlaggestaltung: Johanna Mühlbauer
Printed in the EU

www.loewe-verlag.de

Für meine geliebte Schwester Kitty und ihren biestigen
Bären Rufus. Wer diese Widmung mehr verdient hat?
Fechtet es aus!
J.M.P.

Inhalt

Das fedrige Festmahl

Von Wintloria war nur der Wald übrig geblieben und selbst davon nur wenig.

Den Bäumen des Regenwaldes wohnte angeblich eine alte, verlockende Magie inne: Mit ihren Blättern könne man Narben wegwischen, von ihren Früchten werde eine Familie eine Woche lang satt und mit ihrer Rinde könne man sich an jeder juckenden Stelle wohltuend kratzen, ganz gleich, wie stark der Juckreiz oder wie schwer die Stelle zu erreichen war. Dies hatte zur Folge, dass sich allzu viele Menschen für die Bäume interessierten. Auch solche, die nur schön fanden, was man abhacken und mitnehmen konnte.

Während der Wald schrumpfte und die Gier der Trophäenjäger wuchs, verließen etliche Tiere die Wipfel. Doch eine Gruppe weigerte sich hartnäckig, die Flucht anzutreten.

Auf der ganzen Welt gab es nur noch neunzehn Wintlorsche Purpurbauchpapageien und fast alle lebten sie im Wald von Wintloria. Es war eine lärmige, nicht besonders praktisch veranlagte Papageienart. Ihre Mitglieder ließen keine Gelegenheit aus, sich gegenseitig Lieder vorzusingen oder schwanzwedelnd Modenschauen aufzuführen – dabei ging es für sie längst um Leben und Tod.

An diesem Tag versammelten sich die Papageien im hohlen Stamm des größten Baums, um ihr drittes Festmahl der Woche abzuhalten. Das erste Mahl war zur Feier des Halbgeburtstags des Lieblingshündchens der Königin von England begangen worden, das zweite, weil eine Papageiendame nach einem Nachmittag des Suchens endlich ein Stück Bindfaden wiedergefunden hatte. Das dritte Festmahl aber sollte ein ganz besonderes werden.

Jeder Papagei hatte sich in sein festlichstes Federkleid geworfen, alle legten füreinander Eier mit eiförmigen Köstlichkeiten darin, und sie sangen so laut, dass durchaus von einer Ruhestörung die Rede sein konnte. An der Spitze des Baums war ein junger Papageienbursche namens Mortimer damit beschäftigt, ein Spruchband aufzuhängen. Darauf stand: WILLKOMMEN ZU HAUSE, CLAUDETTE.

„Tippitoppi Spruchband, Morty!", rief Giulietta, eine

ältere, herausragend gut gekleidete Papageiendame. „Kommst du zurecht da oben oder brauchst du Hilfe?"

Mortimer schnitt eine Grimasse. Erstens durfte ihn nur eine „Morty" nennen – nämlich Claudette. Zweitens fand er es irrsinnig nervig, dass seine Artgenossen immer alles *zusammen* machen wollten.

„Nicht nötig", gab er barsch zurück. „Ich brauch keine Hilfe!"

„Natürlich brauchst du keine", sagte Giulietta. „Aber Hilfe kann doch nicht schaden, nicht wahr, ja-ja? Wenn es nur darum ginge, was im Leben *nötig* ist, gäbe es weder den Cha-Cha-Cha noch … noch Käsekuchen mit Blaubeeren."

Begeistert von dieser klugen Beobachtung, summte Giulietta eine Cha-Cha-Cha-Melodie, wackelte mit ihrem stattlichen Hintern und legte ein Käsekuchenei mit Blaubeeren. Dann flatterte sie zu Mortimer hinauf und schnappte sich das andere Ende des Spruchbands.

„Lass das!", krächzte er und riss an dem Transparent.

„Kommt gar nicht infrage", erwiderte sie und riss ebenfalls daran. „Vier Krallen sind besser als zwei, das weiß doch jedes Küken."

So nahm das Tauziehen seinen Lauf. Giulietta war wild entschlossen, mit anzupacken, Mortimer noch wilder, sie nicht zu lassen … bis das Spruchband urplötzlich riss.

„Upsi-Pupsi", sagte Giulietta.

„Upsi-Pupsi?!", ereiferte sich Mortimer. „Ich habe die ganze Woche daran gearbeitet, um Claudette eine Freude zu machen – und du zerstörst es! Du blöde Knalltüte, du!"

Purpurfarbene Tränen traten in Giuliettas Augen. Solch grobe Worte waren im Wald nur selten zu hören. Eigentlich waren alle Wintlorianer dazu verpflichtet, ihresgleichen und der ganzen Welt mit Freundlichkeit zu begegnen.

„T-T-Tut mir leid, M-M-Morty", stammelte sie. „Ich hätte besser aufp-p-passen sollen."

„Nee, du hättest mich in Ruhe lassen sollen!", rief Mortimer. „Jetzt verzieh dich und geh jemand anders auf die Nerven!"

Als Giulietta am Baumstamm hinabflatterte, ergoss sich ein purpurfarbener Tränenregen aus ihren Augen. Mortimer hängte das größere Stück auf, das von dem Transparent übrig war. Darauf stand: HAUSE, CLAUDETTE.

Überrascht stellte er fest, dass er ein schlechtes Gewissen hatte. Nur wieso? Giulietta hatte das Spruchband doch zerstört. Andererseits war ihm eines klar: Claudette würde ihn später sowieso dazu zwingen, sich zu entschuldigen. Also segelte er widerwillig zum Fuß des Baums hinab.

In dessen hohlem Stamm tobte ein purpurfarbenes Tohuwabohu. Alle Vögel sangen und tanzten einträchtig, voller Vorfreude auf die Rückkehr der geliebten Claudette. Sie priesen die einzigartige Flauschigkeit ihrer Federn, die honigsüße Zartheit ihrer Stimme und die ausgesuchte Freundlichkeit, die sie jeder und jedem entgegenbrachte. Eine ganze Strophe widmeten sie allein dem Funkeln ihres linken Auges.

Im Gegensatz zu seinen Artgenossen war Mortimer kein Freund von Festmahlen. Normalerweise dachte er sich deswegen irgendeine Ausrede aus, doch an diesem wollte er ausnahmsweise teilnehmen, weil er Claudette so gern hatte. Tatsächlich gab es wahrscheinlich im ganzen Wald keinen zweiten Papageien, der Claudette so sehr liebte. Nachdem Mortimers Eltern von Trophäenjägern getötet worden waren, hatte Claudette sich um ihn gekümmert wie eine Mutter.

Wenn auch er ein Sing- und Tanzpapagei gewesen wäre, hätte Mortimer nun eine selbst gedichtete Strophe anstimmen können, die selbst den Baum zu Tränen

gerührt hätte. Er überlegte. Sollte er es mal probieren –
Claudette zuliebe? Zögernd und leicht zitternd trat er in
die Mitte der anderen. Doch bevor er auch nur einen Ton
hervorbringen oder zaghaft mit dem Hintern wackeln
konnte, erbebte der Wald.

Unmittelbar vor dem Baum quoll eine Pfütze aus der
Erde hervor. Anfangs sah sie wie eine ganz gewöhnliche
Pfütze aus, wie man sie nach einem Regentag auf dem
Bürgersteig vorfindet oder nach einer schweißtreibenden
Partie Völkerball in der Turnhalle.

Da fauchte und brauste die Pfütze.

„Sie kommt!", krächzte Mortimer aufgeregt. „Sie ist
jeden Moment da!"

Seit ein paar Wochen befand sich Claudette in der
Obhut einer Geheimorganisation, des *Diskreten Ordens
der Rechtmäßigen Richter illustrer Schurken* (Spitzname:
D.O.R.R.i.S), dessen Agenten vorzugsweise per Portalpfütze durch die Welt reisten. Die Papageien waren sich
nicht sicher, weshalb D.O.R.R.i.S sich eigentlich um
Claudette kümmern musste, doch das trübte ihre
Vorfreude auf das Wiedersehen nicht im Geringsten.
Während Mortimer seine Federn so eindrucksvoll wie
möglich aufplusterte, schraubten die anderen die Laut-
stärke ihres Claudette-Lobgesangs in hysterische Höhen.

Die Pfütze spuckte drei D.O.R.R.i.S-Agenten aus, kurz: drei Dorrise. Einer davon war ein Mensch und einer sah zumindest einigermaßen danach aus, während Nummer drei eindeutig kein Mensch war. Sie alle trugen Waffen bei sich, die so unterschiedlich waren wie ihr Äußeres.

„Wer ist hier der ranghöchste Papagei?", fragte Agent Hughie, ein weltmännischer Mensch mit Lasergewehr. „Ich habe eine wichtige Botschaft von unserer Nummer eins, Mr Nicholas Nickle."

„In Wintloria gibt es keine Ränge", antwortete ein

Papagei in melodischem Singsang. „In unserem Wald sind alle gleich – ob Mensch, Papagei oder Kröte."

„Das kann nicht angehen", erwiderte Agent Louie, ein Mensch-oder-auch-nicht, der jedenfalls statt menschlicher Haut orangefarbene Schuppen hatte. „Hier muss doch irgendjemand das Sagen haben! Wir können unmöglich mit euch allen auf einmal sprechen."

„Und wieso nicht? Wir Wintlorianer sind durch die Bank hervorragende Gesprächspartner", sagte ein anderer Papagei. „Suchen Sie sich ein beliebiges Thema aus – wir werden Sie nicht enttäuschen, versprochen!"

„Wer ... hat hier ... das Sagen?", zischte Agent Stewie. Er sah aus wie eine Kreuzung zwischen einem Kaktus und einem riesigen Opossum. „Sonst können wir Claudette leider nicht hierher teleportieren."

Mortimer trat vor. „Ich habe hier das Sagen. Rücken Sie Claudette raus, aber sofort!"

Von den anderen Papageien war lautes Raunen zu hören. Niemand sprach es aus, doch in Gedanken waren sie sich einig, dass ihr Anführer, wenn sie denn einen gehabt hätten, definitiv nicht Mortimer geheißen hätte.

Agent Hughie beugte sich vor und Nase an Schnabel mit dem jungen Papageien fragte er: „Name? Rang? Beruf?"

„Geht Sie nichts an, geht Sie nichts an, geht Sie nichts an", sagte Mortimer. „Wo ist Claudette?"

Agent Hughie schnippte mit den Fingern. Daraufhin breitete Agent Louie vor Mortimer eine äußerst unübersichtliche Krankenakte aus und Agent Stewie zischte Koordinaten in ein merkwürdiges Funkgerät.

„Mr Nickle war der Ansicht, dass wir euch im Vorhinein über Claudettes Gesundheitszustand informieren sollten", sagte Agent Hughie. „Wie wir wissen, hat sie euch einiges verschwiegen. Sie wollte euch keine Sorgen bereiten."

„Was reden Sie da?", fragte Mortimer in unfreundlichem, fast schon scharfem Ton. Innerlich bibberte er vor Angst und Unruhe. „Raus mit der Sprache!"

„Claudette ist in Berührung mit einem Wesen gekommen, so unberechenbar, unheimlich und stachelig wie ein Igel, der mit einem Torpedo in den Schatten lauert", berichtete Agent Louie. „Wir haben getan, was wir konnten, doch irgendetwas steht ihrer Genesung im Wege. Sie ist stark geschwächt von ihrer Begegnung mit diesem … Ding."

Agent Stewie schüttelte sich. „Sie hat Glück, dass sie überhaupt noch am Leben ist. Wo diese Kreatur auftaucht, bleiben gewöhnlich nur Tod und Zerstörung zurück."

„Was für eine Kreatur?", fragte Mortimer. „Und warum nennen Sie sie nicht beim Namen?"

Die drei Agenten sahen sich an.

„Wir wollten euch lediglich vorwarnen", erklärte Agent Hughie mit einem Nicken in Agent Stewies Richtung. „Das, fand Mr Nickle, ist das Mindeste, was wir tun können."

Agent Stewie fummelte an einem hochmodernen Technikding herum, das verblüffende Ähnlichkeit mit einem Regenschirm hatte. Erneut fauchte und brauste die Portalpfütze, noch zorniger diesmal.

Die Papageien in den hinteren Reihen, die von dem Gespräch kein Wort mitbekommen hatten, jubelten und jauchzten und ließen wieder ihr Claudette-Lied erklingen. Auch die anderen stimmten ein, um sich selbst Mut zu machen. Nur Mortimers Schnabel blieb fest geschlossen.

Immer lauter sangen die Papageien, immer zorniger fauchte und brauste die Pfütze, und endlich barst etwas Purpurfarbenes daraus hervor. Schlagartig wurde es still.

Das purpurfarbene Etwas war niemand anders als Claudette.

Die Papageien erkannten sie erst auf den zweiten Blick, so stark hatte sie sich verändert. Ihr einst prächtiges

Federkleid war verblasst und ausgedünnt, das Funkeln in ihren Augen so gut wie erloschen und mit einem Flügel stützte sie sich auf eine kleine Krücke. Mühsam versuchte sie, ihren Schnabel zu einem Lächeln zu verziehen.

„Hallo, Schätzchen." Aus Claudettes samtiger Stimme war ein brüchiges Krächzen geworden. „Wie herrlich, euch alle wiederzusehen. Wie wär's, wenn wir ein Lied –"

Claudette wollte tapfer sein, um jeden Preis, doch bald gewann die Erschöpfung die Oberhand. Sie schwankte auf ihren Krallen hin und her und kippte um.

Blitzschnell schoss Mortimer zu ihr. Die anderen Papageien holten Laub, Rindenstücke, Früchte und weitere geheime Gaben des Waldes, mit denen man sie vielleicht

wieder aufpäppeln konnte. Mortimer wiegte Claudette
in seinen schmalen Flügeln, so behutsam und liebevoll,
wie es ihm die anderen nie zugetraut hätten.

„Claudette …", flüsterte er. „Ich …"

Ihm fehlten die Worte. Bei ihrer letzten Begegnung
hatte Claudette noch ohne sichtliche Anstrengung einen
ganzen Liederabend durchsingen können. Nun brachte
sie nicht mal einen vollständigen Satz heraus. Seine
geliebte Claudette so kraftlos zu sehen, erfüllte ihn mit
tiefer Angst, mit einem unerträglichen Gefühl der Ohnmacht – und vor allen Dingen mit Wut.

„Wer hat dir das angetan?", fragte er sie. Statt sanft
und leise gerieten seine Worte hart und scharf. „Sag mir,
wer!"

„Das Biest", murmelte Claudette. Und mit dem letzten
Rest ihrer Kraft richtete sie sich auf, um ihm hastig ins
Ohr zu flüstern: „Morty, ich habe in den Geist des Biests
geblickt. Seine schlimmen Taten, seine entsetzlichen Erinnerungen gesehen. Aber all das ist nichts gegen die
Grausamkeiten, die es einem kleinen Mädchen antun
will – Bethany. Du musst sie retten, Morty. Koste es, was
es wolle, DU MUSST BETHANY RETTEN!"

Unbiest & Bethany

„LASS MICH LOOOS!", schrie Bethany, während sich die beiden fetten Zungen des Biests um ihren Hals schlangen wie ein Paar hungriger Kobras.

Sie war eingezwängt von den rot leuchtenden Wänden eines D.O.R.R.i.S-Laserkäfigs. Ihr bester Freund, der 512 Jahre junge Ebenezer Tweezer, lag tot am Boden.

„Das kannst du dir abschminken", erwiderte das Biest. Bethany fragte sich, wie es mit seinem sperrangelweit aufgerissenen Maul überhaupt noch etwas sagen konnte.

„Ich habe sehr lange auf dieses Festmahl hingearbeitet und nun lasse ich mir ganz sicher nicht das Abendessen verderben."

Während es diese Worte sprach, wickelten sich weitere Zungen um Bethany herum. Sie schlängelten sich um ihre Turnschuhe, ihre Jeans, wanden sich um ihren Pullover und bald näherten sich zwei davon ihrem Gesicht.

„Hast du ernsthaft geglaubt, du könntest mir entkommen?", fragte das Biest. Sosehr Bethany auch zappelte und strampelte, es zog sie immer näher zu seinem stinkenden Sabbermaul. „Willst du es nicht endlich einsehen – dass ich immer noch ein Ass im Ärmel habe?"

Das Biest ließ ein tiefes, flauschig zischelndes Kichern los, und als Bethany Stück für Stück in den Abgrund seines Schlunds geschleift wurde, erkannte sie, dass sie nie eine Chance gehabt hatte. Das Biest war unbesiegbar!

Jeden Augenblick würde sie in klitzekleine Stücke zerkaut werden – da wachte Bethany auf.

Sie wälzte sich in ihrem Bett in Ebenezers fünfzehnstöckigem Haus. Ihr Schlafanzug war klitschnass, durchweicht vom Speichel des Biests – oder doch nur von ihrem eigenen Schweiß? Schnell tastete Bethany sich ab und überprüfte, ob ihre Arme und Beine, ihre Finger und Fingerknöchel und auch ihre beiden Kniescheiben noch an Ort und Stelle waren, unzerkaut und funktionstüchtig.

Endlich stand sie mit zitternden Beinen auf und rieb sich noch einmal fest die Augen, um ganz sicherzugehen, dass sie nicht doch mit dem Biest in dessen Käfig saß.

„Blödes Hirn!", schimpfte sie. „Kannst du die Albträume nicht mal stecken lassen?!"

Ihr Gehirn quälte sie schon seit Monaten, seit sie dem eingesperrten Biest gegenübergetreten war, mit schlimmen Träumen. Manchmal dachte es sich trickreiche Todesvarianten aus, bei denen explodierende Teekannen oder Bienenstockvulkane eine Rolle spielten, manchmal begnügte es sich mit einem guten alten Kopf-ab-Biss.

Und jedes Mal brauchte Bethany eine Weile, um sich von dem Schock zu erholen. Doch wie erleichtert sie war, dass die Kreatur, die sie (bereits zweimal) bei lebendigem Leib hatte verspeisen wollen, irgendwo weit entfernt in einem Käfig hockte! Hätten ihr nicht immer noch die Knie geschlottert, hätte Bethany vielleicht sogar einen Freudensprung gewagt.

Um das Ganze so schnell wie möglich abzuhaken, zog sie sich rasch an und verließ stampfend das Zimmer. Sie hatte noch niemandem von ihren Albträumen erzählt. Darüber zu reden, hätte es nur schlimmer gemacht.

Als sie im Erdgeschoss ankam, stand Ebenezer am Fenster und spähte besorgt hinaus. Normalerweise spielte Bethany ihm zum Start in den Tag gerne einen kleinen Streich oder machte sich über seinen komischen Westentick lustig. Doch seit sie ihn im Traum tot am Boden hatte liegen sehen, war sie dem Alten fast schon wohlgesinnt. Sie eilte zu ihm und begrüßte ihn mit einem leicht beängstigenden Lächeln.

„Morgen, Blödgesicht!", rief Bethany und sammelte sich kurz. Rührseliges Gelaber war noch nie ihre Stärke gewesen. „Ich wollte dir bloß sagen, dass ich … echt froh bin, dass du nicht brutal ermordet wurdest."

Ebenezer drehte sich zu ihr um und sah sie ungläubig

an. Etwas so Liebes hatte er quasi noch nie von ihr zu hören bekommen. Womit hatte er das verdient?

„Danke", erwiderte Ebenezer. Er atmete tief ein. Auch er war kein Experte für rührseliges Gelaber. „Ich … Es … erfüllt mich mit Freude, dass du ebenfalls nicht brutal ermordet wurdest."

Bethany ließ noch einmal ihr gruseliges Grinsen aufblitzen, bevor sie lautstark in die Küche stampfte. Dort griff sie sich einen Hammer und prügelte erbarmungslos einen wehrlosen Muffin zu Krümeln. Ebenezer nutzte die Gelegenheit, um sich wieder dem Fenster zuzuwenden.

„Ist schon wer da?", plärrte Bethany hinüber.

Auf dem Rasen vor dem Haus hatte Ebenezer ein großes Gemälde von sich selbst aufstellen lassen, wie er in klassischer Heldenpose auf einem Berggipfel stand, und daneben war zu lesen:

TAG DER OFFENEN TÜR IM HAUS DER GUTEN TAT

PROBLEME? EINMAL LÄUTEN UND MR TWEEZER SCHAFFT SIE AUS DER WELT! BITTE IN EINER GEORDNETEN SCHLANGE ANSTELLEN.

Dummerweise konnte sich keine Schlange aus Hilfe-suchenden bilden, weder eine geordnete noch eine ungeordnete. Es hatte sich nicht einmal eine Taube auf den Rasen verirrt.

„Das ergibt keinen Sinn", sagte Ebenezer zu Bethany. „Man könnte meinen, die Nachbarn hätten keine Lust auf meine sagenhaft hilfreiche Hilfe."

Im Rahmen ihrer gemeinsamen Mission, gute Men-schen zu werden, hatte Ebenezer das Problembehebungs-unternehmen *Tweezer, der Weise* gegründet. Er bot Rat in allen Lebenslagen und anfangs hatte er tatsächlich etliche Kunden begrüßen dürfen – die ihm allerdings einer nach dem anderen abhandengekommen waren. Um sie zu-rückzugewinnen und neue anzulocken, hatte Ebenezer eine Malerin damit beauftragt, ihn in verschiedenen überraschenden Posen und Gewändern darzustellen.

„Ob vielleicht doch das andere Bild besser wäre, auf dem ich Lord Tibbles von dem Baum rette?", überlegte er laut. „Darauf haben meine Augen so ein Feuer …"

„Oder du siehst ein, dass auch heute kein Schwein auf-tauchen wird", ergänzte Bethany. „Weil sie einfach keinen Bock mehr haben auf deine … *Hilfe.*"

„So ein Mumpitz! *Tweezer, der Weise* ist eine ausgespro-chene Erfolgsgeschichte! Was auch sonst – mit fünf Jahrhunderten auf dem Buckel bin ich natürlich ein wahrer Springbrunnen der Weisheit! Ja, erst gestern erkundigte sich der Vogelhändler, ob ich nicht dafür sorgen könne, dass sein Hoatzin nicht mehr riecht wie ein Eiersandwich, das ein paar Jahrzehnte in der Sonne gelegen hat. Ich zog mich in meine Nachdenkgemächer im vierten Stock zurück und brütete lange, lange vor mich hin. Ja, ich verzichtete sogar auf Mittagessen *und* Nachmittagstee, um dem Problem auf den Grund zu gehen."

„Ich weiß", sagte Bethany. „Aber hast du am Ende irgendwas dran ändern können?"

„Wie man's nimmt – nach stundenlangem Hirnzermartern erkannte ich, dass ich nichts für den armen Kerl tun kann. Ich erklärte dem Vogelhändler also, dass ich weder ein Hoatzin bin noch jemals einer war und dass man deshalb nun wirklich nicht von mir erwarten kann, dass ich weiß, wieso ein Hoatzin riecht, wie er riecht. Schließlich verabschiedete ich den guten Mann mit einem Schulterklopfen und dem Versprechen, ihn auch in allen künftigen Notlagen nach Kräften zu unterstützen. Er ließ es sich nicht anmerken, doch ich erkannte auch so, dass ihn meine unermüdlichen Bemühungen zutiefst gerührt hatten."

Bethany verzog das Gesicht. So ging es fast immer aus,

wenn Ebenezer Anlauf zu einer guten Tat nahm: Er verkündete den Leuten, dass er ihnen in diesem Fall leider, leider nicht helfen könne. Sie hätte ihn beinahe darauf hingewiesen, wie wenig sein permanentes Herumsitzen in den Nachdenkgemächern brachte, doch dieses eine Mal biss Bethany sich auf die Zunge. Es hatte sie viel Mühe gekostet, bei Ebenezer so etwas wie Lust auf gute Taten zu wecken, und jetzt wollte sie seine Begeisterung auf keinen Fall dämpfen.

„Stimmt schon – wir tun beide *so viel* Gutes", sagte Bethany in überhaupt nicht sarkastischem Tonfall. Sie verteilte die Muffinüberreste zwischen zwei Brotscheiben und angelte eine Quetschflasche Mayonnaise aus dem Kühlschrank. „Und warum läuft es so super bei uns? Weil uns niemand mehr in die Quere kommt. Die liebe Claudette hatte ganz recht: Wenn man alles Schlechte aus seinem Leben rausschmeißt, kann sich das Gute viel leichter darin breitmachen."

Ebenezer nickte. „Eine weise Papageiendame." Wie immer, wenn von Claudette die Rede war, wurde ihm leicht unwohl. War es nicht seine Schuld, dass das Biest sie so übel zugerichtet hatte? „Wie es ihr wohl geht?"

„Sie müsste heute wieder in Wintloria ankommen", sagte Bethany. „Sie wollte uns ihre Adresse schreiben, damit wir BERGEWEISE Postkarten hin und her schicken können."

„Ach, wie schön!" Ebenezer klatschte in die Hände. „Dann können wir ihr gleich vom wundersamen Siegeszug von *Tweezer, dem Weisen* berichten. Wird die staunen, wenn sie erfährt, wie gut wir uns schon entbiestert haben!"

Die Erinnerung an das Biest ließ Bethany erschaudern. Sie drückte die Quetschflasche wie einen Antistressball und verursachte so versehentlich eine Mayonnaiseexplosion. Da Bethanys Sandwiches ohnehin zum Explodieren neigten, achtete Ebenezer kaum darauf.

„Apropos", sagte er. „Wie läuft es so in Miss Muddles Süßwarengeschäft?"

„Ganz gut, schätze ich", erwiderte Bethany angestrengt. Sie kniff die Augen zusammen und versuchte, die aufkeimenden Gedanken an das Biest zu verdrängen.

„Es hört sich aber nicht danach an." Ebenezer stolzierte zu Bethany hinüber und klopfte ihr buchstäblich von oben herab auf die Schulter. „Ich weiß, es kann einem Angst machen, einen so unvergleichlich guten Menschen wie mich als Mitbewohner zu haben. Doch lass dich davon nicht einschüchtern. Früher oder eher später wirst du mich schon noch einholen. Und falls du Starthilfe brauchst: *Tweezer, der Weise* ist stets auf Mitarbeiter-suche."

Bethany starrte Ebenezer böse an. Hätte sie sich nicht zusammengerissen, hätte sie ihm einen Schwall Mayo entgegengequetscht und ihm ins Gesicht gesagt, was die Leute wirklich von seinem „Unternehmen" hielten.

„Nee, es läuft echt total bestens supergut", erwiderte sie stattdessen. Sie entmayonnaiste sich selbst und aß das, was von ihrem Frühstückssandwich noch essbar war. „Miss Muddle ist krass begeistert, dass ich ihr schon so eine Riesenhilfe bin. Sie will mich sogar irgendwie dafür belohnen. Wie genau, hat sie nicht gesagt, aber sie meint, sie wird dem Stadtviertel ein für alle Mal klarmachen, dass ich nicht mehr die alte Faxenmacherin bin."

Ein Schatten legte sich auf Ebenezers Gesicht. Gewiss, er hätte sich für Bethany freuen sollen – doch was, wenn die Leute der Meinung waren, dass sie ihm in Sachen gute Taten etwas *voraus*hatte?! Das wäre ihm nicht recht gewesen.

„Müsstest du mich jetzt nicht loben?", fragte Bethany. „Wenn du mich nicht lobst, enthaupte ich alle deine Quietscheentchen und streiche Sekundenkleber auf deine –"

Ein *Drrring-drrrring!* schnitt ihr das Wort ab. Auf dem Flur klingelte das Telefon.

„Da braucht vielleicht jemand meine Hilfe!", rief Ebenezer aufgeregt. „Geh du ran! Schau, dass es sich anhört, als wäre ich ein extrem gefragter und beschäftigter Mann. Und keinesfalls, als würde ich händeringend nach Kunden suchen."

Stirnrunzelnd hob Bethany das Telefon ab. „Mann, was zum Teufel wollen Sie?"

„Bethany!", tadelte Ebenezer sie. „Haben wir uns nicht neulich erst eine stilvolle Telefonstimme antrainiert?!"

Bethany verdrehte die Augen und versuchte sich an einem weniger streitlustigen Tonfall. „'tschulligung. Ich wollte sagen: Hallo, hier Bethany und Tweezer, was zum Teufel möchten Sie?"

Am anderen Ende der Leitung knisterte es und ein paar Sekunden später hörte Bethany die pfeifende, rasselnde Stimme von Mr Nicholas Nickle, der Nummer eins von D.O.R.R.i.S.

„Wiesler, Bethany, sind S... s?", fragte er. Die Verbindung war schlecht, da sich der alte Mann aus Tausenden Kilometern Entfernung meldete. *„Wir hab... ernsthafte ... mit dem Biest und w... brauchen Ihre Hilfe."*

Ein deliziöses Durcheinander

D *as Biest … ich noch nie erlebt"*, fuhr Mr Nickle fort. *„Wir brauchen jema… der das Biest … kann."*

Ebenezer wunderte sich: Warum krallten sich Bethanys Finger so angestrengt um den Hörer? Dann drehte sie sich um, er sah in ihr Gesicht – und wusste, mit wem sie sprach.

„Nickle meint, mit dem Biest stimmt was nicht", berichtete Bethany.

„Also öffnet er uns eine Portalpfütze?", sagte Ebenezer. „Ich gehe die D.O.R.R.i.S-Gummistiefel holen."

„Nee, ich weiß was Besseres."

Bethany knallte den Hörer auf die Gabel.

Ebenezers Mund klappte auf. „Du kannst doch nicht einfach auflegen! Das war D.O.R.R.i.S!"

„Ach, kann ich nicht?", erwiderte Bethany so selbstbewusst, wie sie nur konnte. „Sei froh drüber."

„Aberaberaber … sollten wir nicht wenigstens versuchen –"

„ICH WILL DAS STINKENDE SABBERVIEH NIE MEHR WIEDERSEHEN!", brüllte Bethany.

„Aber ääähm … ja gut. Na dann", sagte Ebenezer, obwohl es in ihm drin überhaupt nicht nach Ja-gut-na-dann aussah. Auch wenn das Biest im Käfig saß, konnte es keine prima Idee sein, es einfach zu ignorieren – zumal eine Geheimorganisation im Spiel war. Trotzdem antwortete er: „Na schön. Wenn dir das so wichtig ist, will ich versuchen, mich darauf einzustellen. Vor ein paar Jahrzehnten habe ich einen Comic zum Thema Freundschaft gelesen und da schien das eine Art Grundprinzip zu sein."

Das Telefon *drrring-drrringte!* wieder. Bethany und Ebenezer starrten es an wie einen streunenden Bären, den man nach einem Tagesausflug überraschenderweise im Wohnzimmer vorfindet. Dann riss Bethany das Telefonkabel aus der Dose.

„Steck es ja nicht wieder rein!", warnte sie Ebenezer.

„Aber wir können doch nicht so tun, als wäre nichts gewesen!", rief er.

„Wart's ab." Bethany warf sich ihren Rucksack über die Schultern und ging zur Tür. „Komm. Du fährst mich zum Süßwarengeschäft."

Widerstandslos ließ Ebenezer sich zum Auto schleppen, um Bethany die paar Meter zu Miss Muddles Laden zu kutschieren.

„Hör mal", probierte er es während der Fahrt noch einmal. „Bist du dir ganz sicher, dass wir nicht wenigs…"

„Hör *du* mal: Nickle hat nie angerufen, kapiert? Und du hast das jetzt nicht gesagt, verstanden?" Bethany nickte. „Was fährst du wie 'ne Oma? Mach mal Tempo."

Weil er sich in seinem eigenen Wagen aus Prinzip nicht herumkommandieren ließ, nahm Ebenezer erst recht den Fuß vom Gaspedal. Das sollte sich jedoch als Fehler herausstellen.

Etliche Ebenezer-Gemälde, die er in Auftrag gegeben hatte, waren in der näheren Umgebung verteilt worden, ergänzt um Informationen über die Beratungsangebote von *Tweezer, dem Weisen.* Üblicherweise rauschte Ebenezer blindlings an ihnen vorbei – doch nun, in gemächlicherem Tempo, erkannte er, dass sich die Kunstwerke nicht zum Besseren verändert hatten.

Irgendwer hatte seinen Porträts hässliche Monsteraugenbrauen, lächerliche Frisuren und übertrieben verzwirbelte Schnurrbärte aufgemalt. In manchen Fällen legten ihm sogar Sprechblasen unschöne Worte in den Mund. So prangte auf dem Gemälde von Ebenezer in seiner feinsten Tenniskluft, das so prachtvoll vor der Bibliothek gehangen hatte, nun eine Sprechblase mit dem Inhalt: „Ich bin eine Flasche." Und unter dem eher formell gekleideten Ebenezer am Cussock-Theater stand einfach nur: „NICHTSNUTZ".

Als sie am Zoo vorbeikamen, wo ein Ebenezer im verführerischen Freizeitdress zu bewundern war, erkannte Ebenezer die Handschrift eines der Schmierfinken.

„Warst ... warst du das etwa, Bethany?", fragte er. „Tut mir leid, aber in meiner Weste sehe ich *nicht* albern aus!"

„'tschulligung. Ich hatte neulich auf dem Nachhauseweg Langeweile. Und außerdem stand da drunter noch was viel Gemeineres." Bethany bemerkte Ebenezers traurige Miene. „Ups. Das hätte ich jetzt nicht sagen sollen, was?"

Ebenezer war am Boden zerstört. „Sind die Leute denn nicht rundum zufrieden mit den Leistungen von *Tweezer, dem Weisen*? Und warum hast du mir das nicht gesagt?"

„Ich wollte nicht, dass du dich aufregst", meinte Bethany. „Aber keine Sorge. Wenn ich die erwische, die das *richtig* fiese Zeug über dich schreiben, tausch ich ihre Kopfkissen gegen Kakteen aus."

In schrecklich trüber Stimmung hielt Ebenezer vor

dem Süßwarengeschäft. Bethany versuchte währenddessen, an alles Mögliche zu denken, nur nicht an das Biest. Es machte ihr doch immer Spaß, Miss Muddle mit ihren Geschenkkörben zu helfen – könnte das nicht die perfekte Ablenkung sein? Noch dazu war dies ein besonderer Tag, denn heute sollte sie erfahren, wie die Süßwarenmacherin sie für ihre harte Arbeit belohnen wollte.

Bethany sprang aus dem Wagen und stürmte in den Laden, gefolgt vom langsam schleichenden Ebenezer. Kundschaft war keine da, doch hinter der Theke stand Miss Muddle, die Arme bis zu den Ellenbogen in ihrer neuesten Kreation versenkt: der Bombigen Blubbertrompete.

„Hallo, ihr Süßen", sagte sie und zunächst waren sich Bethany und Ebenezer unsicher, ob damit wirklich sie gemeint waren. Miss Muddle pflegte sich nämlich mit ihren zuckerhaltigen Erzeugnissen zu unterhalten. „Wie geht's meinen beiden liebsten Lollischleckern?"

Ebenezer wollte schon antworten, dass es ihm keineswegs fabelhaft gehe und dass er durchaus einen Lolli vertragen könnte, wenn sie denn einen abzugeben hätte.

„Geht uns verdammt gut", erwiderte Bethany da. „Was macht die neue Süßigkeit?"

Als Miss Muddle die Hände aus der Bombigen Blubbertrompete zog, trötete diese ein trauriges Liedchen. Miss Muddle musterte sie wie einen Partygast, der sich schwer danebenbenommen hatte, und fuhr sich durch ihren blauen Schopf.

„Man darf die Hoffnung nie aufgeben, und wenn uns die Süßwaren noch so oft ein Schnippchen schlagen", sagte sie. „Bethany, bereit für den Geschenkkorbmarathon?"

Zuerst schnappte Bethany sich ihre Schürze, die erstaunlicherweise noch bekleckster war als die von Miss Muddle. Dann bereitete sie die Zutaten für ihre neueste Sandwicherfindung vor: eine Dose würzigste Würzpaste, eine Kanne Ananassaft und einige Krümel Ziegenkäse.

Zuletzt holte Bethany das zerknickte Foto von dem schnurrbärtigen Mann, der schnurrbartlosen Frau und der stirnrunzelnden Baby-Bethany aus der Gesäßtasche. Sie stellte sich nämlich gerne vor, ihre Eltern würden ihr beim Sandwichmachen zusehen.

Während Bethany sandwichte, quirlte Miss Muddle ein paar Fondantwirbel zurecht. Ebenezer, der sich wieder einmal ziemlich nichtsnutzig vorkam, nahm auf einem halbwegs sauberen Teil der Arbeitsfläche Platz.

Er beobachtete, wie Bethany fröhlich werkelnd hin und her stapfte, und der Neid packte ihn. Nicht nur, dass er in Sachen gute Taten offenbar ein totaler Versager war – nun erschien ihm Mr Nickles Anruf auch noch wie ein düsteres Omen dafür, dass Ebenezer niemals dem Schatten all der schlechten Taten seiner Vergangenheit entkommen würde.

Miss Muddle spazierte vorbei, um einen prüfenden Blick auf Bethanys Sandwichteller zu werfen. Mit hochgezogenen, blau gefärbten Brauen beäugte sie die Bananenschalen, die ihre Schülerin zum Schluss noch spontan hinzugefügt hatte.

„Also wirklich", sagte Miss Muddle. „Worauf hatten wir uns noch mal geeinigt?"

Bethany überlegte. „Darauf, dass Bananenschalen eine hammergute Idee sind?"

„Darauf, dass Experimente gut, aber genießbare End-ergebnisse besser sind." Miss Muddle zog eine Sandwich-pinzette aus ihrem Laborkittel und fieselte damit die Schalen heraus. „Und, Mr Tweezer, wollen Sie mal probieren?"

Ebenezer hätte sich lieber auf eines von Bethanys Kaktuskissen gesetzt.

„Das schmeckt bestimmt supergut", sagte Bethany.

Auch diese Beteuerung konnte ihn nicht überzeugen. Bethany war immer vollends begeistert von ihren Kreationen, von denen sich dennoch etliche nicht als deliziös, sondern als Geschmacksdebakel herausstellten. Doch wenn er sie nicht verletzen wollte, musste er wohl oder übel beherzt zugreifen.

„Ich kann es kaum erwarten", behauptete er und nahm eine Kostprobe in die Hand.

„Mach schnell, sonst suppt der Ananassaft unten raus!", rief Bethany.

Ebenezer kniff die Augen zusammen und knabberte den kleinstmöglichen Mäusebissen ab. Zu seiner Überraschung erwies sich dieser als absolut mjamjamtastisch.

„Bethany!", rief er. „Das ist ja erstaunlich!"

Sie sah ihn kritisch an. „Was bist du so überrascht?"

„Bin ich ganz und gar nicht", erwiderte er ein wenig zu schnell. „Ich meine nur … dass du vollkommen recht hast. Das ist deine bisher beste Erfindung. Dagegen schmecken deine ganzen anderen Sandwiches wie Taubenkotze aus der Mikrowelle."

Sie verschränkte die Arme. „So gut ist es auch wieder nicht. Ich hab schon zig tolle Sandwiches erfunden. Weißt du noch, das mit Kabeljau und Karamellpudding? Und das war ganz ohne Hilfe von Miss Muddle."

O ja, Ebenezer wusste es noch. Nach diesem Genuss hatte er ernsthaft darüber nachgedacht, sich mit der Küchenschere die Zunge abzuschneiden.

„Trotzdem, ab sofort solltest du dich meiner Meinung nach auf dieses Rezept hier konzentrieren", sagte er. Und fügte betrübt hinzu: „Dass du jetzt auch noch gut im Sandwichmachen bist ... kaum zu glauben."

„Sie hat aber auch eine hervorragende Lehrerin", gab Miss Muddle zu bedenken. „Bethany, ich habe die Getränkespender in der Ecke aufgefüllt. Was meinst du, was heute in die Geschenkkörbe soll? Smoothies? Oder doch lieber etwas Schokoladiges?"

Sie entschieden sich, in jeden Korb eine bunte Mischung zu stecken. Während Ebenezer mit düsterer Miene am Getränkespender stand und Glasflaschen befüllte, nutzte Miss Muddle die Zeit anderweitig. Sie überprüfte, ob Bethany auch genug über die Süßwaren-herstellung wusste.

„Wie lange kann ein Taranteljunges den Atem anhalten? Aber auf die Sekunde genau, bitte! Und wenn du mir dann noch den exakten Umfang des Planckschen Wirkungsquantums mitteilen könntest ..."

Bethany sammelte die übrigen Gaben für die Geschenkkörbe ein, permanent bombardiert mit Fragen zu verschiedensten Themen: französische Dichtkunst, exotische Kräuter, die Ergebnisse des Damen-Volleyball-turniers von 1946 ... Ihre Lehrerin war nämlich der

Ansicht, dass es für Süßwarenmacherinnen kein unnützes Wissen gab. Um Bethanys Horizont zu erweitern, versorgte Miss Muddle sie in einem fort mit Büchern, Schallplatten, Videokassetten, Fotografien und Zetteln mit zusammenhanglosen Notizen.

„Okay, das wär's", sagte Bethany. Sie griff nach dem Geschenkkorb für das Kinderkrankenhaus, doch Miss Muddle schnappte ihn ihr weg und ließ ihn über ihrem Kopf baumeln.

„Aber, aber, junge Dame! Ich frage mich immer noch, wie umfangreich das Plancksche Wirkungsquantum ist."

„Meinetwegen. Es ist winzig klein. Kleiner als der krümeligste Cupcake-Krümel. Das stand jedenfalls in diesem dummen Buch, das Sie mir gegeben haben. Wie hieß es noch? Stimmt, *Quantenmechanik für Quatschköpfe*." Bethany machte eine Pause. „Hey, Muddle, ich hätte mal 'ne Frage. Wie war das mit dieser krass tollen Belohnung?"

„Ach du bitteres Bonbon, das hatte ich völlig vergessen!" Miss Muddle eilte in die Gebräustube und kehrte mit einer goldglitzernden Karte zurück. „Ich werde eine Party für dich schmeißen."

„Was werden Sie schmeißen?", fragte Ebenezer.

Miss Muddle schrieb, wie sie war – voller Hektik und

in Gedanken immer schon einen Schritt weiter. Doch Ebenezer konnte ihr Gekrakel gerade so entziffern:

Ist Bethany nicht die Allerbeste?
Sie alle sind zur großen Bethany-Feier diesen Freitag eingeladen, bei der wir einen der freundlichsten und fleißigsten Menschen unseres Stadtviertels loben und preisen wollen!
Für Süßigkeiten ist gesorgt.
Herzliche Grüße bitte selbst mitbringen.

Bethany betrachtete die Karte skeptisch. „Soll das ein Streich sein?"

„Nicht doch", sagte Miss Muddle. „Das Streichespielen habe ich schon lange hinter mir gelassen. Inzwischen stecke ich alle Schabernackgedanken in mein Geschäft. Aber ich weiß noch, wie es war, als ich mich gebessert habe: Ich wollte so sehr, dass es jeder mitbekommt. Du tust ja immer so, als wäre dir egal, was die Leute denken –"

„Ist es auch", stellte Bethany fest.

„Aber natürlich. Und am Freitag kannst du den Nachbarn zeigen, *wie* egal es dir ist. Ich habe die Einladungen heute Morgen abgeschickt. Es wird eine Überraschungsparty, also … Überraschung!"

Bethany wusste nichts zu sagen. Vor allem, weil noch nie jemand etwas so Liebes für sie getan hatte.

„Soll man nicht erst ‚Überraschung!' rufen, wenn die Party tatsächlich beginnt?", meldete sich Ebenezer zu Wort. Ansonsten wusste auch er nichts beizutragen, vor allem, weil er sich vor Neid gerade leicht grünlich färbte. „Da die Überraschung andernfalls keine mehr ist, meine ich."

„Ach so?", erwiderte Miss Muddle. „Das tut mir leid. Wenn mich nicht alles täuscht, war ich noch nie auf einer Überraschungsparty. Oder überhaupt auf vielen Partys." Sie gab Bethany den Geschenkkorb für die kranken Kinder und warf einen Blick auf die Zuckerstangenwanduhr. „Wird Zeit, dass ihr loskommt! Wir können uns später in Ruhe über die Party und die passenden Ballons unterhal… Hey, hey, hey, hört ihr das auch? Dieses fürchterlich schrille Klingeln?"

„Das müsste Ihr Telefon sein", sagte Ebenezer, froh, endlich etwas Sinnvolles von sich geben zu können.

„Stimmt, das leuchtet ein!", rief Miss Muddle. Sie wühlte in der Fruchtgummikarre und förderte ein

Telefon im Zuckerstangendesign zutage. „Hölle?", sprach sie hinein. „Äh, ich meine: Hallo?"

Nachdem sie einige Sekunden still zugehört hatte, drehte Miss Muddle sich zu Ebenezer und Bethany.

„Es ist für euch." Sie sah das Telefon zweifelnd an. „Ist ein älterer Herr, der aber … Doris heißt?! Angeblich hat er euch hier geortet und mein Telefon war am nächsten an euch dran. Er muss euch augenblicklich sprechen, weil sonst irgendwer niest oder … irgendwas *fließt*?"

Ebenezer beschloss, sich ein Beispiel an Bethany zu nehmen und einfach etwas zu TUN. Er riss Miss Muddle das Telefon aus der Hand.

„Mr Nickle, Sie sperren jetzt gefälligst die Lauscher auf." Ebenezer räusperte sich und mit seiner stilvollsten Telefonstimme sagte er ganz langsam und sehr deutlich: „Hauen. Sie. Ab."

Dann knallte er das Telefon auf die Arbeitsfläche, forderte Miss Muddle auf, etwaige weitere Anrufe von dieser Nummer ohne Ausnahme zu ignorieren, schnappte sich einen Geschenkkorb und verließ mit Bethany das Geschäft.

Der Gesprächspartner ist niemals mehr erreichbar

Bedauerlicherweise hatte Mr Nickle es nicht so mit dem Abhauen, schon gar nicht auf Befehl. Seine Anrufe verfolgten Ebenezer und Bethany auf Schritt und Tritt.

Während sie den kranken Kindern ihre Geschenkkörbe aushändigten, klingelte Mr Nickle in allen Abteilungen der Klinik durch. Während die beiden ihre Körbe im Obdachlosenheim ablieferten, ließ er sämtliche Telefonzellen in der näheren Umgebung läuten.

Dritter Halt war das Seniorenheim. Bethanys Lieblingsstation war es nicht, doch Ebenezer genoss es jedes Mal aufs Neue, die Runzelgesichter der Bewohner mit seinem eigenen, so wundervoll faltenfreien Antlitz zu vergleichen. Als sie den Aufenthaltsraum betraten und die Körbe auspackten, strahlten die Seniorenmienen vor Freude über die herrliche Vielfalt an Süßigkeiten, Sandwiches und Smoothies.

„Entschuldigung", sagte eine bemerkenswert flotte Greisin – eine ehemalige Showtänzerin, die mit ihren 89 Jahren noch immer problemlos einen Spagat hinbekam. „Könnten wir vielleicht ein Foto machen?"

Zufrieden lächelnd ließ Ebenezer sich einen altmodischen Fotoapparat aushändigen. Mit Fotografien kannte er sich aus, schließlich hatte er stundenlang in der Posiergalerie seines fünfzehnstöckigen Hauses für seine Gemälde Modell gestanden.

Er neigte seinen Kopf zu dem der Greisin. „Was darf es sein, verehrte Dame? Ein spitzbübisches Grinsen oder ein strahlendes Lächeln?"

„Sie haben mich anscheinend missverstanden", sagte die Tänzerin. „Ich will kein Foto mit Ihnen. Ich will, dass Sie eins von mir mit Ihrer Begleiterin knipsen."

„Mit *Bethany*?", schnaufte Ebenezer. „Aber ich bin doch viel schöner anzusehen!"

„Nun machen Sie schon", drängte die Tänzerin, stieß ihn weg und legte den Arm um Bethany, die kaum wusste, wie ihr geschah. „Sag *Cheese*."

„Sag's doch selbst, du faule Omma", erwiderte Bethany

genervt. Und ihr Gesicht verfinsterte sich noch weiter, als die Alte neben ihr grinsend in den Spagat ging.

„Könnte ich auch ein Foto haben?", fragte ein Greis im mottenzerfressenen Pullover.

Jetzt wurde Bethany erst recht misstrauisch. „Aber warum?"

„Na, als Beweis, dass ich einen der liebsten Menschen der Welt kennengelernt habe."

Bethany war noch nie als „lieb" bezeichnet worden. Sie ging zu dem Alten hinüber und grummelte noch entschlossener in die Kamera, während Ebenezer mürrisch den Auslöser betätigte.

Bald wollten alle ein Foto mit Bethany. Und alle überschütteten sie mit Komplimenten, von denen Bethany vollkommen überfordert war. Ihre Reaktion bestand darin, auf sämtlichen Bildern eine hässliche Grimasse zu schneiden.

Nachdem Ebenezer zum letzten Mal widerwillig geknipst hatte, kam Schwester Mindy zu ihnen.

„Vorhin habe ich den Leuten Miss Muddles Einladung vorgelesen – was haben sie sich auf deinen Besuch gefreut, Bethany!" Sie warf einen strengen Blick auf Ebenezer. „Es ist so schön, dass jemand in diesem Viertel *wirklich* Gutes tut."

„Was soll das denn heißen?", entgegnete Ebenezer. „Als hätte *Tweezer, der Weise* Ihnen nicht exzellente Lösungen für Ihre Probleme vorgeschlagen."

Schwester Mindy lachte spitz auf. „Ich habe Sie um Hilfe mit den heimeigenen Hörgeräten gebeten – und nach drei Wochen in Ihren ‚Nachdenkgemächern' schlagen Sie mir vor, dass wir uns mit Megafonen unterhalten sollen?!"

„Ich fand, das war keine schlechte Idee", flüsterte Ebenezer.

Bethany richtete ihren bösen Blick auf die Schwester. „Hey, seien Sie mal nicht so gemein! Er tut doch sein Bestes."

„Es wäre besser für alle, wenn er gar nichts mehr tun würde", sagte sie. „Ach so, am Empfang wartet ein Telefonat auf euch. Wir haben dem Anrufer gesagt, dass ihr beschäftigt seid, aber anscheinend könnt nur ihr verhindern, dass irgendwas sprießt oder zerfließt oder …"

Bethany schüttelte den Kopf. „Sagen Sie ihm, wir sind nicht da."

Und damit das nicht gelogen war, verließen Ebenezer und sie eilig das Seniorenheim.

Mit kraus gezogener Stirn stieg Bethany in den Wagen.

„Ich kapier nicht, warum Nickle sich noch die Mühe macht. Egal, was er sagt, das Biest sieht uns nie wieder. Da sind wir uns einig. Wir sind schließlich ein Team."

Innerlich schäumte Ebenezer noch immer vor Wut darüber, dass kein Mensch mit ihm ein Foto machen wollte. Oder ihm eine tolle Party schmeißen oder seinen exzellenten Megafonratschlag in Betracht ziehen wollte. Wenn Bethany und er ein Team waren, war er eindeutig dessen Schwachstelle.

Sie rammte ihm den Ellenbogen in die Seite. „Hast du gehört, Blödgesicht? Ich hab gesagt, wir sind ein Team!"

„Ja, natürlich", antwortete Ebenezer geistesabwesend. „Vielleicht sollten wir im Partnerlook herumlaufen."

„Nee, lass mal. In so bescheuerten Klamotten rumzulaufen, wäre mir zu peinlich." Bethany zog die goldene Einladungskarte aus ihrem Rucksack. „Doch weil du mein wichtigstes Teammitglied bist, habe ich gerade beschlossen, dass du bei meiner Party eine genauso wichtige Rolle übernehmen sollst. Weiß noch nicht, welche, aber es wird sicher genial."

„Wie nett von dir", erwiderte Ebenezer steif. Wenn er ein Thema meiden wollte, dann diese Party.

„Vielleicht lade ich auch Claudette ein. Sie hat mir mal erzählt, dass Wintlorsche Purpurbauchpapageien total gern feiern. Das heißt, sie kann noch gar nicht wieder fliegen, oder? Hm, dann müssen wir einfach haufenweise Fotos für sie knipsen. Oh, hey! *Das* könntest du auf meiner Party machen. Eben im Seniorenheim warst du ein voll guter Fotograf."

Ebenezer wurde übel. Die Party als Hoffotograf von Königin Bethany zu verbringen – das wäre ein Albtraum.

Sie hatten ihre letzte Station des Tages erreicht: das Waisenhaus. Ebenezer lenkte den Wagen durch das krumme, knarrende Tor. Die meisten Kinderheime, hatte er mal gelesen, seien Oasen der Liebe und Fürsorge. Dieses hier sah aus, als würde es zum Spaß Sandburgen zerstampfen und arglosen Leuten Halsschleim in den Tee spucken.

Ganz betroffen von der Hässlichkeit des Bauwerks, fuhr Ebenezer mit seinem Wagen beinahe ein Kind über den Haufen. Es war ein liebenswürdiger Kerl im dicken Pullunder, der seine Nahtoderfahrung erstaunlich gelassen hinnahm.

„Oh, ähm, Entschuldigung, Mr Tweezer!", rief Geoffrey. „Tut mir leid! Ich wollte nicht im Weg herumstehen. Ich habe mich einfach so gefreut, als ich aus dem Fenster Ihr Auto gesehen habe. Die anderen spielen alle drinnen mit Steinen."

„Junge, bist du wirklich so dumm? Wenn sich hier einer entschuldigen muss, dann ich", sagte Ebenezer ärgerlich. „Andererseits sollte ich dich wohl nicht als ,dumm' beschimpfen, nachdem ich dich fast überfahren hätte."

„Oh, ähm, machen Sie sich keine Gedanken. Ich finde es furchtbar nett von Ihnen, dass Sie sich überhaupt mit mir unterhalten." Geoffrey steckte den Kopf neben Ebenezer durchs Seitenfenster und strahlte Bethany an. „HEY, HALLO!" Dann bemerkte er seine peinlich übertriebene Begeisterung. „Oh, ähm, ich meine: ,Hallo.' Ja, genau, so hört es sich normaler an. Also, äääähm, wie … also nur, wenn du darauf antworten möchtest … wie geht's dir?"

„Total super eigentlich", antwortete Bethany und sprang mit dem letzten Geschenkkorb aus dem Wagen. „Weiß nicht, ob du's schon mitbekommen hast, aber ich bin jetzt sozusagen offiziell der beste Mensch des Viertels. Und deswegen schmeißt Miss Muddle am Freitag eine Party für mich."

„Mannomann, das ist ja genial!" Geoffrey wurde noch nervöser. „Aber du wirst mich doch nicht vergessen, jetzt, wo du ein Star bist?"

„Niemals, Geoffinger. Niemals. Im Gegenteil. Weil du

mir so viel bedeutest, sollst du auf meiner Party unbedingt eine ganz wichtige Rolle spielen."

Ebenezer biss die Zähne zusammen. Er wollte der Einzige sein, dem auf der Party eine wichtige Rolle zugedacht war. Und wenn er nur blöde Fotos schoss.

„Ach, wie lieb von dir. Übrigens habe ich sogar etwas für dich, praktisch zur Feier des Tages." Lächelnd zog Geoffrey ein knallbuntes Papierbündel aus seiner Gesäßtasche. „Die neueste Ausgabe von *Detektei Schildkröt: Langsam auf den Beinen, schnell im Kopf!*"

Bethany blätterte das Comicheft mit nachdenklicher Miene durch. Wie eine Käsekennerin, die es mit einem neuartigen Brie zu tun hatte. „Kommt da wieder Professor Molchiarty drin vor?"

„Erst ganz am Ende. Der Bösewicht ist diesmal einer seiner Agenten – der Schakal von Böhmen." Geoffrey wappnete sich innerlich, um die nächsten Sätze so lässig wie möglich auszusprechen. Es brachte nichts. „Ich habe gehört, dass bald eine Verfilmung von *Detektei Schildkröt* in die Kinos kommt. Wir könnten vielleicht zusam…"

„Sind Schildkröt und ich nicht so was wie Kollegen?", unterbrach ihn Bethany, in das Heft vertieft. „Wir opfern uns beide für unsere Mitmenschen auf, wir bekämpfen beide das Böse … Ja, bin ich nicht 'ne ziemliche Super-heldin?"

Als Ebenezer lachte, schaute sie ihn schief an.

„Da fällt mir ein …" Bethany kramte in ihrem Ruck-sack. „Ich hab was für dich. Hier, Geoffinger." Sie hielt ihm ein Waldmeisterwaldmurmeltier aus Miss Muddles Laden hin. „Ist nur eine Kleinigkeit …"

„Ich liebe Waldmeisterwaldmurmeltiere!", rief Geoffrey.

Bethany wurde ein bisschen rot. „Weiß ich doch."

Mit einem einzigen glücklichen Schmatzen ließ Geoffrey das Murmeltier in seiner Mundhöhle ver-schwinden. „Mmmh … Ach, tut das gut, mal wieder was zu essen! Timothy hat uns gestern nichts gegeben … und heute Morgen hat er auch nicht dran gedacht."

„WIE BITTE?", rief Bethany.

„Oh, ähm, ist halb so wild", beschwichtigte Geoffrey schnell. „Er hatte wahrscheinlich wieder mal zu viel Papierkram zu erledigen. Er soll bitte meinetwegen keinen Ärger bekommen."

„Das hättest du dir früher überlegen sollen." Bethany machte ein entschlossenes Gesicht. „Detektei Bethany wird dabei nicht tatenlos zusehen."

Sie marschierte ins Waisenhaus hinein und die altersschwache Treppe zum Büro des Leiters hinauf. Geoffrey folgte ihr schnaufend, während Ebenezer langsam hinterhertrottete. Er war immer noch genervt von … allem eigentlich.

Waisenhausleiter Timothy Skiffle tigerte in seinem Büro auf und ab. Er hatte seine zehn Fingernägel bis auf das absolute Minimum heruntergekaut und sein Schreibtisch ächzte unter wahren Papiergebirgen.

„Immer, wenn ich mit einer Akte fertig bin, kommen zehn neue rein", beklagte er gerade sein Schicksal.

Da knarrten die morschen Holzdielen unter Bethanys Füßen. Timothys Kopf schnellte herum und voller Sorge blickte er den drei Neuankömmlingen entgegen. Als er ihre intakten Fingernägel bemerkte, schien er neidisch zu werden – als hätte er nur zu gern ein bisschen daran geknabbert.

„Kinder! Kinder! Warum kommen mir alle mit *Kindern*!", rief Timothy. Aus seinem Mund klang das Wort „Kinder" nach einem tödlichen Giftpilz. „Bethany, wenn du deine Akte abholen willst, tut's mir leid. Ich habe keine Ahnung, wo sie hingeraten ist."

„Akte?", fragte Ebenezer.

„Die Akte, die alle Kinder bei ihrem Abschied von unserem Haus ausgehändigt bekommen sollen. Miss

Fizzlewick, meine Vorgängerin, hat sich nie darum gekümmert. Schreibtischarbeit war ihr einfach zu *undamenhaft*." Timothy stieß einen Seufzer des Selbstmitleids aus. „Sie hat mir so einen Sauhaufen hinterlassen, es ist kaum auszuhalten!"

„Wissen Sie, was kaum auszuhalten ist?", erwiderte Bethany. „Dass meine alten Kollegen nichts zu essen kriegen."

Sie stürmte zum Schreibtisch, griff sich wahllos Papiere und schleuderte sie aus dem Fenster.

Timothy brüllte, als hätte sie sechs bis sieben Babys durch die Luft segeln lassen. „Du Monster!"

„Ich hab grad erst angefangen." Bethany zerknüllte einen ganzen Papierstapel. „Und ich werde immer so weitermachen, bis Sie mir versprechen, sich endlich zusammenzureißen."

„Ich verspreche es! Ich verspreche es!", rief Timothy. „Woher soll ich wissen, dass Kinder sich nicht selbst mit Nahrung versorgen können? Ich dachte, die sind bloß zu faul dazu."

„Zu faul?! Das kann doch nicht Ihr Ernst sein! Zu f…"

Ein ungeduldiges Läuten schnitt ihr das Wort ab. Auf dem Schreibtisch klingelte das Telefon.

Timothy musterte es fassungslos. „Ich habe das Ding gerade erst installiert. Es *kann* noch niemand die Nummer kennen."

Augenrollend hob Bethany den Hörer ab. „So, mein lieber Nickle. Wenn Sie uns nicht endlich in Ruhe lassen, werde ich …"

„Bit… nur ein Satz, Bethany", bettelte Mr Nickle. *„Nur ein Sa… warum wir uns treffen mü…"*

„Na gut, wenn Sie danach für immer Ihre Klappe halten. Aber wirklich für alle Ewigkeit, klar?"

In der Leitung herrschte knisternde Stille. Dann, jedes einzelne Wort wohlbedacht, verkündete Mr Nickle endlich, was er schon den ganzen Tag hatte loswerden wollen.

„Ich muss … sprechen, weil …as Biest einen Weg gefunden hat, aus seinem Käfig zu …kommen."

Die Wintlorsche Warnung

In Wintloria hatte Claudette schwer zu kämpfen. Die anderen Papageien hatten den Baum der Festgelage geräumt und es ihr dort häuslich eingerichtet. Für den Flug in ihren eigenen Teil des Waldes wäre Claudette zu schwach gewesen.

Eine Mischung aus Schul- und Naturmedizin sollte ihr wieder auf die Krallen helfen. Einer ihrer Flügel war mit einer piependen D.O.R.R.i.S-Apparatur verdrahtet, ihr übriger Körper begraben unter Blättern, Rinde und Früchten, die die anderen im Wald gesammelt hatten. Doch irgendetwas schien sich ihrer Genesung hartnäckig in den Weg zu stellen – etwas, das kein Dorris und kein Papagei begreifen konnten.

Hilflos sah Mortimer zu, wie Claudette sich in unruhigem Schlaf, krächzend und mit den Flügeln flatternd, hin und her wälzte. So ging es schon, seit sie bewusstlos in seine Schwingen gesunken war. Sie war zu weggetreten, um mit ihren Freunden zu sprechen, aber zugleich zu wach, um wirklich zur Ruhe zu kommen.

„Hey-hey, Morty! Du treues Würstchen, du!" Giulietta war in den Baum hineingerauscht. „Hältst du also immer noch brav die Stellung?"

Auf eine solch dumme Frage würde Mortimer gar nicht erst antworten.

„Hallo, hörst du schlecht?!" Wie die anderen Waldpapageien gab auch Giulietta sich viel zu viel Mühe, trotz aller Tragik gute Laune zu verbreiten. „Oder bist du einfach nur müde? Soll Frederick dich vielleicht zum Geruhsamen Gehölz fliegen?"

„Nicht NÖTIG!", stieß Mortimer mit zusammengepresstem Schnabel hervor, ohne Claudette aus den Augen zu lassen.

„Seit sie da ist, hängst du immer nur hier rum." Als Giulietta ihm einen Flügel ums Gefieder legte, zuckte Mortimer zusammen. Ihn durfte nur eine umarmen, und zwar Claudette. „Du musst doch fix und foxi sein."

„Ich werde sie nie allein lassen", erwiderte Mortimer. „Niemals, solange sie mich braucht."

„Was braucht sie denn? Ruhe! Und ansonsten ist doch alles da, was ihr irgendwie helfen könnte."

„Ich werde den Wald nach Früchten durchforsten, die ihr übersehen habt. Ich werde zu D.O.R.R.i.S fliegen und bessere Ärzte organisieren." Auch wenn er eigentlich bloß mit sich selbst sprach, gelang es Mortimer, damit die drei Agenten zu beleidigen. Hughie, Stewie und Louie machten sich nämlich gerade emsig an Claudettes Krankenbett zu schaffen. „Irgendwas muss ich doch tun können!"

„Was denn, außer abwarten?", fragte Giulietta. „Aber wenn du dich partout nicht ausruhen willst – wir anderen wollten uns gleich um den Baum versammeln und versuchen, Claudettes Qualen mit heiteren Schlafliedern zu lindern. Ich weiß, du bist kein großer Sänger, aber möchtest du nicht ausnahmsweise mit einstimmen?"

„Kein Lied der Welt kann Claudette helfen", schimpfte Mortimer.

„Lieder können die Seele trösten und gebrochene Herzen flicken. Ja, das richtige Lied im rechten Ohr –"

„Und es würde trotzdem nicht gegen das Biest ankommen!", rief Mortimer.

Dabei war ihm und den anderen eingeschärft worden, in Claudettes Gegenwart auf keinen Fall das Biest zu erwähnen. Die D.O.R.R.i.S-Apparatur piepte schneller und lauter denn je und Claudettes Augen zuckten, als irrte sie durch einen besonders aufwühlenden Traum.

In früheren Zeiten hatte Claudette manchmal dem Papageiennachwuchs Wintlorias zum Einschlafen von ihren Träumen erzählt. Hätte sie von diesem Traum berichtet, hätten die Kleinen nie mehr ein Auge zubekommen. Murmelnd ließ sie Mortimer und die anderen daran teilhaben, was sie im Geist des Biests erblickt hatte.

„Schurkulus … Morgana … BETHANYYY …“ Für einen Moment wachte Claudette müde blinzelnd aus ihrer Ohnmacht auf. „Was zur …? Wo zur …?“

Mortimer eilte besorgt zu ihr. Da er ihre gehauchten Worte kaum verstehen konnte, lehnte er sich dicht zu ihrem Schnabel.

„Das Biest hat Hunger … Immer hat es Hunger und immer schmiedet es Pläne … Lass es nicht so weit kommen, Morty … Lass es nicht aus seinem Gefängnis entwischen … und vor allem: Lass es nicht fressen …“ Claudette wehrte sich sichtlich gegen ihre Erschöpfung. *„Denn wenn es frisst, dann frisst es … dann frisst es … DU MUSST BETHANY RETTEN!“*

„Wer und wo ist Bethany?“, fragte Mortimer, so leise er konnte. „Claudette? Wie soll ich Bethany retten, wenn ich nicht weiß, wo sie steckt?!“

Die Papageiendame versank wieder in fiebrigem

Schlaf. Mortimer versuchte noch, sie sanft wach zu rütteln – keine Chance. Er spürte, wie sich hinter seinen Lidern ein See aus purpurfarbenen Tränen staute. Doch er weigerte sich, auch nur eine davon zu vergießen.

„Was hat sie gesagt?", fragte Agent Hughie, der Mensch.

„Hat sie Schmerzen?", fragte Agent Louie, der Mensch-oder-auch-nicht.

„Irgendeine Ahnung, warum sie sich nicht erholt?", zischte Agent Stewie, der Definitiv-kein-Mensch.

„Sie spricht andauernd von einer Bethany", sagte Mortimer. „Und sie hat angedeutet, dass das Biest einen Gefängnisausbruch plant. Aber das ist doch Quatsch, oder?"

Die drei Dorrise im Baum sahen sich an. Die stummen Worte, die sie mit ihren Blicken zu wechseln schienen, gefielen Mortimer nicht.

Er wurde ungeduldig. „Antworten Sie mir! Kann das Biest ausbrechen – oder kann es nicht?"

„Nein, aus einem Laserkäfig kann es nicht entkommen …", sagte Agent Hughie.

„Aus einem Laserkäfig kann nichts und niemand entkommen …", sagte Agent Louie.

„Andererseits können sich wahre Schurken immer

irgendwie die Freiheit erschleichen …", zischte Agent Stewie.

Entgeistert starrte Mortimer die drei Dorrise an. Die Kreatur, die seinem Lieblingswesen aller Zeiten so wehgetan hatte, könnte wieder frei durch die Welt streifen! Es war eine Vorstellung, die sein purpurfarbenes Blut zum Kochen brachte.

„Sie erzählen mir alles", verlangte er. „SOFORT!"

Pfützenchaos

Auf der Heimfahrt wurde Ebenezer zum rücksichts-losen Raser. Er wechselte vogelwild die Spur und hupte alle störenden Erwachsenen, Kinder, Hunde-welpen und Entenküken lautstark aus dem Weg.

„Was sollte das heißen", keuchte er, „dass das Biest einen Weg gefunden hat, aus seinem Käfig zu entkom-men?"

„Woher soll ich das wissen?", sagte Bethany. „Er hat gleich danach wieder aufgelegt."

In der Einfahrt angekommen, stürzte Bethany aus dem Wagen, noch bevor Ebenezer den Motor abgestellt hatte, und sprintete zu ihrem Zimmer hinauf. Sie riss Pullover um Pullover aus ihrem Kleiderschrank, bis endlich ihr Notfallrucksack, den sie eigens für solche Situationen vorbereitet hatte, freigelegt war.

Schnell überprüfte sie, ob auch alles drin war: die

Trompete aus der Cussock-Theaterschule, die ohne-Witz-tödliche Steinschleuder aus dem Nacht-und-Nebel-Schabernackorium, der Kassettenplayer mit der abspielbereiten Aufnahme von *Picknick im Wirbelwind*, dem Hasslied des Biests, eingesungen von Claudettes Cousin Patrick. Darüber hinaus hatte Bethany in die vordere Tasche einen Fallschirm eingenäht, da man bekanntlich immer damit rechnen musste, plötzlich aus einem Flugzeug springen zu müssen.

Ebenezer ging die Sache ein wenig anders an. Er hatte weder Waffen noch versteckte Fallschirme vorbereitet, dafür aber stets ein todschickes Outfit zur Hand. Nun öffnete er den Reißverschluss seines Achtung-jetzt-kommt's-Kleidersacks und streifte sich einen schwarz glänzenden Rollkragenpullover sowie eine Hose über, die enger und eleganter war als das Wohnzimmer eines Zitronenfalters.

Unten an der Eingangstür trafen sie sich wieder und schlüpften in ihre Gummistiefel. „Was glaubst du, wo die Portalpfütze auftaucht?", fragte Ebenezer.

„Woher soll ich das wissen, du Vollidiot?!", schnauzte Bethany ihn an, ehe sie ein paarmal tief durchatmete. „'tschulligung. Der Stress. Irgendwo im Haus, würde ich wetten."

„Da halte ich dagegen. Draußen, sage ich."

Eilig machten sie sich auf den Weg in den Garten, doch sie kamen nicht einmal bis zur Comic- und Filmbibliothek – das ganze Haus erbebte auf einmal und unmittelbar vor ihren Füßen quoll eine Wasserlache aus dem Teppich hervor. Ebenezer ärgerte sich. Schon wieder hatte er gegen Bethany verloren – war das denn zu fassen?

Dann musste er schlucken. „Äh … *Ladies first?*", flötete er unsicher.

„Vergiss es", sagte Bethany. „Wir sind doch ein Team."

Ebenezer nickte. Seite an Seite stellten sie sich an den Rand der Pfütze und zählten von drei herunter. Sie sprangen hinein und verschwanden aus dem Flur wie zwei aus den Fingern gerutschte Kekse in einer Teetasse … nur um einen Augenblick später im seichten Wasser nahe dem Ufer der D.O.R.R.i.S-Insel wiederaufzutauchen.

Besucher waren in der Regel verzaubert, verängstigt oder verstört vom Anblick der Insel. Sie schnappten nach Luft, wenn sie die monströse Hightech-Pyramide in ihrer Mitte entdeckten, und bestaunten mit offenem Mund die Angehörigen unterschiedlichster Spezies, die

aus jeder Meeresrichtung ihrem Hauptquartier zustrebten. Sie grübelten darüber, wie es sein konnte, dass das Wasser nicht nass war, und bewunderten den gleißenden, wolkenlosen Himmel.

Bethany und Ebenezer hielten sich nicht mit all dem auf. Sie dachten nur noch an das Biest.

Mr Nickle erwartete sie schon am Strand. Der alte Mann wirkte fröhlicher, als sie ihn je gesehen hatten, und jeder einzelne Dorris, der am Ufer landete, begrüßte ihn mit Glückwünschen und Schulterklopfen.

„Wiesler! Bethany!", rief er mit seiner rasselnden Pfeifstimme und schwenkte seine gemeingefährlichen Gehstöcke, als würde er zwei Geburtstagsgäste willkommen heißen. „Zuerst einmal: Wie wäre es mit einer Erfrischung? Vielleicht ein Tee? Eine Limo direkt vom Mars? Wenn es etwas Stärkeres sein darf, könnte ich uns vielleicht sogar ein paar Tränen eines sterbenden Sterns organisieren …"

„Wir wollen nur eins: eine Erklärung!", erwiderte Ebenezer. „Wie haben Sie das bitte gemeint? Sollte das ein Scherz sein? Wenn ja, kann ich nicht darüber lachen."

Mr Nickle kicherte gutmütig. „Es war kein Scherz." Er hinkte den Strand entlang, schneller und agiler als der allergrößte Teil seiner Altersgenossen. „Das Biest hat tatsächlich einen Weg gefunden, aus unserer Haftanstalt zu entkommen – und das ist eine hervorragende Nachricht."

„Ach ja?" Bethany schüttelte den Kopf. „Kann's sein, dass Sie komplett verrückt geworden sind?"

Um erst gar keine Missverständnisse aufkommen zu lassen, was sie von dem Geschwätz des Alten hielt, wollte Bethany ihm kräftig gegen sein bescheuertes Schienbein treten. Doch sobald sie zum Angriff überging, streckte der Greis sie mit einem gekonnten Gehstockfeger nieder.

„Wären Sie einfach mal ans Telefon gegangen, hätte ich es Ihnen in Ruhe erklären können. Dann wäre es jetzt nicht so verflixt verzwickt, Ihnen das alles begreiflich zu machen", sagte Mr Nickle, während Ebenezer Bethany aufhalf. „Aber einerlei, nun müssen wir es eben zwischen Tür und Angel hinbekommen. Sie werden schon bald verstehen."

Mr Nickle meldete seine Gäste in der Pyramide an und klatschte dabei mit dem jungen Blaugesichtigen am Empfang ab. Als sie die Krankenstation passierten, streckten ihm noch mehrere andere Dorrise begeistert die flache Hand entgegen.

Bethany und Ebenezer kamen aus dem Staunen kaum heraus. Seit ihrem ersten und bislang einzigen Besuch an diesem Ort hatte sich die Atmosphäre grundlegend gewandelt. Damals hatte niemand mit niemandem abgeklatscht, und die bloße Tatsache, dass ganz in der Nähe der Magen des Biests knurrte, schien alle in den Wahnsinn zu treiben. Davon abgesehen hatten beim letzten Mal noch nicht an jeder Ecke fantastische Apparaturen herumgestanden.

Mr Nickle begleitete sie zu einem abfahrbereiten Aufzug. Auf einer aufklappbaren Schaltfläche am Ende eines seiner Gehstöcke drückte er den Knopf mit der Aufschrift *Der Käfig*.

„Was uns oben erwartet, dürfte Sie überraschen", warnte er seine Gäste vor. „Denken Sie sich nichts dabei, falls die Kreatur zunächst ein bisschen schüchtern ist."

„Ich wäre echt froh, wenn sie verdammt schüchtern wäre", erwiderte Bethany. „Mr Nickle, muss das *wirklich* sein?"

Vor jedem Aufeinandertreffen mit ihrem Erzfeind tat sich knapp über Bethanys Bauchnabel ein Abgrund aus alles verschlingender Angst auf. Eigentlich lief sie vor keinem Menschen oder Monster davon, doch wenn das Biest in der Nähe war, wollte sie nie mehr stehen bleiben.

„Sollten wir nicht lieber Helme tragen?", fragte
Ebenezer. „Beim letzten Mal hatten wir welche auf, da
bin ich mir sicher."

Mr Nickle winkte mit seinen Gehstöcken ab. „Nicht
nötig. Die brauchen wir schon seit Monaten nicht
mehr – seit sich der Magen der Kreatur beruhigt hat."

Der Lift fuhr an der schrägen Pyramidenwand hinauf.
Als die obersten Stockwerke nicht mehr weit waren,
ballte Bethany die Fäuste und trotzdem zitterten ihre
Hände noch immer. Sie presste die Augen zusammen
und öffnete sie erst wieder, als sie angekommen waren.

Die oberste Etage unterschied sich deutlich vom
übrigen Gebäude. Der Boden bestand aus Metall und die
Wände waren gesäumt von den einzigen tödlichen
Waffen, die dem Biest wirklich etwas anhaben konnten:
Trompeten.

Am Lift hielt eine tiefenentspannte Agentin Wache.

„Hereinspaziert", sagte Mr Nickle. „Keine falsche
Zurückhaltung!"

Bethany und Ebenezer wären haufenweise Gründe
eingefallen, warum Zurückhaltung in diesem Fall genau
richtig gewesen wäre. Etwa, dass es sich das Biest zur
Lebensaufgabe gemacht hatte, den Rest der Welt zu
terrorisieren und anschließend zu verspeisen. Doch

ihnen kam kein Laut über die staubtrockenen Lippen. Schweigend machten sie einen Schritt nach vorn und sahen das Biest in seinem dreifach verstärkten Laserkäfig liegen.

Es schlief, schnarchte sogar leise schnurrend vor sich hin. Seine drei Augen waren geschlossen, seine beiden schwarzen Zungen hingen rechts und links aus seinem Maul heraus und sein Gesicht war erfüllt von unendlicher Ruhe. Doch als sich Ebenezer und Bethany vorsichtig näherten, wich diese Ruhe einer gewissen Wachsamkeit.

Die drei Augen öffneten sich nicht, die beiden schwarzen Zungen glitten jedoch ins Maul hinein und die Nasenlöcher blähten sich vor Aufregung. Dann sagte das Biest etwas. Seine Stimme war noch so flauschig weich wie früher, das Zischeln aber war daraus verschwunden.

„Mmmhhh … mmmhhh … mmmmmmmhhhhh! Was duftet denn da so herrlichens?"

Ach du liebes Biestchen!

In einer Art Kleinkindsprache, die weder Bethany noch Ebenezer je aus seinem Maul gehört hatten, führte das Biest Selbstgespräche.

„Es duftet nach … Menschis." Das Biest schnupperte. „Einer von euch süßen kleinen Menschis riecht … muffig … und welches Wort taucht da in meinem Kopf auf? *Leder?* Aah! Der Duft vom Nickle-Wickle! Aber es ist nicht der einzige Geruch, o nein. Habe ich die anderen nicht schon mal gerochen …?"

Es öffnete erst langsam ein Auge, dann schnappten plötzlich alle drei auf.

„O MEIN GOTT! Ebbi-Schnieser und Bethany!" Hektisch blinzelnd richtete sich das Biest auf. „Ich muss euch etwas sagen, was SEHR Wichtiges. Will es euch schon so lange sagen!"

Bethany und Ebenezer wappneten sich, während das
Biest tief und übel riechend Luft holte.

„Ich wollte euch sagen … Entschuldigens! Oh,
ENTSCHULDIGUNG – nicht Entschuldigens, ENT-
SCHULDIGUNG!" Das Biest ohrfeigte sich mit seinen
Zungen. „Irgendwie stolpern meine Zungen dauernd
über die Wörter in meinem Klumpkopf."

Bethany betrachtete das Biest, und wie in einem
bösartigen Spiegel sah sie in seinem Gesicht die
schlimmsten Momente ihres Lebens. In unzähligen Alb-

träumen hatte sie genau diesen Augenblick durchlebt, doch *so* hatte sie ihn sich nie vorgestellt.

„Tust du also immer noch, als wärst du durchgeknallt?", fragte sie so selbstbewusst, wie sie es hinbekam. Sie wusste aus Erfahrung, dass man vor dem Biest nicht ein Fünkchen Schwäche zeigen durfte.

„Ehrlich, ich tue nicht nur so. Alle meine Erinnerwungen sind weg. Futschilutsch und tschüsselich!" Das Biest verzerrte sein klumpiges Gesicht zu einer höchst seriösen Miene. „Der Nickle-Wickle hat mir von früher erzählt – was ich alles Schlümmes getan habe. Ich konnte es nicht gwau-ben … besonders, was ich dir angetan habe, Bethany. Bei manchen Geschichten wäre mir fast das Kotzen gekommen. Aber kein magisches Kotzen, ihr versteht schon."

Bethany runzelte die Stirn. Sie war schon zu oft auf die Listen des Biests hereingefallen und sie hatte sich geschworen, dass ihr das nie wieder passieren würde.

„Ach herrje. Du gwau-bst mir nicht." Das klumpige Gesicht sackte betrübt in sich zusammen. „Du denkst, ich wär immer noch das alte biestige Biest, das so viele schlümme Sachen gemacht hat."

„Ja. Weil du genau das Biest bist, das all das getan hat", erwiderte Bethany.

„Aber ich bin kein solches Biestchen mehr – großes Kindianerehrenwort! Sag's ihr, Nickle-Wickle!"

Mr Nickle räusperte sich. „Das Biest sagt die Wahrheit. Ausführliche und wiederholte Hirnstrommessungen haben zweifelsfrei ergeben –"

„Ihre Hirnströme interessieren mich nicht", unterbrach Bethany ihn. Sie grübelte, was das Biest wohl im Schilde führte. „Ich weiß genau, wie das Vieh tickt – also halten Sie bloß die Klappe, ja!"

„Ach, Bethany", seufzte das Biest. „Natür-belich bist du böse auf mich, aber der liebe Nickle-Wickle kann doch nichts dafür. Und er ist so gut zu mir."

„Hä?", machte Bethany. „Hast du jetzt Angst, ich könnte ihn *verletzen*? Du?!"

„Ja! Ich bin nicht mehr das alte Biest! Als ich von meinen Untaten erfahren habe, wie niederträchtig ich war – ich konnte es nicht gw-auben. Ich hatte das Gefühl, der Nickle-Wickle erzählt von den Gewein-heiten von jeman… oder *etwas* anderem."

Zutiefst verblüfft machte Ebenezer einen Schritt zum Laserkäfig hin. „Soll das etwa heißen, du … bereust deine Taten?!"

„Lass dich nicht reinlegen, Blödgesicht. Das ist nur wieder eine biestige Hinterlist", sagte Bethany, bevor sie sich erneut an das Biest wandte. „Und du: Glaub ja nicht, dass wir dich damit durchkommen lassen!"

Die drei schwarzen Augen des Biests füllten sich mit Tränen der Verzweiflung. „Aber ich habe mich *würklich* gebessert!" Es stampfte mit seinen winzigen Füßen auf. „Und warum? Wegen euch beiden."

Bethany und Ebenezer sahen sich an.

„Jetzt bin ich aber gespannt", sagte Bethany.

„Es ist mir ja ein bisschen peine-lich …" Das Biest knetete seine winzigen Hände und starrte mit allen drei Augen auf den Boden. „Aber ihr seid immer wieder in meinen Träumeln aufgetaucht. Und je mehr ich von euch geträumelt habe, desto dringender wollte ich euch sehen. Ich habe dem Nickle-Wickle gesagt, er soll euch hierher einladen, aber er wollte nicht. Er hat gesagt, er sorgt dafür, dass ich euch niemals NIE MEHR wiedersehe – außer ich werde zu einem lieben Biestchen. Das fand ich so bösevoll von ihm."

„Ich finde es sehr schlauvoll von ihm", sagte Bethany.

„Aber ich hab mir Mühe gegeben. Wollte ein liebes Biestchen werden", berichtete die Kreatur mit tiefem Ernst. „Erst habe ich mich über meine schlümme Vergangenheit schlaugemacht. Dann habe ich mich schlaugemacht, wie noch mal das Kotzen geht, damit ich dem Nickle-Wickle und seinen D.O.R.R.i.S-Freunden viele tolle Geschenkis machen kann."

Bethany beobachtete das Biest genau, hielt Ausschau nach irgendeiner Schwachstelle seiner Theateraufführung. Nach einem Hinweis, dass sie es doch mit dem alten Stinkesabbermaul zu tun hatte. Bisher entdeckte sie nichts.

Mr Nickle nickte. „Satellitenmodule, denen nie der Strom ausgeht, schmelzsicherer Schnee für unsere Polkappenbasen, Power-Trampoline, auf denen Astronauten bis zum Mond hüpfen können – das Erbrochene des Biests hat uns schon etliche Missionen erleichtert. Unten durften Sie ja einen Blick auf einige unserer neuen Gerätschaften werfen. Doch das Wichtigste ist, dass es dem Biest endlich gelungen ist, seinen knurrenden Magen zu besänftigen."

„Wie bitte?", fragte Ebenezer. Er fühlte sich wie im falschen Film – vor ihm stand zweifellos genau jene Kreatur, die ihn fast sein langes Leben lang gequält hatte, doch sie wirkte wie ausgetauscht. „Seit ich das Biest kenne, und das sind ein paar Jahrhunderte, hat sein Magen permanent geknurrt. Selbst nachdem ich ihm eine ganze Fledermauskolonie zu fressen gegeben hatte."

„Aber seit der Nickle-Wickle gesagt hat, dass ich euch

nur als liebes Biestchen wiedersehen kann, ist mein Magen mucks-häuschenstill." Das Biest tätschelte seinen Bauch. „Und ich bin so froh darüber, denn seitdem fühlen sich die Leute in meiner Gegenwart ürgendwie viel wohler."

„Der Magen des Biests hat tatsächlich seit Monaten keinen Ton mehr von sich gegeben – und dabei füttern wir es ausschließlich mit Altmetall", verkündete Mr Nickle stolz. „Rein körperlich mag es sich um die Kreatur handeln, die wir gemeinsam dingfest gemacht haben, doch von ihrem alten Naturell ist nichts geblieben. Und kann man ihr dann ihre alten Verbrechen vorwerfen? Nein. Zugegeben, ein paar niedere Ränge haben das anders gesehen – doch wir Spitzendorrise waren uns einig, dass das Biest nach allen Regeln des Rechts nicht weiter gefangen gehalten werden darf."

„W-Was soll das heißen?", stammelte Ebenezer. „Mr Nickle?! Warum genau haben Sie uns hierhergeholt?"

„Ohaaaaaa! Sie wissen es noch nicht?!", fragte das Biest. Es klatschte mit den Zungen und wackelte vorfreudig hin und her. „Wie AUFBEBEND!"

Mr Nickle hinkte zum Laserkäfig hinüber, ein breites Grinsen auf den runzeligen Lippen.

„Hiermit erkläre ich die bedeutendste Mission in der

Geschichte von D.O.R.R.i.S für abgeschlossen", sagte er. „Am heutigen Tag wird das Biest wegen vorzüglichen Benehmens auf freien Fuß gesetzt!"

Ebenezer stand regungslos da, gelähmt vom Schock.

„Nicht Ihr Ernst!", sagte Bethany.

„Aber Nickle-Wickle, das Tollste hast du ihnen noch gar nicht gesagt!", rief das Biest. „Sag's ihnen! SAG'S IHNEEEEEN!"

Mr Nickle hüstelte.

„Ja, warum ich Sie beide hierhergebeten habe … Wir übergeben das Biest in Ihre Obhut. Sie sollen uns bei der letzten Phase seiner Erneuerung und Besserung behilflich sein, oder um es kurz zu machen: Würden Sie dem Biest bitte zeigen, wie man zu einem Gutmensch … ähm, Gutbiest wird?"

„Ihr wisst doch, was das heißt, meine lieben Schnuckels?", jubelte das Biest. „Ich komme nach Hausi!"

Biestbesitzer wider Willen

O key-dokey – jetzt gilt's, verflixt!", rief Mr Nickle der wachhabenden Agentin zu und deutete mit einem Gehstock auf die Steuertafel des Käfigs. „Weg mit den Laserwänden!"

Das Biest klatschte jauchzend mit den Zungen, Bethany und Ebenezer war hingegen überhaupt nicht nach Applaus zumute. Sie kamen sich vor, als hätten sie gerade den unlustigsten Witz der Weltgeschichte erzählt bekommen.

„Während der Deaktivierung der Laserbarrieren darfst du dich nicht rühren. Keinen Millimeter, ja?", schärfte Mr Nickle dem Biest ein. „Keine plötzlichen Bewegungen, keinen Schritt hinaus, bis ich dir mein Okay gebe."

Dann nickte er und die Agentin schaltete die erste der vier Laserwände ab. Eine Sekunde später die zweite.

„Schau nur, Nickle-Wickle, wie meine Schnuckels

dastehen! Sprachlos vor Freude!", jubilierte das Biest. Als die Agentin die dritte Wand ausknipste, lächelte es sabbernd. „Ich bin so glücklichens. Hab mir doch solche Sorgen gemacht."

Aus seiner Miene sprach hundertprozentige Ehrlichkeit. Seinem Gesichtsausdruck nach zu urteilen wäre es ihm selbst zu grob gewesen, sich eine Butterflocke auf den Zungen zergehen zu lassen. Dabei wusste Ebenezer genau, dass darauf schon ganz anderes zergangen war.

Er warf einen Blick auf Bethany, um vielleicht zu erahnen, wie es in ihr aussah. Insgeheim rechnete er damit, dass sie jeden Moment auf Mr Nickles Schienbeine losgehen würde. Doch sie stand nur stumm neben ihm, die Fäuste geballt, die Lippen wie zugeschweißt.

„Nicht bewegen, habe ich gesagt!", bellte Mr Nickle. Das Biest wackelte nämlich auf seinen Beinchen hin und her, und wenn Ebenezer es nicht so gut gekannt hätte, hätte er darauf getippt, dass es aus Nervosität wackelte.

Da erst fielen ihm die kleinen D.O.R.R.i.S.-Gummistiefel an den winzigen Füßen des Biests auf.

Seltsamerweise entfaltete Mr Nickles Bellen keine beruhigen-de Wirkung. Die Beinchen des Biests zitterten nur noch stärker, als endlich die letzte Käfigwand fiel.

„Gut, nun langsam hinaustreten", sagte Mr Nickle mit einem lockenden Gehstockschwenk.

Ein paar Sekunden später hatte das Biest genügend Kraft gesammelt für seinen ersten Schritt ins Ungewisse. Doch als es so weit war, stolperte es, knallte der Länge nach hin und eine Niete des Metallbodens bohrte sich in eines seiner Augen.

„Autschi!"

Schnell zog das Biest die Niete heraus und leckte sich das Auge, bis die Wunde verheilt war. Dann richtete es sich wieder auf. Noch etwas unsicher auf den Beinen, streckte es hilfesuchend seine Stummelarme aus und fand damit einen von Mr Nickles ausgestreckten Gehstöcken.

Das Biest war ein bemitleidenswerter Anblick. Es war so ganz anders als die schauderhafte Schreckgestalt, die Ebenezer aus den fünf Jahrhunderten seines Lebens kannte, dass sein Gehirn kaum seinen Augen traute.

„Yippie! Ich werde ein liebes Biestchen sein!" Das Biest richtete zwei Augen auf Ebenezer und eines auf Bethany. „Und, was su-wagt ihr dazu? Helfelt ihr mir?"

Im Lauf der Jahre war Ebenezer tatsächlich hin und

wieder ins Sinnieren gekommen: Was wohl möglich wäre, wenn er das Biest dazu überreden könnte, sein Erbrochenes in den Dienst des Guten zu stellen? Und wenn es nur ein vereinzeltes wohlmeinendes Speicheln wäre? Doch er hatte die Hoffnung schon lange aufgegeben. Er sah Bethany an – sie schwieg immer noch eisern. Der Schock hatte ihr wohl die Sprache verschlagen.

„Ich sage dazu … dass ich mal eine Frage hätte." Ebenezer schaute Mr Nickle in die Augen. „Ich frage mich, wann Sie zu einem elendigen Einfaltspinsel geworden sind."

Mr Nickles Gesichtsrunzeln, die den ganzen Tag ein gut gelauntes Lächeln ergeben hatten, verschoben sich zu einem weniger fröhlichen Ausdruck. „Ich bin selbstverständlich kein Einfaltspinsel. Ich bin die Nummer eins der mächtigsten Geheimorganisation der Welt!"

„Wie Sie meinen. Dann sind Sie eben ein Einfaltspinsel auf einem glanzvollen Posten", erwiderte Ebenezer. „Ich kann Ihnen nämlich etwas versprechen: In dem Biest steckt nicht eine Prise Gutes. Ich sollte es wohl am besten wissen. Ich habe fünf Jahrhunderte mit ihm verbracht."

„Tut mir leid, Wiesler, aber bei genauerer Betrachtung sollten *wir* es am besten wissen." Mr Nickle hinkte

Ebenezer entgegen, nur um ihn grinsend mit einem Gehstock anzustupsen. „Wir besitzen Aufzeichnungen über das Treiben des Biests, lange bevor es erstmals Kontakt zu Ihnen aufnahm. Wir sind uns absolut im Klaren darüber, wie verdorben und verschlagen es war und wie unfähig, sich zu bessern. Dass es das Unglück anderer als einzig wahres Vergnügen betrachtete und Hilfsbereitschaft als Fremdwort."

„Ach, wie unan-nehms!", rief das Biest. „Nicht immer über früher reden, bevor meine Erinner-wungen futsch gegangen sind. Ich fühl mich dann immer so schreck-lichens …"

„Meinetwegen", sagte Ebenezer. „Sie kennen sich also bestens mit dem Biest aus – und halten es trotzdem für eine gute Idee, es einfach laufen zu lassen?!"

„Wie Ihnen vielleicht aufgefallen ist, habe ich in der Vergangenheitsform gesprochen", entgegnete Mr Nickle mit einem weiteren Stupser. „Das alte Biest ist mit seinen verschwundenen Erinnerungen gestorben. Wir haben es mit etwas Neuem zu tun. Alle erdenklichen Tests haben dies bestätigt."

Ebenezer winkte ab. „Das Biest könnte Tests über-listen, die Sie sich noch nicht mal ausgedacht haben." Dann probierte er es mit einem sanfteren, beinahe flehenden Tonfall. „*Bitte*, tun Sie das nicht. Sie ahnen ja nicht, was für ein Chaos Sie entfesseln würden."

„Tatsächlich weiß ich *genau*, was ich tue", sagte Mr Nickle. „Das Biest wird heute aus dem Käfig gelassen – Punkt. Ob Sie wollen oder nicht, Sie beide werden mich bei seiner Erneuerung und Besserung unterstützen."

Mr Nickle drückte am Ende eines Gehstocks herum und beschwor dadurch zu seinen Füßen eine große Pfütze herauf. Schäumendes, brodelndes Wasser schwappte um die Beine des Alten und des Biests. Ebenezer versuchte noch davonzulaufen. Doch Bethany blieb schicksalsergeben stehen, und als er sie so sah, ließ Ebenezer es sein.

„Mr Nickle", sagte er nur noch. „Sie dürf…"

Da verschlang die Pfütze auch Ebenezer und spie ihn ans andere Ende der Welt – auf den Dachboden seines fünfzehnstöckigen Hauses, wo er sich einen Sekundenbruchteil später wiederfand.

„…en das nicht!"

Es war ein merkwürdiges Gefühl, einen Satz auf dem einen Kontinent zu beginnen und ihn auf einem anderen zu beenden. Ebenezer konnte dem Gefühl allerdings nicht lange nachspüren, denn er hatte ganz andere Probleme.

„Uffziwuffz! So ein holpriger Flug!" Mit seinen drei Augen schaute sich das Biest in alle Richtungen zugleich um und ein Sabberlächeln legte sich auf seine Lippen. „Oh, wie schönvoll! Es ist würklich so weit!"

„Es ist *nicht* so weit", widersprach Ebenezer. „Beamen Sie es wieder zurück, Mr Nickle, oder Sie weihen das ganze Stadtviertel dem Untergang!"

„Wir haben uns diese Entscheidung nicht leicht gemacht", sagte Mr Nickle. „Warten Sie mal ab, bis Sie etwas mehr Zeit mit dem neuen Biest verbracht haben. Dann werden Sie es schon einsehen."

Ebenezer schüttelte den Kopf. „Das kann ich ausschließen. Begreifen Sie es nicht? Dieser angebliche Gedächtnisverlust ist nichts als Hinterlist."

„Ich mache keine Hinter-lüstens!", rief das Biest, offenbar tief getroffen von Ebenezers Anschuldigung.

„Wir können Sie nicht davon abhalten, das Biest freizulassen. Doch wir können Sie dazu auffordern, es aus diesem Haus zu entfernen", sagte Ebenezer. Zum ersten

Mal seit Monaten hatte er das Gefühl, sich womöglich wirklich nützlich zu machen. Er warf erneut einen Blick auf Bethany, doch nicht einmal der Schnelltrip ans andere Ende der Welt hatte sie aus ihrer Stummer-Fisch-Starre reißen können. „Hier bin *ich* Hausherr und ich sage Ihnen: In meinen vier Wänden ist das Biest nicht willkommen!"

„Ich hätte es wirklich gerne anders geregelt …" Mr Nickle rieb sich mit einem Gehstock die Augen wie jemand, der gezwungen wird, ein grottenschlecht erzogenes Kleinkind zu hüten. „Doch Sie lassen mir keine Wahl. Hiermit befehle ich Ihnen, uns bei dieser Mission zu unterstützen."

„Schön für Sie. Aber in meinem Haus haben Sie mir nichts zu befehlen."

„Ach nein? Würden Sie mir dann freundlicherweise erklären, wie Sie es sich leisten konnten, so irrsinnig lange ein so irrsinnig großes Haus zu bewohnen? Ich habe nämlich Ihre Akten überprüft, und soweit ich weiß, sind Sie nie einer geregelten Arbeit nachgegangen."

„Dafür ist doch das Geld im Tresor da. Das Biest hat mir vor ein paar Jahren kübelweise Scheine erbrochen. Zur Belohnung dafür, dass ich ihm als kleinen Snack den Thron von Atlantis gebracht habe."

Mr Nickles Augen blitzten. „Habe ich richtig gehört? Sie begleichen alle anfallenden Rechnungen mit dem Geld des Biests? Also für meine Begriffe ist damit das Biest rechtmäßiger Besitzer dieses Gebäudes."

Das Biest stieß einen übel riechenden Jauchzer aus. „Das Haus … gehört mir?! Oh, wie schönvoll! Oh, ich Glückspilkz!"

„Das haben Sie doch nicht zu –", begann Ebenezer.

„Und da wäre noch etwas." Mr Nickle grub in seiner Hosentasche, bis er unter mehreren Taschentüchern ein offensichtlich hochoffizielles Schriftstück gefunden hatte. Er überreichte es Ebenezer. „Falls Sie sich weigern, werde ich nicht zögern, hiervon Gebrauch zu machen."

Ebenezer überflog das Dokument, Bethany spähte über seine Schulter. Es dauerte ein bisschen, doch dann hatte Ebenezer begriffen, was er da in der Hand hielt.

HAFTBEFEHL
NAME: EBENEZER TWEEZER

An alle D.O.R.R.i.S-Agenten im bekannten Universum: Die oben genannte Person muss augenblicklich in Haft genommen werden. Ihr wird vorgeworfen, fünf Jahrhunderte lang den als „Das Biest" bekannten Schurken

93

versteckt gehalten und bei seinen Untaten Beihilfe geleistet zu haben.

Urteil: Schuldig. Gerichtsverfahren: Nicht nötig. Strafe: Haft im Laserkäfig.

„A-A-Aber in so einem Käfig würde ich es keine fünf Minuten aushalten!", rief Ebenezer. „Und ein Sträflings-overall würde mir überhaupt nicht stehen! Das können Sie nicht mit mir machen!"

„Kann ich sehr wohl und werde ich auch", sagte Mr Nickle. „Sie sind ein feiner Kerl, Wiesler – doch mir ist jedes Mittel recht, das Biest zu einem rundum erneuerten Ex-Schurken zu machen. Diese Mission hat eine solche Bedeutung für D.O.R.R.i.S, da verbieten sich alle Skrupel."

Auf einmal sehnte Ebenezer sich nur noch nach fünf Minuten Ruhe. Sein Kopf sank in die Hände, plötzlich zu schwer für seinen Hals. Wahrscheinlich, weil sich darin immer mehr Sorgen und schlimme Gedanken tummelten.

„Armer kleiner Ebbi-Schnieser", sagte das Biest. „Muss das denn sein, Nickle-Wickle? Wir können uns doch bestimmt ürgendwie einigens …"

„Verflixt noch mal, warum werden hier ständig meine Entscheidungen infrage gestellt?! Wir können uns offenbar nicht einigens! *Einigen!*", rief Mr Nickle. „Die beiden WERDEN ihren Beitrag leisten, dich zu einem nützlichen Mitglied der Weltgemeinschaft zu machen – so oder so!"

Ebenezer schaute zu Bethany hinüber. Ihre Miene war versteinerter als ein Dinosaurierknochen. „Wie es aussieht, müssen wir dem Biest helfen …", murmelte er und irgendetwas in ihm war sogar ein klein wenig neugierig, wie sich das Ganze entwickeln könnte.

Mr Nickle lächelte grimmig-zufrieden, während das Biest vor Begeisterung strahlte. Bethany blieb noch eine Weile stumm, bis sie ihr versteinertes Gesicht schließlich Ebenezer zuwandte.

Und leise sagte: „Nein."

„Wie bitte?", fragte Mr Nickle.

„Nein, habe ich gesagt." Bethany drehte sich auf ihrem Turnschuhabsatz um und stampfte hinüber zu der alten klapprigen Dachbodentür. „Ich werde ihm nicht helfen."

„Bethany? Bethany?! Ach du jemines, bitte bleib da!", jammerte das Biest. „Bitte komm zurückens! Ich habe mich doch so darauf gefreut, dich endlich kennenzulernen!"

Bethany stampfte noch einmal besonders laut auf und drehte sich zu dem Biest.

„Du willst also unbedingt deine schrägen Spielchen spielen? Na, von mir aus. Aber ich sag's dir: Ich bin dein schlimmster Albtraum. Ich habe deine Pläne *schon zwei-mal* durchkreuzt und ich werde es wieder tun – sogar wenn mein Kumpel dafür in den Knast wandert. Und wenn ich mit dir fertig bin, wirst du endgültig in deinem Käfig vergammeln. Du willst mich kennenlernen? Glaub mir, das wirst du!"

Eine lange Nacht

Bethany marschierte aus dem Dachboden hinaus und schmiss die alte klapprige Tür krachend ins Schloss. Ebenezer blickte ihr staunend hinterher – und rannte ihr nach.

„Bleiben Sie stehen!", bellte Mr Nickle. „Das ist ein Befehl!"

„Ach du jemines, bleib doch daaaaa!", jammerte das Biest.

In der Tür warf Ebenezer noch einen Blick zurück, sah das Biest und konnte es immer noch nicht glauben: Es wirkte keinesfalls erzürnt über Bethanys Reaktion. Es sah einfach nur tief verletzt aus.

Doch das, ermahnte Ebenezer sich, war bestimmt nur Teil seines listigen Plans. Also rannte er Treppe um Treppe hinab und hetzte Bethany hinterher, um in Erfahrung zu bringen, was zum Teufel sie vorhatte.

„Habe ich irgendwas übersehen?", keuchte er, als er knapp hinter dem Mädchen die vorletzte Stiege hinunterratterte. „Für mich sieht's aus, als hätten Nickle und das Biest uns tadellos ausmanövriert."

„Das Biest wird mich nie ausmanövrieren", sagte Bethany. „Und es wird niemals siegen."

Die letzte Treppe rutschte sie schwungvoll auf dem Geländer hinab. Als Ebenezer wenig später ebenfalls unten angekommen war, bildete sich an der Haustür gerade eine Pfütze und eine Sekunde später ploppte daraus Mr Nickle hervor.

„Um D.O.R.R.i.S willen, was machst du denn da?", fragte er Bethany. „Verflixt noch mal, hast du mir eben nicht zugehört?"

„Nee, ich habe sogar sehr gut zugehört", sagte Bethany. „Und für mich sieht es aus … als hätten Sie nichts gegen mich in der Hand. Sie können nur Ebenezer einknasten. Und ich werfe mich lieber selbst hier raus, als dem Ding da oben zu helfen. Mann, ich gehe sogar freiwillig zurück ins Waisenhaus, wenn ich dafür das Biest nie wiedersehen muss. Kapiert, Nickle? Sie können mich zu nichts zwingen."

Ebenezer lachte nervös auf. „Aber du musst mir doch helfen. Ich will nicht ins Gefängnis!"

„Er kommt in den Käfig", sagte Mr Nickle. „Das ist kein Bluff."

„Von mir auch nicht", erwiderte Bethany schulterzuckend. „Tut mir ehrlich leid, Blödgesicht, aber das ist nicht mein Problem. Sondern deins."

Damit griff sie sich den Tretroller, der im Flur herumstand, und marschierte aus der Haustür hinaus. Ebenezers verzweifelte Rufe konnten sie nicht mal dazu bringen, sich noch einmal umzudrehen.

Mr Nickle war empört. „Ungezogenes Gör!" Er drückte am Ende seines Gehstocks herum. „Doch D.O.R.R.i.S entkommt sie nicht! Sie ist im Handumdrehen geortet …"

„Sparen Sie sich die Mühe!", rief Ebenezer. „Sie muss bloß ein bisschen Dampf ablassen. Wenn sie wütend ist, fährt sie immer eine Runde Roller. Aber ich bin mir sicher, sie taucht bald wieder auf."

Für den Fall, dass Bethany zwischendurch anrief, steckte Ebenezer das Telefonkabel wieder in die Dose. Dann setzte er sich im vorderen Wohnzimmer ans Fenster, damit er sie bei ihrer Rückkehr schon von Weitem sehen würde. Lange, davon war er überzeugt, würde sie ihn nicht warten lassen.

„An Ihrer Stelle wäre ich mir da nicht so sicher",

meinte Mr Nickle, der gerade hereingehinkt kam. „Dieser Gesichtsausdruck bei ihrem Abgang – den kenne ich. Von Schurken, die fest entschlossen sind, das Weite zu suchen."

„Bethany sucht nie das Weite." Ebenezer rückte seinen Sessel so zurecht, dass er die Straße bestmöglich überblicken konnte. „Und sie lässt auch niemanden im Stich."

Seufzend sank Mr Nickle in den Sessel gegenüber. „Ich hoffe, Sie kennen sie wirklich so gut, wie Sie glauben. Denn sie hat recht: Zwingen kann ich sie nicht. Sie wird uns aus freien Stücken helfen müssen. Es ist nicht gegen Sie gerichtet, aber … ich hatte gewissermaßen gehofft, dass das Mädchen den Löwenanteil der Arbeit übernehmen würde. Wo ihr gute Taten doch offensichtlich mehr liegen als Ihnen."

„Gegen wen soll es denn sonst gerichtet sein?", knurrte Ebenezer. „Und sagen Sie jetzt bloß nicht, ich soll das nicht persönlich nehmen."

„Sie glauben also, Sie können selbst etwas zur Besserung des Biests beitragen?", fragte Mr Nickle.

„Das nicht. Ich halte Ihren Plan für reine Zeitverschwendung. Aber wenn es denn möglich wäre, das Biest zu zähmen, wäre ich dazu genauso geeignet wie

Bethany. Mein Problembehebungsunternehmen hat lediglich ein paar … wie soll ich sagen …? Startprobleme."

„Na, hoffentlich liegen Sie richtig. Das Schicksal von D.O.R.R.i.S könnte davon abhängen."

„Garantiert nicht", erwiderte Ebenezer. „Bethany ist jeden Moment wieder da. Spätestens in einer Stunde. Wenn nicht, fresse ich meine Hose."

Bald war eine Stunde verstrichen. Dann die nächste, die über- und die überübernächste. Zum Glück bestand Mr Nickle nicht darauf, dass Ebenezer sich sein Beinkleid einverleibte.

„Sehen Sie's ein, Wiesler", sagte er. „Sie kommt nicht mehr." Er stand auf und lockerte mithilfe der Gehstöcke seinen Rücken an ungefähr zehn verschiedenen Stellen. „Und D.O.R.R.i.S wartet bestimmt schon auf mich."

„Wie bitte?!", rief Ebenezer. „Sie können mich doch nicht mit dem Biest allein lassen!"

„Und wie ich das kann. Üblicherweise hält D.O.R.R.i.S sich ab der Entlassung eines Schurken sogar ganz und gar heraus. Doch aufgrund der außerordentlichen Bedeutung des Biests werde ich ausnahmsweise regelmäßig überprüfen, wie Sie vorankommen. Also bis in ein paar Tagen, ja?"

„In ein paar Tagen?! Bis dahin könnte das Biest das halbe Stadtviertel verspeist haben!"

„Davon gehe ich nicht aus." Mr Nickle seufzte und kramte mühevoll einen daumengroßen Knopf aus seinen Taschen hervor. „Sollte ich mich wider Erwarten doch in der Kreatur täuschen, drücken Sie einfach hier drauf, und ich komme im Nullkommanichts hergepfützt. Aber nur Mut! Sie müssen das Biest bloß irgendwie zu einem nützlichen Mitglied der Gesellschaft machen. Das ist ja wohl nicht zu viel verlangt."

Es war dermaßen viel verlangt, Ebenezer wusste gar nicht, wo er anfangen sollte. Deshalb beließ er es am Ende bei einer flehenden Bitte.

„Bleiben Sie! Nur ein bisschen noch. Bitte, bleiben Sie wenigstens, bis Bethany zurück ist."

„Da könnte ich lange warten. Oder mindestens bis zum Morgen", erwiderte Mr Nickle. „Sie wirken erschöpft, Wiesler. Vielleicht sollten Sie heute früh zu Bett gehen."

Ebenezer blickte noch einmal aus dem Fenster – in der Hoffnung, ja beinahe überzeugt davon, dass genau in diesem Moment ein mürrisches Mädchen die Straße heruntergerollert käme. Doch er sah bloß den leeren dunklen Asphalt. Ihm graute vor der Nacht – nur er und das Biest in dem riesigen Haus. Seit er sie kannte, war Bethany nie weit weg gewesen.

„Bitte", flehte er noch einmal, fast lallend vor Müdigkeit. „Sie kommt, da bin ich mir sicher. Wir sind doch ein Team. Waren wir immer."

Das Mitleid zeichnete noch tiefere Falten in Mr Nickles runzeliges Gesicht. Er hinkte zu seinem Sessel und nahm wieder Platz. „Gut. Ich bleibe, bis Sie eingeschlafen sind."

„Ich werde nicht einschlafen", sagte Ebenezer, während sein Kopf nach vorn sackte wie der eines hundemüden Welpen. „Ich warte auf Bethany. Sie … sie wird mich nicht im Stich lassen. Wir sind ein Team. Ein sehr, sehr … sehr … gutes …"

Und mit diesem Wort stürzte Ebenezer kopfüber ins Reich der Träume. Mr Nickle breitete eine Decke vom Sofa über ihm aus und öffnete dann eine Pfütze zurück zur Insel.

Übernachtungsparty im Süßwarengeschäft

Bethany hatte das Haus ohne konkreten Plan verlassen. Sie brauchte einfach Ruhe von allem.

Wenn man den Kopf freibekommen wollte, gab es normalerweise nichts Genialeres, als abends durch das Stadtviertel zu rollern. Doch diesmal wurde Bethany noch vor dem Ende der Straße von einem winkenden Nachbarn aufgehalten. Es war Eduardo Barnacle, ein in jeder Hinsicht hochnäsiger Junge.

„Was willst du, Barnacle?", fragte Bethany ihn.

„Zunächst einmal fände ich einen freundlicheren Ton angebracht", sagte Eduardo und blähte selbstzufrieden seine gigantischen Nasenlöcher. „Zumal ich beabsichtige, dir meine beschwingtesten Glückwünsche zu überbringen."

„Deine was?"

„*Beschwingt* bedeutet so viel wie fröhlich und ausgelassen. Stand neulich auf meinem Neuer-Tag-neues-Wort-Toilettenpapier." Eduardo war offensichtlich hocherfreut über diese Gelegenheit, mit seinem kürzlich erlernten Wort zu protzen. „Ich habe von deiner Party gehört. Just heute erreichte Miss Muddles Einladung meine Familie und wir fühlten uns geradezu *beschwingt* von dieser Ehre."

„Ach, das", murmelte Bethany. „Ja."

„Du scheinst aber weniger begeistert." Sichtlich enttäuscht schüttelte Eduardo seine Nase und nebenbei auch seinen übrigen Kopf. „Wenn man für mich eine Party geben würde, wäre ich vollkommen aus dem Häuschen. Ja, womöglich würde ein Gefühl der *Beschwing...*"

Bevor er noch einmal mit seinem Klopapierwort angeben konnte, zischte Bethany auf ihrem Roller davon. Allerdings wurde sie schon bald wieder aufgehalten.

„Gratuliere, alte Schnoddernase!", rief der Vogelhändler. Mit Tauberich Keith auf der Schulter eilte er aus seinem Geschäft hinaus. „Wer hätte das gedacht? Erst bringt sie meinen sprechenden Vögelchen die übelsten Schimpfwörter bei, jetzt schmeißt man ihr eine zünftige Party. Ich hätte es jedenfalls nicht gedacht, o nein!"

Für gewöhnlich waren Menschen und andere niedere Lebensformen unter der Würde von Tauberich Keith, doch Bethany zu Ehren ließ er sich zu einem anerkennenden Gurren herab.

Auf ihrer Fahrt wurde Bethany noch mehrmals in dieser Weise zu Zwischenstopps gezwungen. Die nette alte Dame, die Ebenezer und ihr einst mit Tipps zu guten Taten ausgeholfen hatte, schleppte sich extra vor ihre Haustür, um Bethany zur Feier des Tages ein Hustenbonbon zu schenken. Postbote Paulo betonte, wie viel Freude es ihm gemacht habe, Miss Muddles Einladungen auszutragen. Selbst die Zoomitarbeiterin mit der seltsam echsenhaften Ausstrahlung quäkte nach längerem Zögern ein paar Komplimente heraus.

Allmählich kam Bethany der Verdacht, dass ihr Leben früher, als berüchtigte Rotzgöre, irgendwie einfacher gewesen war. Damals waren ihr wenigstens alle aus dem Weg gegangen. Aus Angst vor weiteren ungebetenen Komplimenten steuerte sie schnell ihre letzte echte Zuflucht an. Dort würde man sie hoffentlich in Ruhe lassen.

Im Süßwarengeschäft brannte Licht, die Tür war nicht verschlossen und drinnen wummerte und schepperte Heavy Metal aus den Lautsprechern. Miss Muddle

machte sich an der Arbeitsfläche mit einem Schweiß-
brenner an einer neuen Variante ihrer Bombigen Blubbertrompeten zu schaffen. *Trompeten?* Die erinnerten
Bethany schon wieder an das Biest! Sie stampfte wütend
los und drehte die Musik leise.

„Nicht!", rief Miss Muddle. „Wenn sie bei den letzten
Handgriffen ein paar gute Sounds hören, werden die
Blubbertrompeten vielleicht musikalischer."

Also drehte Bethany die Musik wieder laut und Miss
Muddle schweißte die letzte Blubbertrompete der
aktuellen Modellreihe zusammen. Dann schaltete sie
den Brenner ab und fischte einen Frostföhn aus der
Schürze, um ihre Kreationen zu kühlen.

„MUSIK AUS – JETZT!", brüllte die Süßwaren-
macherin plötzlich. „NOCH EIN PAAR TAKTE UND
DIE TROMPETEN WERDEN WOMÖGLICH ZU
BOMBIG!"

Also schaltete Bethany die Musik ab. Stille kehrte ein,
nur gestört vom Knacken der weiter abkühlenden und
aushärtenden Blubbertrompeten. Miss Muddle schnupperte einmal daran und nickte zufrieden.

„Das könnte es gewesen sein." Vergnügt winkte sie
Bethany herbei und säbelte mit einem extrem scharfen
Messer ein Scheibchen ab. „Falls mir bei meinen Berech-

nungen kein Fehler unterlaufen ist, sollten die Trompeten nach einer Jazz-Sinfonie schmecken, gespielt von einem ganzen Rudel Blechbläser. Probier doch mal."

Bethany führte das abgekühlte Trompetenscheibchen zum Mund. Eine Miss-Muddle-Süßigkeit war vielleicht das Einzige, was sie jetzt aufheitern konnte. Und die Blubbertrompete schmeckte wirklich … grauenvoll. Nicht nach Jazz-Sinfonie, sondern nach Katzenkrallen auf Kreidetafel. Bethany schnappte sich den nächsten Abfalleimer und spuckte würgend aus.

„Hä?", machte Miss Muddle entgeistert. „Nein, nein, nein! Du musst dich verschmeckt haben! Vielleicht sind deine Geschmacksknospen noch nicht so gut entwickelt …"

Sie schnitt sich selbst eine Kostprobe ab, kaute sie exakt dreimal durch, tief in sich versunken … und griff ebenfalls zum Abfalleimer.

„O Grausebrause, ist das scheußlich!", rief sie, nachdem sie ausgespuckt und mehrmals kräftig an einem Zitromonenlolli gelutscht hatte, um den Geschmack loszuwerden. „Ob ich ihnen doch lieber Louis Armstrong vorspielen sollte …? Na, da gibt es jedenfalls noch eine MENGE zu tun – und sie müssen doch rechtzeitig zu deiner Party fertig werden." Miss Muddle sah Bethany überrascht an. „Was machst du überhaupt hier? Ist denn schon Morgen? Beim Süßwarenerfinden vergeht die Zeit so schnell …"

„Nee, nee, ist erst Abend", erwiderte Bethany. „Und wenn's so weitergeht, wird das eine der übelsten Nächte meines Lebens."

„O nein, was ist denn?! Willst du drüber reden?"

„Eigentlich nicht", sagte Bethany, die aus Prinzip niemals über ihre Probleme sprach. Nicht einmal mit Ebenezer. „'tschulligung, Muddle. Wollte Sie nicht mit meinem Mist langweilen. Ich geh dann mal wieder."

„Quatsch!" Miss Muddle rannte zur Tür, drehte den Schlüssel darin herum und das Schild im Fenster von „Geöffnet" auf „Geschlossen". „Du setzt dich jetzt auf deine vier Buchstaben und bewegst sie keinen Zentimeter, bis wir dich auf andere Gedanken gebracht haben."

Bethany war nicht besonders gut darin, Anweisungen

zu befolgen, doch in diesem Fall machte sie eine Ausnahme. Brav hielt sie ihre vier Buchstaben so still wie möglich, während Miss Muddle kreuz und quer durch den Laden hetzte und eine interessante Auswahl an Zutaten zusammenstellte.

„Für den ersten Schwung braucht es Schokolade." In Windeseile füllte Miss Muddle Erdbeeren, Kakaobohnenbrösel und extrafette Schlagsahne in einen Mixer mit Heizfunktion, außerdem ein paar Handvoll Irgendwas aus einer Schachtel mit der Aufschrift „STRENG GEHEIM". „Um genau zu sein: Es braucht eine Superduper Heiße Muddle-Schokolade Deluxe! Doch sei gewarnt, Bethany: Ein einziger Schluck davon wird deinen Blick auf die Welt und das Leben von Grund auf verändern!"

Bethany war ein Riesenfan von Miss Muddles Erfindungen – okay, nicht unbedingt von den Trompeten –, und als die Süßwarenmacherin nun die Sprühsahne und die Pfefferminzprickel-Marshmallows zückte, stieg ihre Vorfreude ins Unermessliche.

„Okay … letzte Chance, einen Rückzieher zu machen." Miss Muddle brachte Bethany einen dampfenden Becher heiße Schokolade. „Was da drin ist, wird dein Leben auf den Kopf stellen, und ganz ehrlich: Ich bin mir nicht sicher, ob du dafür bereit bist."

„Keine Sorge, Muddle, bereiter als jetzt werde ich nie sein", sagte Bethany. „Aber wären Sie bereit dafür, wenn ich Ihnen hinterher sagen muss, dass Ihre Trinkschoko doch nicht so doll ist?"

Anstatt zu antworten, stellte Miss Muddle den Becher mit der Würde einer Königin vor Bethany auf den Tisch. Und steckte aus einer Laune heraus noch schnell eine Wunderkerze in den Sprühsahneberg.

„Also dann …", murmelte Bethany.

Sie nahm einen Schluck und tatsächlich erschütterte dieser ihre Welt in den Grundfesten. Nie wieder sollte sie über Getränke – und Nahrungsmittel im Allgemeinen – denken wie zuvor. Trinkschoko?! Nein, es handelte sich um einen Wundertrank, der jeweils exakt genau so zuckrig, cremig, pampig und fluffig war wie für das optimale Geschmackserlebnis nötig. Mit geschlossenen Augen schlürfte Bethany, bis der letzte Tropfen in ihren Magen gewandert war.

„Krass", sagte sie am Ende.

„Ich habe dich gewarnt", erinnerte Miss Muddle sie, als Bethany wieder die Augen öffnete. „Hey, du hast einen Sahneschnurrbart. Steht dir aber."

Passend zu Bethanys neuem Look malte Miss Muddle sich mit der Sprühsahne einen hübschen Ziegenbart und außerdem dicke weiße Augenbrauen. Darüber musste Bethany so heftig lachen, dass um ein Haar die ganze Superduper Heiße Muddle-Schokolade Deluxe wieder aus ihren Nasenlöchern hinausgeschossen wäre.

Erst das laute, trübsinnige Tröten einer Trompete auf der Arbeitsfläche ließ Bethanys Lachen verstummen. Es erinnerte sie an das Biest und daran, was sie in dem fünfzehnstöckigen Haus erwartete.

„Was ist?" Miss Muddle zog ihre Sahneaugenbrauen zu einem Sahnestrich zusammen. „Die Schokolade sollte dich doch aufmuntern …"

Bethany wollte einfach nur ganz normal und vor allem ohne Biest vor sich hin leben. Sie wollte einfach nur mit brillanten Freundinnen heiße Schokolade trinken, ohne dabei andauernd daran denken zu müssen, dass sie eventuell bald aufgefressen würde. Wenn sie das Biest doch irgendwie loswerden könnte … Dann wären Ebenezer und sie endlich frei.

„Bethany?", sagte Miss Muddle. „So langsam mache ich mir Sorgen."

Das war Bethany nicht recht. „Nicht nötig, Muddle. Wollte Ihnen bloß einen Streich spielen. Ich dachte mir, wenn ich auf Trauerkloß mache, krieg ich noch so 'nen Becher."

„Oh, du kleine Schokoladenerschleicherin!", rief Miss Muddle und stürzte sich wieder ins Mixen und Rühren. „Erlaub dir das nicht noch mal, ja?"

„Sicher nicht", sagte Bethany. „Hey, Muddle … kann ich heute hier pennen?"

„Natürlich! Aber willst du nicht lieber Ebenezer Bescheid sagen? Das Telefon ist da drüben."

Bethany nahm das Zuckerstangentelefon in die Hand und wählte. Als niemand ranging, hinterließ sie eine Nachricht. Sie dachte darüber nach, es später erneut zu versuchen, tat es am Ende aber doch nicht. Noch ein letzter schöner Abend ohne Gedanken an das Biest – das war wirklich nicht zu viel verlangt.

„Ist es echt okay, wenn du einfach hierbleibst?", fragte Miss Muddle.

„Klar doch", antwortete Bethany. „Was soll schon passieren?"

Das böse Erwachen

Wie Ebenezer gleich nach dem Aufwachen fest-
stellte, war Mr Nickle verschwunden und Bethany
immer noch nicht zurückgekehrt. Darüber hinaus hatte
er ein sonderbares Klingeln in den Ohren.

Ebenezer schüttelte die Decke ab und sprang so abrupt aus dem Sessel auf, dass ihm schwindelig wurde.
Noch leicht schwummrig im Kopf, hetzte er auf der
Suche nach Bethany von einem Erdgeschosszimmer ins
andere, von der extravaganten Teeküche bis in die ultra-
coole Disco-Lounge. Als er sich gerade in die oberen
Stockwerke aufmachen wollte, bemerkte er den blinken-
den Anrufbeantworter. Er drückte zu hastig auf Play und
verknackste sich dadurch den Zeigefinger.

„Ey, Blödgesicht!"

Ebenezer stieß einen Seufzer der Erleichterung aus.
Zweifellos hatte Bethany inzwischen einen genialen Plan

ersonnen, wie man die gemeinen Listen des Biests durch-kreuzen könnte.

„Muddle hat gesagt, ich soll dir Bescheid sagen, dass ich heute bei ihr penne. Du und Nickle, ihr macht das schon. Vielleicht rufe ich später noch mal an. Oder nee, eher nicht."

Ein paar Sekunden lang stand Ebenezer einfach nur da und starrte vor sich hin, als hätte er eine schallende Ohr-feige verpasst bekommen, und zwar von einem großen und extrem garstigen Fisch.

Dann drückte er den Knopf noch einmal. Doch es kam keine zweite Nachricht.

Es war nicht zu glauben. Ließ sie ihn wirklich mit dem Biest allein? Sie wollte keinen Finger für ihn rühren – obwohl sie ihn damit praktisch zu einem Leben in Käfig-haltung verdammte? In den fünf Jahrhunderten seines Daseins auf Erden war Ebenezer nie Opfer eines so schlimmen Verrats geworden.

Und zu allem Überfluss wurde das verflixte Klingeln immer lauter! Ebenezer steckte mehrmals seine Finger tief in die Ohren, um es irgendwie zu vertreiben, doch es brachte nichts.

Und endlich begriff er, dass es nicht *in* seinen Ohren klingelte. Das Klingeln kam von außerhalb oder, um genau zu sein: vom Dachboden.

Ebenezer musste es allein mit dem Biest aufnehmen.

Eine Hand an Mr Nickles Notfallknopf, marschierte er die Treppen hinauf, stürmte durch die alte klapprige Tür – und sah, wie das Biest voller Begeisterung das Glöckchen neben dem roten Samtvorhang läutete.

„Schau dir das an, Ebbi-Schnieser! Ist das nicht toll-voll?" Das Klingeln schien dem Biest wirklich allergrößte

Freude zu bereiten. Es führte sich auf wie ein Katzen-
junges mit einem neuen Spielzeug.

„Tu nicht so, als würdest du das Ding nicht kennen",
sagte Ebenezer streng. „Damit läutest du doch immer,
wenn du etwas von mir willst."

Das Biest japste übel riechend auf. „Wie bitte schön?
Ich muss nur klüngeln und wir können plaudern, wann
immer ich will? Das ist ja NOCH tollvoller!"

Ebenezers Geduld ging zur Neige. Er war derart
wütend auf Bethany, am liebsten hätte er irgendwen mit
einem überaus melancholischen Ebenezer-Porträt beauftragt.

Doch das Biest läutete schon wieder und kicherte
dabei wie ein kleines Kind. „Jeder braucht so ein Ebbi-
Schnieser-Klingelidings. Aber über was haben wir früher,
als ich noch alle meine Erinner-wungen hatte, denn
geplaudert?"

Ebenezer schüttelte den Kopf. „Ich werde mich nicht
auf deine Spielchen einlassen."

Erneut zog das Biest fröhlich an der Glockenschnur.
„Ich will doch nur wissen, wie unsere Freundschaft so
war."

„Es war keine Freundschaft!" Vor Ebenezers geistigem
Auge rauschten etliche Kleiderkombinationen für sein

melancholisches Porträt vorüber. Wie wäre es mit einer Lederjacke? Und dazu vielleicht seine verruchteste Fliege? „Du hast mir bloß die ganze Zeit befohlen, dir lauter absurdes Zeug zu fressen zu bringen."

Da ließ das Biest von der Glocke ab und betrachtete sie ratlos, nun gar nicht mehr fröhlich. „Ach du jemines. Das klingt aber überhaupt und gar nicht sehr freund-schaftlich."

„War es auch nicht. Freunde kommandieren sich nicht gegenseitig herum. Sie machen sich vielmehr Kompli-mente zu geschickt kombinierten Kleidungsstücken. Sie unterstützen einander, wenn andere völlig zu Unrecht an ihren Problembehebungsunternehmen herummäkeln. Sie sind füreinander da und sie … sie …"

Soeben war Ebenezer klar geworden, dass Bethany, seine einzige Freundin auf der ganzen Welt, derzeit keine besonders gute war.

„Ach du jemines", sagte das Biest. „Jetzt bin ich schuld, dass du traurig bist." Sein klumpiges Gesicht fiel betrübt in sich zusammen. „Entschuldigens. Ich werde nicht mehr klingelidingsen. Ehrenlord."

Ebenezer fühlte sich exakt genauso wie neulich – wie im falschen Film. Er erkannte das Biest nicht wieder.

Das alte Biest hatte nie so etwas wie Bedauern zum

Ausdruck gebracht, oder höchstens im Zusammenhang mit ausgestorbenen Tieren, die zu fressen es versäumt hatte. Es hatte sich nie für die Gefühle anderer interessiert, es sei denn, diese dienten dem Würzen seiner Mahlzeiten. Ebenezer musste sich wieder und wieder bewusst machen, dass das Ganze höchstwahrscheinlich nichts als Schauspielerei war.

„Ich meine, ich … will doch nur ein liebes Biestchen sein", sagte das Biest. „Ich weiß, der Nickle-Wickle hat dich schon gefragt und du wolltest nicht. Aber würdest du mir sehr-viel-vielleicht doch zeigen, wie das geht?"

Ebenezers Entschlossenheit geriet ins Wanken. Könnte er nicht schneller hinter die wahren Pläne des Biests kommen, wenn er sich zum Schein auf dessen Bitte einließ?

„Der Nickle-Wickle hat so ein ernstes Gesicht gemacht, als er das mit dem Kwä-fig gesagt hat", fügte das Biest hinzu. „Und ich gwau-be, du hast ganz recht. Du würdest darin keine fünf Minüten durchhalten."

„Soll das eine Drohung sein?" Ebenezer stellte sich auf die äußersten Spitzen seiner Zehen, um dem Biest klarzumachen, dass er sich nicht so leicht einschüchtern ließ.

„Himmels willen, nicht doch!", rief das Biest mit einem Gesichtsausdruck, als wäre es aufrichtig erschüttert, dass man ihm so etwas zutraute. „Ich wollte nur helfeln. Egal. Vergiss es."

Ebenezer kam wieder ins Grübeln. Sollte er vielleicht wirklich so tun, als würde er dem Biest die Hand reichen? Ja, wenn er zum Beispiel mit ihm eine Runde durch das Stadtviertel drehte – möglichst ohne dabei dessen Untergang heraufzubeschwören –, dann könnte Mr Nickle ihm nicht mehr vorwerfen, es nicht versucht zu haben. Und dann würde ihm möglicherweise der verfluchte Laserkäfig erspart bleiben.

„Sag mal, Ebbi-Schnieser", meinte da das Biest. „Bist du nicht wenigstens ein *klützekleines büsschen* neugierig, wie viel Gutes wir zusammen vollbringen könnten?"

Der wehrhafte Wintlorianer

In Wintloria traf Mortimer Vorbereitungen für eine gefährliche Mission. Zugegeben, er hatte keine Ahnung, wo dieses Biest und diese Bethany lebten. Doch dann würde er eben den ganzen Erdball nach ihnen absuchen, und wenn er den Rest seines Lebens damit beschäftigt war.

„Warum schärfst du denn deine Krallen, Morty?", fragte Giulietta. Er war gerade dabei, ihre Spitzen an einem Stein am Waldrand zu schleifen, als sie zu ihm herabschoss. „Hey, hey, hey! Du machst da ja-ja richtige Dolche draus!"

Die größte Herausforderung an Mortimers Plan war, unbemerkt aus dem Regenwald zu entkommen. Deshalb hatte er sich einen ziemlich raffinierten Vorwand ausgedacht.

„Ich möchte auf Einkaufstour gehen – außerhalb des

Waldes, du weißt schon – und um alles zu tragen, brauche ich starke Krallen."

„Oh, oh! Was möchtest du denn einkaufen?", fragte Giulietta.

„Hast du's noch nicht mitbekommen? Ich will ein Festmahl für Claudette vorbereiten. Also für später, wenn es ihr besser geht. Ein paar von den anderen wissen schon Bescheid."

„Donnerwetter, das ist ja eine tippitoppi Neuigkeit hoch zehn! Aber wozu einkaufen gehen? Im Wald gibt es doch alles, was wir brauchen."

„Nicht für ein Festmahl, wie ich es mir vorstelle", sagte Mortimer.

„Ach, wie aufregend! Ich komme mit und helfe dir."

„Nein!" Dann kapierte Mortimer, dass er Giulietta nicht misstrauisch machen durfte, und er schlug einen freundlicheren Ton an. „Nicht *nötig*, meine ich. Ich mache das lieber allein. Es ist mir einfach wichtig, weißt du?"

Giulietta unterdrückte ihren Instinkt, anderen ihre Hilfe aufzuzwingen, und nickte mit ihrem bunt gefiederten Kopf. Sie war froh und glücklich, dass Mortimer langsam wieder in Festmahllaune kam. „Auch gut. Ich finde das auf jeden Fall ganz fantastisch. Und ich wundere mich nicht mehr, dass sie dich so furchtbar dringend sprechen wollte."

„Wer, sie?", fragte Mortimer.

„Wie? Du weißt es noch nicht? Wie lange bist du hier denn schon am Krallenschleifen? Claudette ist wach! Und sie ist ganz wild auf ein Schwätzchen mit dir."

Mortimer traute seinen Ohren nicht. Er stieß sich von dem Stein ab und flatterte davon, ohne sich mit *Tschüssi, Ciaoi-Waui* oder irgendeiner anderen angesagten Grußformel von Giulietta zu verabschieden.

Als er den Baum der Festgelage erreicht hatte, saß Claudette tatsächlich aufrecht in ihrem Bett. Sie sah immer noch schmal und zerbrechlich aus, schlief aber eindeutig nicht mehr. Und sie sagte etwas, allerdings so leise und schwach, dass Mortimer näher heranfliegen musste.

„Morty … dein Festmahl … ich habe davon gehört und ich wollte nur sagen … danke. Ich bin mir sicher, ich bin bald so weit … ganz bald."

Mortimer bekam ein schlechtes Gewissen. Er hatte gedacht, sie würde nie etwas von seiner Ausrede mitbekommen – und jetzt war sie darauf hereingefallen.

„Noch was …", flüsterte Claudette weiter. *„Was ich da über dieses Mädchen gesagt habe … über Bethany … das war im Wahn gesprochen. Vergiss es. Es ist nicht …*

dein Problem. Das Biest sitzt ja sowieso im D.O.R.R.i.S-Käfig."

Mortimer würde ihr bestimmt nicht verraten, dass sich die drei Agenten Hughie, Louie und Stewie nicht so sicher waren, ob es auch dabei bleiben würde. „Mach dir keine Sorgen", sagte er nur. „Was das Biest dir angetan hat ... das wird es nie wieder jemandem antun. Ich gebe dir mein Wort."

Während Mortimer Krallenschleifen gewesen war, hatte D.O.R.R.i.S den kleinen Koffer vorbeigepfützt, der noch von Claudette in der Krankenstation der Pyramide geblieben war. Und um die Patientin aufzuheitern, hatten die anderen Papageien den Baum mit ihren Habseligkeiten geschmückt.

So waren die umliegenden Äste nun über und über beklebt mit Andenken an ihre zahlreichen Reisen. Es war ein Bild aus Las Vegas dabei, auf dem Claudette hinter der Bühne mit Elvis und ihrem geliebten, viel zu früh verstorbenen Cousin Patrick ein Lied schmetterte. Es waren Postkarten und rührende Briefe von Freundinnen und Freunden aus aller Welt dabei. Muscheln von ihren Lieblingsstränden, Speisekarten ihrer Lieblingsrestaurants. Und gerahmte Schwarz-Weiß-Fotografien von ihren Eltern – wie Mortimers Eltern waren sie

Trophäenjägern zum Opfer gefallen. Er sah, wie Claudettes Blick traurig über die Erinnerungsstücke schweifte. So als wüsste sie, dass sie nie wieder die Kraft haben würde, Wintloria zu verlassen.

Da entdeckte er direkt über Claudettes Kopf eine selbst gedruckte Postkarte, auf der ein Mädchen vor einem Süßwarengeschäft zu sehen war – und auf dem

Rucksack des Mädchens stand ihr Name. Mortimer pflückte die Karte vom Ast.

„Ja …“, murmelte Claudette. *„Das ist Bethany … nach ihrem ersten richtigen Arbeitstag in Miss Muddles Laden … Ist sie nicht ein Schätzchen? Manchmal verrennt sie sich ein bisschen … aber sie meint es immer gut …“*

„Ich wünschte, du hättest sie nie kennengelernt“, erwiderte Mortimer. „Ich wünschte, du wärst nie hier weg und in diese blöde Stadt geflogen.“

„Sag das nicht, Morty. Meine Freundschaft mit Bethany würde ich gegen nichts in der Welt eintauschen … ja, auch nachdem es so schlimm ausgegangen ist … Ich hoffe, du wirst sie eines Tages kennenlernen.“

Mortimer drehte die Postkarte um. Hinten hatte Bethany ihre Adresse draufgeschrieben.

„Das hoffe ich auch“, sagte er. Endlich hatte er die eine Information, die die Dorrise nicht herausrücken wollten. „Ich habe so ein Gefühl, dass es schon sehr bald so weit sein wird.“

„Morty? Leistest du mir noch eine Weile Gesellschaft? Auch wenn ich … einschlafen …“

Schon sank Claudettes Kopf nach vorn und aus ihrem Schnabel pfiff ein leises Schnarchen.

Mortimer hockte peinlich berührt am Fußende ihres

Betts. Jeder andere Papagei hätte ihr nun bestimmt irgendein beruhigendes, schmerzlinderndes Lied gesungen.

Er öffnete seinen Schnabel, um den ersten Ton auszustoßen – und klappte ihn wieder zu. Nein, sagte er sich. Nein, er war kein Vogel, der nutzlos herumsaß und trällerte. Er war ein Rachevogel.

Nachdem er einen letzten Blick auf die Postkarte geworfen und sich Bethanys Adresse eingeprägt hatte, klebte Mortimer sie wieder an den Ast. Dann wandte er sich ab.

„Giulietta? Pass gut auf Claudette auf, ja?", sagte er, schon halb in der Luft. „Kann sein, dass meine Einkaufstour ein paar Tage dauert."

Mortimer schwang sich in den Himmel hinauf und durchschnitt das weite Blau mit eiligen Schlägen seiner purpurfarbenen Schwingen. Vor ihm lag ein langer, vielleicht tagelanger Flug, doch das machte ihm nichts aus. Er wusste, es würde sich lohnen.

Braves Hündchen

„Glaub ja nicht, du hättest gewonnen", sagte Ebenezer, als er dem Biest die alte klapprige Tür aufhielt. „Eine kurze Runde durchs Viertel, dann geht es schnurstracks zurück auf den Dachboden."

„Ach Ebbi-Schnieser, das ist soooo lieb von dir." Das Biest stemmte sich auf die Beine, ein bisschen wackelig noch, und streckte seine Stummelärmchen nach Ebenezer aus. Der verschränkte demonstrativ die Hände hinter dem Rücken. „Ich freu mich so auf unseren Aus-fwug!"

Sehr langsam und mühevoll watschelte das Biest zur Dachbodentür. „Hollalolla! Menschenskinder!", rief es, als es mit seinen drei Augen das Treppenhaus erblickte. „Ich glaube, so viele Stufen schaff ich nicht."

„Ich glaube schon", sagte Ebenezer grob. Er stieß das

Biest sogar leicht in den Rücken. „Je schneller du unten bist, desto schneller sind wir nachher wieder oben."

„Hm", machte das Biest. „Da muss ich wohl mein Bäuchlein um Hilfe bitten."

Das Biest schloss seine drei schwarzen Augen und sein Sabbermaul. Es wackelte mit seinem klumpigen Körper, stimmte ein leises Summen an und wiegte sich hin und her. Mit einem Schlag öffnete es Maul und Augen wieder und würgte ein riesengroßes Kanu hervor.

„So geht es leichter", sagte es, ließ sich in den Bug plumpsen und gab Ebenezer ein Zeichen, sich doch bitte auf einen der Plätze dahinter zu setzen.

Ebenezer verschränkte noch demonstrativer die Arme und schüttelte den Kopf.

Das Biest verdrehte seine drei Augen. „Steig lieber ein – oder willst du, dass ich einfach davonrauschen tu? Solltest du mich nicht lieber im Äuglein behalten?"

Als Ebenezer widerwillig an Bord ging, klatschte das Biest vor Freude mit den Zungen.

„Angeschnalzt, Ebbi-Schnieser!"

Mit einem Fingerwackeln ließ es das Kanu die Treppen hinunterbrettern – ungefähr so schnell wie ein Gepard, dem dämmert, dass er zu spät zur Geburtstagsparty seines besten Kumpels aufgebrochen ist. Erst unten im

Flur kam das Gefährt schlitternd zum Stillstand. Das Biest sprang sofort hinaus und erbrach einen putzigen kleinen Anker, damit das Kanu in seiner Abwesenheit nicht davonschwamm.

„War das coooooooli!", jubelte das Biest. „Dir hat's auch gefallen, oder? Du hast geschrien vor Freudens."

„Das waren keine Freudenschreie." Ebenezer schnallte sich ab und stieg aus. Seine Knie zitterten wie übereifrige Rasseln. „Es waren einfach nur Schreie."

Das Biest machte ein trauriges Gesicht. „Ach du jemines. Ich bin würklich nicht so gut in guten Tateln, nicht wahr? Aber ich bin mir sicher, ich kann besser werden. Okay, wohin zuerstchens? Ziehen wir gleich los? Ja, oder?"

„Sekunde", sagte Ebenezer. „Vorher müssen wir dich ein bisschen … aufhübschen. Wenn du so rausgehst, könntest du eine Massenpanik auslösen."

Nachdenklich kaute das Biest auf

seinen Zungen herum. Dann summte und wackelte es wieder.

„Gott, was denn jetzt?" Ebenezer fischte den daumengroßen Knopf aus der Tasche. „Ich warne dich. Wenn du auch nur darüber nachdenkst, eine Waffe hervorzuwürgen, dann drü…"

Doch es kam keine Waffe zum Vorschein, sondern ein dreiteiliger Anzug in Größe XXXXXXL.

„Was denkst du?", fragte das Biest, während es den Anzug mit einem Fingerwackeln dazu brachte, sich über seinen klumpigen Körper zu streifen. „Wenn ich so gut sein will wie du, sollte ich mich auch genauso schick machen. Und, fürchteln sich die Nachbarn so weniger?"

Obwohl ihm bewusst war, dass es im Moment wirklich Wichtigeres gab, machte sich in Ebenezer der Neid breit: Wie flott das Biest in diesem Dreiteiler mit dem verblüffend gewagten Karomuster daherkam! Und was für eine fabelhafte Figur erst Ebenezer selbst darin machen würde!

„Nein, das sieht noch beängstigender aus", sagte er.

„Probier's anders."

Mehrmals wackelte das Biest mit den Fingern, um eine Reihe von Outfits durchzuprobieren. Es kleidete sich als Cowboy, als Kricketspieler,

als Königin und als Rollkra-
genpulloverträger – doch
nichts davon wollte so recht

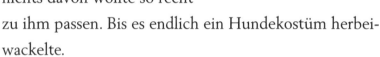

zu ihm passen. Bis es endlich ein Hundekostüm herbei-
wackelte.

„Ja! Das ist es!", rief Ebenezer. „Wenn du jetzt noch
eine Haube …"

Ein Fingerwackeln später hielt Ebenezer eine Ski-
mütze mit Augenlöchern in der Hand. Er stülpte sie
dem Biest über den Kopf.

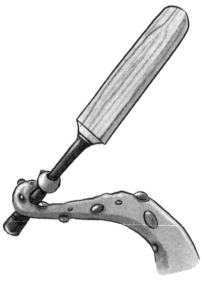

„Das könnte klappen", murmelte er nachdenklich. „Ich behaupte einfach, ich hätte ein neues Haustier. Ein sehr hässliches, geradezu widerliches Haustier … Wobei: Andere Leute gehen hier mit Hunden Gassi, die kaum weniger abstoßend sind."

„Ich wäre bestimmt ein superduper Hundi!", rief das Biest. „Ich zeig dir gleich, wie gut ich wauwuffeln kann."

Doch als es gerade zum Wauwuffeln ansetzte, läutete es an der Tür.

„Wer kann das nur sein?", fragte das Biest.

„Na, es ist bestimmt Bethany", sagte Ebenezer. Einerseits war er immer noch ziemlich wütend auf sie, andererseits aber erleichtert, dass sie sich endlich gemeinsam mit ihm dem Biest stellen wollte. Von der Idee mit dem Hundekostüm war er nämlich keineswegs überzeugt. „Wusste ich doch, dass sie wieder zur Vernunft kommt."

„Und warum sollte Bethany klingeln?", wandte das Biest ein. „Sie wohnt doch hierchens, oder?"

Zu seiner Verärgerung musste Ebenezer ihm recht geben. Seine frisch geschöpfte Hoffnung verflüchtigte sich.

Es läutete erneut.

„Wenn das zu deinem großen bösen Plan gehört …", knurrte Ebenezer. „Ich verspreche dir, er wird nicht aufgehen."

„Es gübt keinen großen bösen Plan", beteuerte das Biest.

Ebenezer ging zur Tür und öffnete sie, allerdings nur einen Spaltbreit. Auf der anderen Seite lauerte kein großer böser Plan – lediglich eine große Nase. Erst als er genauer hinsah, erkannte Ebenezer dahinter den dazugehörigen Jungen.

„Ah, Mr Tweezer!", begrüßte Eduardo Barnacle ihn. „Leider ist es die pure Verzweiflung, die mich hierherführt. Eine Frage: Ist *Tweezer, der Weise* noch tätig?"

„Was?", fragte Ebenezer.

„Mag sein, dass es Ihnen entfallen ist, doch vor gut und gern einer Woche bat ich Sie um Hilfe mit meinem Rosenstrauch." Traurig blies Eduardo seine Nasenlöcher auf. „Es ist seit jeher der eine Höhepunkt meines Tages, die wundervollen Düfte meines Rosengartens zu genießen. Doch neuerdings bringt ein – noch dazu recht übel riechendes – Unkraut meine armen hübschen Blümchen zur Strecke. Sie hatten mir daraufhin bei meinem letzten Besuch nahegelegt, stattdessen an Kerzen mit Rosenduft zu schnuppern."

Ebenezer lächelte stolz. „Wie schön, dass endlich jemand meinen Rat zu schätzen weiß. Nur leider habe ich gerade alle Hände voll –"

„Zu schätzen?! Ich war empört!", rief Eduardo und wischte damit Ebenezers stolzes Lächeln weg. „In meiner Verzweiflung begab ich mich als Nächstes zum Gartencenter. Doch die Chefgärtnerin hat das Problem soeben in Augenschein genommen – und auch sie kann meine Hübschen angeblich nicht retten. Da dachte ich, ich versuche es noch ein letztes Mal bei Ihnen, Mr Tweezer. Können Sie nicht doch irgendetwas tun, um mir diesen einen täglichen Augenblick der *Beschwingtheit* zu erhalten?"

Ebenezer dachte einen Moment nach. Dann knallte er Eduardo die Tür vor der Nase zu und hackte ihm dabei fast ein Stück davon ab.

„Was sollte das denn?", fragte das Biest.

„Ich kann mich heute unmöglich in meine Nachdenkgemächer zurückziehen." Ebenezers Gesicht verdüsterte sich. „Und selbst wenn ich Zeit dafür hätte, könnte ich ihm wahrscheinlich nicht helfen."

„Aber wie kommt er über-schaubt darauf, dich um Hülfe zu bitten?"

„Weil ich ein Problembehebungsunternehmen betreibe: *Tweezer, der Weise*. Ich dachte, es wäre eine gute Tat, anderen wertvolle Ratschläge zu ihren Problemen zu geben. Nur leider sind meine Ratschläge so viel wert wie ein Wollpullover an einem heißen Sommertag."

Ebenezer versank in Selbstmitleid. Jedes seiner Vorhaben scheiterte auf ganzer Linie – und nun musste er sich auch noch mit dem Biest herumschlagen.

„Das heißt …", murmelte das Biest, „für andere Leute Problemis zu lösen, ist eine gute Tatel?"

„Ja. Aber das Problem daran ist, dass man die Probleme auch wirklich lösen muss."

„Verstanden, Ebbi-Schnieser! Bin schon dabeilein!"

„Wie bit…"

Doch das Biest saß bereits wieder im Kanu und rauschte darin zur Haustür. Ebenezer konnte gerade noch zur Seite springen, ehe es hindurchkrachte und im Affenzahn die Straße hinunterschipperte, geradewegs zu dem Haus, an dessen Briefkasten zu lesen war: BARNACLE.

„Komm sofort zurück!", brüllte Ebenezer.

„KANN DICH NICHT HÖÖÖÖRELN!", brüllte das Biest zurück. „HAB ZU TU-HUHN! MUSS EIN SEHR LIEBES BIESTCHEN SEIN!"

Als Ebenezer es schnaufend und keuchend eingeholt hatte, war das Kanu bereits zum Garten hinter dem Haus der Barnacles geschippert. Dort befand sich auch Eduardo, der das Biest verdutzt anglotzte.

„HALLÖLI!", schrie es und winkte dem Jungen begeistert zu.

„Mr Tweezer?" Mit zitternder Hand zeigte Eduardo auf das Monstrum. „W-W-Was ist d-d-das?"

„Oh, Entschuldigens, mein Fehler!", rief das Biest. „Ich wollte sagen: WAUWUFFELS!"

„Das ist unser neuer Hund." Nervös lachend tätschelte Ebenezer den kostümierten Kopf des Biests und unterdrückte den Ekel, der ihn dabei packte. „Er heißt Biest. Bist du etwa noch nie einem sprechenden Hund begegnet?"

„Ich habe selbstverständlich davon gehört", erwiderte Eduardo in besonders altklug-arrogantem Ton, um seinen Moment der Panik wettzumachen. „Nur kleine Kinder wissen nichts von sprechenden Hunden. Aber welche Rasse …?"

„Ach, eine ganz gewöhnliche, du weißt schon. Das Erstaunliche – aber nicht *unglaubwürdig* Erstaunliche – ist, dass wir ihn einfach hinter dem Haus gefunden haben. Am Anfang war er so klein, dass er an meiner Schuhsohle kleben blieb …"

Während Ebenezer so vor sich hin quasselte, stieg das Biest aus dem Kanu und watschelte zum Rosenstrauch, um sich einen Überblick über die Lage zu verschaffen.

„Das ist ja kindergartenpipileicht." Es nickte entschlossen. „Bitte einen Schritt zurücktreten. Und, äh, Wau-wuffels!"

Das Biest schloss seine Augen, summte und wiegte sich hin und her.

„Dass du ja nichts Böses hervorwürgst!", warnte Ebenezer es. Dann wandte er sich schnell an Eduardo. „Manche sprechenden Hunde erbrechen hin und wieder größere Gemeinheiten. Aber davon hast du ja sicherlich gehört."

Eduardo, der niemals irgendeine Wissenslücke einge-standen hätte, nickte energisch. Währenddessen wiegte sich das Biest weiter summend hin und her und erbrach kurz darauf … Gartenzwerge.

„Problemchens gelöst." Zufrieden betrachtete es die rot bemützten Figuren. „Einmal auf den Kopf klopfen, und die beiden machen sich an die Arbeit. Sie mähen den Rasen, kehren das Laub und kümmern sich um fiese Unkrauteln."

„Ich will nicht undankbar erscheinen", sagte Eduardo. „Aber tatsächlich wollte ich meinen Garten *verschönern* und nicht mit albernem Firlefanz verschandeln."

Ein verfirlefanzter Garten wäre in Ebenezers Augen noch das geringste Problem gewesen. Er schnappte sich eilig die Zwerge. Ob es Attentäterzwerge waren? Oder vielleicht Bomben, die mit einem einzigen *Kabumm!* das ganze Stadtviertel in die Luft jagen könnten?!

Ebenezer lächelte entschuldigend. „Es tut mir sehr leid, Eduardo. Der Knabe muss erst noch erzogen werden. Böser Hund! Pfui!"

„So ein Quatschi!", rief das Biest. „Mein Kotzelwotz ist nicht pfui!"

Mit einem Fingerwackeln befahl es den Gartenzwergen, sich aus Ebenezers Händen zu winden. Danach klopfte es ihnen sanft auf den Kopf.

„Neiiiiin!" Ebenezer rempelte Eduardo zu Boden, um sich dann selbst zum Schutz vor Zwergenattacken auf der Erde zusammenzurollen. „Ich hätte dich nie aus dem Haus lassen dürfen!"

Ebenezer hatte die Augen fest geschlossen und die Finger tief in die Ohren gesteckt. Doch als eine ganze Weile nichts geschah, blickte er sich vorsichtig um – und stellte fest, dass es keinen Anlass zur Sorge gab.

Die Zwerge waren tatsächlich zum Leben erwacht, diskutierten aber nur angeregt darüber, wie man dem Wildwuchs in Eduardos Blumenbeeten Herr werden könnte. Dann zogen sie winzige Heckenscheren aus ihren Schürzen und trimmten mit größter Sorgfalt und Hingabe den Rosenstrauch.

„Schau sie dir an!", freute sich das Biest. „Wauwuffels, grrr!" Ebenezer rappelte sich langsam auf, unfähig zu glauben, was er da sah. Aber er sah es eben doch: Das Biest hatte wirklich einem Menschen geholfen und allem Anschein nach erwartete es dafür noch nicht mal eine Belohnung.

„Die Nachbarschaft hat sich in Ihnen getäuscht, Mr Tweezer." Mit seinen geübten Nasenlöchern stieß Eduardo ein bewunderndes Pfeifen aus. Er ließ sich auf einem Liegestuhl nieder, um dem emsig werkelnden Erbrochenen zuzusehen. „Ich werde den Leuten berichten, dass es sich sehr wohl lohnt, *Tweezer, den Weisen* um Hilfe zu bitten."

In diesem Moment hätte Ebenezer eigentlich das Herz aufgehen müssen, stattdessen brodelte darin pures Misstrauen. Was in aller Welt wollte das Biest erreichen?

Nun stieg es wieder ins Kanu. „War das tollvoll!" Es klopfte auf eine freie Sitzbank. „Komm, Ebbi-Schnieser! Ich bin schon sooooo gespannt, wem wir als Nächstes helfeln."

Ebenezer schüttelte den Kopf. Je mehr Zeit er mit dem neuen Biest verbrachte, desto häufiger stellte er sich die Frage, ob es nicht doch schlicht und einfach den Verstand verloren hatte.

Die dornige Rose

Spätmorgens erwachte Bethany im Süßwarengeschäft aus dem schlimmsten Zuckerkoma aller Zeiten. Die ganze Nacht lang war sie von Miss Muddle mit Leckereien versorgt worden.

Um sie herum standen lauter leere Becher, in denen sich mal Superduper Heiße Muddle-Schokolade Deluxe befunden hatte, und lagen zig zerknitterte Papiere der stockdunklen Kakaotafeln, die Miss Muddle nur zu besonderen Anlässen springen ließ.

„Ach du zickige Zuckermaus, brummt mir vielleicht die Birne Helene!", ächzte Miss Muddle.

„Schscht, Muddle! Bloß keine lauten Geräusche, sonst platzt mir der Schädel!"

Noch sehr benommen hob Bethany den Kopf von der Tischplatte und entdeckte prompt weitere Hinweise auf ihren nächtlichen Feiermarathon. Sämtliche Utensilien

zur Zubereitung heißer Muddle-Schokolade standen
noch unabgespült herum und am Boden lagen zwei zer-
brochene Rührschüsseln – als Bethany und Miss Muddle
im Duett *Picknick im Wirbelwind* geschmettert hatten,
hatten sie allzu enthusiastisch die Schneebesen-Mikros
geschwungen.

„Meine Fresse", murmelte Bethany. „Sieht ja aus wie
auf der Müllkippe."

„Sag doch nicht so was!", rief Miss Muddle. „In 48
Stunden steigt hier deine Party! Die ersten Zusagen sind
schon eingetrudelt – wie es aussieht, können es die
Nachbarn kaum erwarten, mein Loblied auf dich zu
hören."

Bethany fand es immer noch komisch, dass
lauter Leute ins Süßwarengeschäft kommen
würden, nur weil sie angeblich so toll war. Doch
sie fand es nicht blöd-komisch, sondern gut-
komisch. „Soll ich beim Saubermachen helfen?"

Miss Muddle war entsetzt. „Du grünes Gummi-
bärchen, nein! Der Ehrengast kann doch nicht bei
den Vorbereitungen für seine eigene Party mit-
mischen! Wo ich dir doch sowieso schon die Überraschung verdorben habe ..."

Also grinste Bethany sie nur verlegen an und

machte sich auf den Weg zur Tür. Sie hatte eingesehen, dass sie nicht ewig vor ihren Problemen davonlaufen konnte.

„BIS DENNE, MUDDLE!", rief sie beim Hinausgehen noch.

„Aua! Nicht so laut, bitte!", jammerte Miss Muddle.

Vom verwüsteten Süßwarengeschäft rollerte Bethany auf direktem Weg zum fünfzehnstöckigen Haus. Schon aus einigen Metern Entfernung entdeckte sie das kanuförmige Loch in der Tür. Wie zum Teufel war das passiert? Sie stieg durch das Loch und stellte verwundert fest, dass niemand da war.

„BLÖDGESICHT?", schrie Bethany, während sie die einzelnen Etagen abklapperte. „NICKLE? BIEST?"

Ihr kam ein naheliegender Gedanke: Das Biest hatte alle anderen aufgefressen und versteckte sich nun in irgendeinem verborgenen Winkel. Und bevor sie mit dem zweitnaheliegendsten Gedanken weitermachen konnte, klopfte es an der Haustür.

Eduardo Barnacle steckte den Kopf durch das Kanuloch. Zwischen den Zähnen hielt er eine wunderschöne Rose, die er allerdings rausnehmen musste, um mit Bethany zu sprechen.

„Ich möchte bloß dieses kleine Präsent vorbeibringen." Er fuchtelte mit der Blume vor Bethanys Nase herum. „Für euer reizendes Hündchen. Seine fantastischen Geschenke haben das Unkraut tatsächlich aus der Welt geschafft."

„Bitte was?", sagte Bethany. „Außerdem haben wir keinen Hund."

„Da möchte ich höflich widersprechen. Ebenezer hat ihn mir heute erst vorgestellt und nun zeigt er ihm das Stadtviertel. Wirklich erstaunlich, was das Tier mit diesem Speitrick leisten kann."

Bethany erschrak. „Wie, Speitrick?"

„Na, wenn er so summt und wackelt. Damit würde er

die jährliche Hundetalentshow locker gewinnen. Hat Ebenezer dir das etwa noch nicht vorgeführt?"

Bethany konnte es nicht glauben. Das durfte nicht wahr sein! Nein, Eduardo hatte bestimmt irgendetwas falsch verstanden.

„Dieser Hund …", begann sie. „Hat Ebenezer dir zufällig gesagt, wie er heißt?"

„Aber natürlich." Eduardo lachte durch die Nase. „Wie war sein Name noch? Ach ja, genau: Biest."

Eine Runde Erbrochenes
für alle

„G u-hu-huuut …", sagte das Biest. „Welchen
Glückspilkz besuchen wir als Nächstes?"

Ebenezer beschloss, das Biest einer Prüfung zu unter-
ziehen. Aus seiner Jackentasche holte er ein kleines
Notizbuch mit Ledereinband. Darin hatte er sich alle bis-
herigen Kunden von *Tweezer, dem Weisen* aufgeschrieben.

„Drei Straßen weiter kommt ein Kreisverkehr. Da die
zweite Ausfahrt, dann zu dem Haus mit der orange-
farbenen Tür. Dort wohnt eine nette alte Dame, die Hilfe
bei der Zustellung eines Briefes benötigt."

Das Biest ließ das Kanu in wahrhaft berauschendem
Tempo durch die Straßen schlittern. Doch nach einer
halsbrecherischen Bootsfahrt, nach mehreren Ausweich-
manövern in letzter Sekunde und Beinahe-Enthauptun-

gen kamen sie tatsächlich heil am Haus der netten alten Dame an. Ebenezer saß starr auf seinem Platz, so als wären alle 512 Jahre seines Lebens vor seinen Augen vorübergezogen.

Das Biest hingegen watschelte munter los und drosch mit seinen kleinen Fäusten auf die orangefarbene Tür ein. Ein paar Sekunden später wurde diese von der netten alten Dame geöffnet, die einen einzigen Blick auf den unangekündigten Besuch warf und in Ohnmacht fiel.

„Upsi!", sagte das Biest. „Ebbi-Schnieser, hab ich sie tot gemacht? Das wäre keine gute Tatel, oder?"

„Aus dem Weg!", befahl Ebenezer. „Ich kümmere mich darum."

Das Biest trat gehorsam zur Seite und überzeugte damit einmal mehr in der Rolle des braven Hündchens. Aber als Ebenezer dann vor der netten alten Bewusstlosen stand, fiel ihm auf, dass Erste Hilfe zu den doch recht zahlreichen Dingen zählte, von denen er nichts verstand.

„Tja, jetzt ist guter Rat teuer", sagte er und tippte der Dame auf die Schulter. „Hallihallo?"

Offenbar war ihr weder nach Halli noch nach Hallo zumute. Mit gerunzelter Stirn überlegte Ebenezer, was nun wohl zu tun wäre. Da fiel ihm der zugeklebte Brief-umschlag auf, den die Dame mit einer Hand umklammert hielt. Er fummelte ihn aus ihren Fingern.

„Deswegen hat sie bei mir angeklopft. Sie wollte ihrer Enkelin eine Geburtstagskarte nach Australien schicken, befürchtete aber, sie könnte zu spät eintreffen", erklärte Ebenezer. „Ich dachte mir, am einfachsten wäre es, wenn ich ihr beim Vogelhändler eine Brieftaube besorge und dieser klar und deutlich den Weg nach Australien beschreibe."

„Ein tollvoller Plan!", lobte das Biest.

„Wäre es gewesen, hätte ich nicht ausgerechnet *diese* Taube erwischt. Dieses spezielle Exemplar fraß die Karte einfach auf und schied sie dann auf den Sonntagshut der netten alten Dame aus. Offensichtlich hat sie inzwischen eine neue geschrieben. Aber noch einmal hätte sie mich kaum um Hilfe gebeten."

„Problemchen ist schon ge-wöst!" Nachdem sich das Biest eine Weile summend und mit geschlossenen Augen hin und her gewiegt hatte, erbrach es einen Briefkasten in den Hausflur – mit einer Klappe, die permanent auf und zu klapperte, so als würde das Behältnis von einem wahren Heißhunger auf Post geplagt. „Das Kästchen verschickt Briefe in die große weite Welt", verkündete das Biest.

In diesem Moment setzte sich die nette alte Dame auf. Erstaunt blickte sie von Ebenezer zum Biest und wieder zurück. „Bedauere sehr. Ich hatte irgendwie nicht damit gerechnet, dass mich so ein merkwürdiges Hündchen besucht." Sie betrachtete den Briefkasten. „Und was ist das?"

„Angeblich verschickt das Ding Briefe in alle Welt", erklärte Ebenezer ihr. „Doch an Ihrer Stelle würde ich mich nicht unbedingt darauf verlassen."

Die nette alte Dame rappelte sich auf und ging lahmend in den Hausflur, um sich den Briefkasten genauer anzusehen. Und als die Klappe gerade wieder aufgeklappert war, schob sie rasch den Brief hinein. Aus dem Kasten drang ein lautes Kauen, dann rülpste er eine Quittung hervor. Die Dame spähte in sein Inneres, Ebenezer tat es ihr gleich. Gähnende Leere. „Verblüffend – der Brief ist weg!", rief sie. „Mr Tweezer, ich danke Ihnen recht herzlich!"

„Die Geburtstagskarte ist schon in Austra-la-la-la-li-len", warf das Biest schüchtern ein.

Den „Hund" sprechen zu hören, war leider zu viel für die nette alte Dame. Sie kippte erneut um.

„Ist das schön, alten Leuten zu helfeln!", freute sich das Biest. „Aber bist du dir ganz sicherlich, dass ich sie nicht umge-bwacht habe?"

„Keine Sorge, die fängt sich schon wieder." Ebenezer beäugte das Biest mit zusammengekniffenen Augen. „Wollen wir mal sehen, was noch alles in dir steckt."

Während sie gemeinsam die Probleme seiner verschiedenen Kunden abarbeiteten, hielt Ebenezer stets die Augen offen nach Hinweisen auf die wahren Hintergedanken des Biests. Für Postbote Paulo erbrach es einen Antischwerkraft-Sack, mit dem sich Briefe und Pakete wie von selbst austrugen. Für den Milchmann würgte es unkaputtbare Glasflaschen hervor. Und bei einer Stippvisite in der Bücherei spuckte es einen Haufen Etiketten aus, welche zurückgegebene Bücher dazu brachten, sich von selbst in die Regale einzusortieren. Ganz gleich, wohin es sie verschlug – es schien für das Biest keine größere Freude zu geben, als Hilfesuchenden unter die Arme zu greifen.

„Du findest alte Leute doch so toll", sagte Ebenezer schließlich. „Dann wüsste ich da was …"

Obwohl er ihm selbstverständlich nicht voll und ganz vertraute, hoffte er doch, dass das Biest auch für das Seniorenheim irgendetwas Nützliches erbrechen könnte. Schließlich hatte Schwester Mindy besonders hässlich über *Tweezer, den Weisen* hergezogen – und wenn er ganz ehrlich war, schmeichelten ihm die andauernden Lobhudeleien der Nachbarn ziemlich.

„Sie schon wieder?" Mit verschränkten Armen nahm Schwester Mindy den Überraschungsgast in Empfang. „Und Sie haben auch noch einen räudigen Hund mitgebracht. Na, wie schön."

„WAUWUFFELS!", machte das Biest.

Ebenezer kämpfte gegen den Drang an, Schwester Mindys freundliche Begrüßung mit einem geprusteten Pupsgeräusch zu erwidern. „Ja", sagte er nur. „Ich wollte mich erkundigen, ob die Hörgeräte immer noch Probleme bereiten."

„Wenn Sie es unbedingt wissen wollen: Tun sie. Aber wenn Sie jetzt wieder mit ihrer Megafon-Idee ankommen …"

Ebenezer presste sein schönstes gekünsteltes Lachen hervor. „O nein, diesmal haben wir etwas viel Besseres parat." Er warf einen Blick auf das Biest. „Haben wir doch?"

„Haben Sie gerade Ihren *Hund* um Hilfe gebeten?",
fragte die Schwester. „Wenn das kein neuer Tiefpunkt ist."

Doch das Biest wackelte und summte bereits und es
erbrach … einen vollständigen Satz brandneuer Hörgeräte.
Etwas sabberverschleimt zwar, davon abgesehen aber
offensichtlich in bestem Zustand.

Schwester Mindy erschauderte. „Gott, ist das EKEL-
HAFT! Sie glauben doch nicht, ich würde meine Bewohner auch nur in die Nähe dieser –"

Ebenezer hob ein Hörgerät auf und stopfte es ins nächst-
beste Ohr. Zufällig war es das der 89-jährigen Tänzerin,
die gerade an ihnen vorbeikam, allerdings nicht im Spagat.

Die Greisin schaute sich um – zunächst sichtlich verwundert, dann hocherfreut. „Ein Wunder! So gut habe ich seit Jahren nicht mehr gehört. Nein, eigentlich … eigentlich mein ganzes Leben nicht. Ich kann verstehen, was zwei Türen weiter gesprochen wird."

Während Ebenezer unverschämt selbstzufrieden lächelte, zog Schwester Mindy die Stirn kraus. Und plötzlich wurde die Tänzerin wütend.

„Was ist los?", fragte Schwester Mindy die Dame mit einem bösen Blick auf Ebenezer, der wiederum einen fragenden Blick auf das Biest abfeuerte. „Das habe ich kommen sehen. War ja zu erwarten, wenn Mr Tweezer dahintersteckt."

„Nein, nein, das Hörgerät funktioniert einwandfrei", sagte die Tänzerin. „Ich ärgere mich über das Gespräch zwei Zimmer weiter. Wenn ich diese Margaret in die Finger kriege!"

Sie stürmte in den Aufenthaltsraum und hielt direkt auf Margaret zu, die ihr schon schuldbewusst entgegenblickte. Ebenezer und das Biest verteilten unterdessen Hörgeräte. Jedoch waren etliche Bewohnerinnen und Bewohner enttäuscht, dass Bethany diesmal nicht mit von der Partie war.

„Nur Sie heute?", fragte der mit dem mottenzerfressenen Pullover. „Wo ist denn Ihre junge Begleiterin?"

„Nicht hier, so leid es mir tut", erwiderte Ebenezer.
„Dafür habe ich Ihnen aber etwas besonders Schönes
mitgebracht."

Etliche der Beschenkten zögerten zunächst, die voll-
gesabberten Hörgeräte auszuprobieren. Doch nach und
nach gaben sie sich einen Ruck – und im nächsten Augenblick war stets der gleiche herzzerreißende Effekt zu
beobachten. Manche vergossen Freudentränen über die
plötzliche und vollumfängliche Wiederherstellung ihres
Hörvermögens.

Monatelang hatten die Früchte von Ebenezers Stunden
in seinen Nachdenkgemächern bestenfalls für Ernüchte-
rung gesorgt. Umso großartiger fühlte er sich jetzt.

„Könnten wir vielleicht ein Foto machen?", erkundigte
sich die Tänzerin, nachdem sie der bemitleidenswerten
Margaret die Meinung gegeigt hatte.

„Und mit wem diesmal?", fragte Ebenezer entnervt.

„Na, mit Ihnen natürlich. Und mit Ihrem liebenswerten
Vierbeiner."

Ebenezer fühlte sich irre geschmeichelt. Mit vollem
Körpereinsatz warf er sich in alle möglichen überraschenden Posen, während er etliche Selfies von sich, dem Biest

und der Tänzerin knipste. Bald wollte jede und jeder ein Bild mit ihm, und wer wäre Ebenezer gewesen, ihre Bitten auszuschlagen?

Selbst Schwester Mindy schien sich ein bisschen für ihn erwärmen zu können. „Ich muss mich wohl entschuldigen, Mr Tweezer. Es könnte sein, dass ich mich in Ihnen getäuscht habe."

„Keine Sorge. Sie wären nicht der erste Mensch, der sich in jemandem irrt." Ebenezer warf einen Blick auf das Biest. Unter seiner Hundekappe grinste es wild und zahnig, merklich erfreut über die Glücksgefühle, die sein Erbrochenes gestiftet hatte. „Manchmal dauert es eben ein bisschen, jemanden richtig kennenzulernen."

Rundum zufrieden mit sich und der Welt kehrte Ebenezer an der Seite des Biests zum Kanu zurück. Rundum unzufrieden stellte er fest, dass exakt in diesem Moment Bethany im Höchsttempo auf das Seniorenheim zurollte. Ihre zornige Miene verhieß nichts Gutes.

Gregor Pick

Bethany gegen Ebenezer

Bethany! Willst du uns bei unseren guten Tateln helfeln?", rief das Biest. „Oh, das ist der schö-wönste Tag meines Lebens!"

Bethanys wütender Miene nach hätte sie sich einen deutlich schöneren Tag vorstellen können. Den Blick starr auf Ebenezer gerichtet, rollerte sie ohne abzubremsen weiter.

„Solltest du nicht ein wenig langs...", sagte Ebenezer.

Es wäre kein schlechter Ratschlag geworden, den er ihr erteilt hätte, wäre Bethany nicht plötzlich vom fahrenden Roller gesprungen, um ihn umzurempeln. Sie hockte sich auf seinen Bauch und ließ einen Ohrfeigenregen auf ihn niedergehen.

„IDIOT!", brüllte sie. „Verräter! Du gehirnamputierter Einfaltspinsel von einem Schwachkopf! Wie kannst du mir das antun? Wir sind doch ein Team! Also angeblich!"

„Aber Bethany! Ich bin kein Expe-werte, aber so geht das mit den guten Tateln doch nicht", sagte das Biest. „Du machst dem armen kleinen Ebbi-Schnieser doch aua."

Als Ebenezer sie an den Haaren zog, kloppte Bethany ihn genau dort, wo es ihn garantiert am meisten schmerzen würde: auf seine geliebte Weste.

„Ach, wir sind ein Team? Komm mir nicht so!", ächzte Ebenezer. „Wo war dein Teamgeist, als du mich gestern Abend hast sitzen lassen?"

„Ich war *eine* Nacht lang weg!", erwiderte Bethany. „Und du zahlst es mir heim, indem du mit dem Biest einen Stadtspaziergang machst?!"

„Heimzahlen? Pah! Ich wollte meine Haut retten." Ebenezer ging lieber nicht auf den erfreulichen Nebeneffekt ein, dass ihm das Erbrochene des Biests etliche schmeichelhafte Komplimente einbrachte. „Hätte ich untätig rumgesessen, wäre ich jetzt wahrscheinlich schon im Laserkäfig!"

„Wäre besser so, wenn du sonst auf solche Schnapsideen kommst. Man kann dich nicht eine Stunde allein lassen."

„Im Gegenteil. Ich habe in deiner Abwesenheit immense Erfolge gefeiert. Wir haben an jeder Ecke Gutes getan. Und weißt du was? Inzwischen muss ich Mr Nickle recht geben. Das Biest ist wirklich nicht mehr das alte!"

Vor lauter Empörung über Ebenezers Worte vergaß Bethany vollkommen, auf ihn einzuprügeln. Im Gegenzug ließ er ihre Haare los.

„Das kann nicht dein Ernst sein", sagte sie.

„Doch. Niemand auf der ganzen weiten Welt hat so viel Erfahrung mit dem Biest wie ich – und der heutige Tag hat mich davon überzeugt, dass es sich tatsächlich geändert hat." Ebenezer stand auf und überprüfte seine Weste auf Beschädigungen. „Von dem alten Untier ist nichts mehr übrig."

„Juhubels!", freute sich das Biest.

„Also willst du mir gar keins auswischen?", sagte Bethany. „Sondern du bist wirklich auf das Vieh reingefallen?"

„Ich bin auf niemanden reingefallen!", rief Ebenezer.

„Ich fallere niemanden rein!", rief das Biest.

Ebenezer sah Bethany ernst an. „Lass dich darauf ein, verbring ein bisschen Zeit mit dem neuen Biest. Dann wirst du es schon einsehen."

„Das kannst du gleich wieder vergessen", antwortete sie. „Im Gegensatz zu dir habe ich noch ein Hirn."

Mit einem letzten Rest an Würde zupfte Ebenezer sein Halstuch zurecht und strich sich die Hose glatt. Dann bedachte er Bethany mit seinem frostigsten Blick.

„Wie schade", sagte er. „Aber da kann man nichts machen. Das Biest und ich werden nun zu weiteren guten Taten aufbrechen."

„Werdet ihr nicht! Ich verbiete es euch."

„Wie denn das? Du darfst dich uns aber gern anschließen. Im Kanu ist noch reichlich Platz."

„Au jaaaa!", rief das Biest begeistert. „Schließ dich an, bittens!"

Bethany schüttelte energisch den Kopf. „Ich werde nicht zulassen, dass das Ding weiter das ganze Viertel vollkotzt! Keine Ahnung, was genau es plant, aber –"

„Wenn du dich dann besser fühlst, begleite uns doch und schau, ob du irgendwie hinter diesen angeblichen Plan kommst." Ebenezer zuckte mit den Schultern. „Wie du willst. Mission gute Tat wird so oder so fortgesetzt."

Das Biest und er stiegen ins Kanu. Bethany weigerte sich standhaft, folgte dem Gefährt aber auf ihrem Roller.

In Ebenezers Notizbuch war als Nächstes das Waisenhaus vermerkt. Um so schnell wie möglich dort hinzukommen, schipperte das Biest zweimal mitten durch den hupenden Querverkehr.

„Doch nicht zum Waisenhaus!", rief Bethany von hinten. „Denk nur an Geoff… an die Kinder, meine ich!"

„Keine Sorge, ich fresse ganz bestimmt keins auf. Großes Kindianerehrenwort", erwiderte das Biest, doch nicht einmal damit konnte es Bethanys Bedenken ausräumen. „Ich bin jetzt ein kuscheliges Kuschelbiest."

Knapp hinter dem bröckelnden Tor der Anlage bremste das Kanu ab. Die Kinder saßen grüppchenweise auf der Stoppelwiese vor dem Haus und spielten lautlos mit Steinen. Timothy hatte ihnen erklärt, dass er sich unbedingt auf seinen eminent wichtigen Papierkram konzentrieren müsse.

Bei Bethanys Anblick winkte Geoffrey beidhändig mit flatternden Fingern. Er winkte so überschwänglich, dass es aussah, als wollte sich sein Arm vom Körper loslösen.

„HALLO-OOO!", rief er.

Schnell legten die anderen einen Zeigefinger auf ihre Lippen. Wenn Timothy rechtzeitig mit dem Papierkram fertig würde, bekämen sie an diesem Abend vielleicht sogar etwas zu essen.

„Oh, ähm, Entschuldigung", sagte Geoffrey und senkte seine Stimme zu einem Flüstern. „Hallo-ooo, Bethany. Bist du schon dazu gekommen, den Comic zu lesen? Nur weil, also wie ich schon gesagt habe, es kommt bald ein *Detektei-Schildkröt-Film* in die Kinos und, ähm, ja, also wenn du zufällig noch nichts vorhast …"

„Was ist los?", motzte Bethany ihn an. „Mann, ich versteh kein Wort!"

„Pschscht! Pschscht!", machten die anderen Kinder verzweifelt.

Geoffrey stand auf und lief auf Bethany zu. Im Laufen breitete er die Arme aus und ließ sie wieder fallen, so als würde er darüber nachdenken, Bethany zu umarmen – oder doch lieber nicht. Letztendlich entschied er sich gegen dieses Wagnis, und als er vor ihr angekommen war, befanden sich seine Hände in den Tiefen seiner Hosentaschen.

„Ist das dein Hund?", fragte er. „Ich liebe dich! Oh, ähm, ich meine, ich liebe Hunde."

„Halt dich bloß von dem Ding fern", sagte Bethany. „Außer du liebst Hunde mehr als dein Leben."

Mit einem breiten Sabberlächeln auf den Lippen watschelte das Biest zu Geoffrey hinüber. Und Bethanys Warnung zum Trotz strich Geoffrey ihm über den Kopf.

Das Biest schmiegte sich an die Hand des Jungen. „Oooh, so schönchens!"

„Wow, ist das ein kluges Tier", sagte Geoffrey. „Ist es ein Dackel?"

Bethany stieß ihn vom Biest weg. Geoffrey dachte, sie würde ihn von sich selbst wegstoßen, und machte ein entsprechend enttäuschtes Gesicht.

„Jetzt glotz nicht so", sagte Bethany. „Ich will nur nicht, dass du bei lebendigem Leib aufgefressen wirst."

Da summte und wackelte das Biest und erbrach in einem großen Schwall eine Ladung vollgesabbertes Spielzeug – von gestaltwandelnden Frisbees bis hin zu selbstkreisenden Springseilen.

„JETZT GEHT'S LOSENS!", rief es den Waisenkindern zu. „Wauwuffels, bell-bell!"

„Rührt das Zeug bloß nicht an!", schrie Bethany.

„Du willst die Kinder doch nicht zwingen, weiter mit Steinchens zu spielen?", fragte das Biest. „Das wäre keine gute Tatel."

Bethanys Versuch, das Erbrochene zu beschlagnahmen, scheiterte kläglich. Die Kinder weigerten sich strikt, ihre ersten richtigen Spielsachen seit Ewigkeiten aus der Hand zu geben. Als Geoffrey zum ersten Mal seit dem letzten Frisbeewerfen mit seinen Eltern ein Frisbee warf, floss eine einzelne Träne aus einem seiner Augen.

„Schaut nur, wie sie sich freuen", sagte das Biest, dessen drei Augen ebenfalls feucht wurden. „Hach, ist das nicht wunderschönvoll?"

Bethany beobachtete es aufmerksam. „Was hast du vor? Willst du die Frisbees in Äxte verwandeln oder so?"

„Hihihi, bist du ein lustiges Schnuckelchen!" Mit einem Seufzer der Rührung wandte sich das Biest von den spielenden Kindern ab und watschelte zum Kanu. „Kommt! Die nächste gute Tatel wartet schon!"

„Nichts da! Jetzt ist Schluss mit der Kotzerei." Bethany zog die Trompete aus ihrem Rucksack und wedelte drohend damit herum. „Sonst ist Schluss mit DIR."

„Oh, was ist das für ein wunderhübsches Dingelding?", fragte das Biest, so als wäre ihm niemals in den Sinn gekommen, sich vor dem Musikinstrument zu fürchten.

Ebenezer und das Biest machten eine Kanutour durch das übrige Stadtviertel, in sicherem Abstand gefolgt von Bethany auf ihrem Roller. Am Obdachlosenheim würgte das Biest winterfeste Luxuszelte hervor und am Kinderkrankenhaus Verbandszeug, das gebrochene Knochen im Zeitraffer zusammenwachsen ließ.

„Uffziwuffz, bin ich müde!", rief es danach, während sich die Geschwindigkeit des Kanus dem eines verendenden Esels anpasste. „Können wir vielleicht nach Hausi und ein klützekleines büsschen Pause machen?"

„Noch nicht", sagte Ebenezer. Er war längst süchtig

nach den Komplimenten seiner dankbaren Kundschaft. „Eine Station noch, ja?"

Er beschrieb dem Biest den Weg zur Vogelhandlung und rannte als Erster in den Laden hinein, kaum dass sie davor angehalten hatten. Da der Feierabend nahte, kehrte der Vogelhändler gerade die Federn am Boden zusammen.

„Hier bin ich!", verkündete Ebenezer mit stolzgeschwellter Brust. „Und ich werde Ihrem Hoatzin das Stinken austreiben!"

„Schönen Dank auch, aber bitte lassen Sie's", sagte der Vogelhändler, ohne im Kehren innezuhalten. „Letztes Mal haben Sie Pappnase mir nur die gute Laune ausgetrieben. So, jetzt muss ich mich um meinen Laden kümmern."

„Aber sicher! Trotzdem, diesmal habe ich etwas wirklich Interessantes im Angebot. Die einzig wahre Lösung für Luftverpestungen aller Art." Ebenezer eilte zur Ladentür und riss sie weit auf. „Darf ich vorstellen? Mein reizender sprechender Hund, genannt … Biest!"

Bei seinem ersten Schritt in die Vogelhandlung wandelte sich der Gesichtsausdruck des Biests von Grund auf. Seine drei Augen weiteten sich und seine Nasenlöcher blähten sich vor Aufregung. Bethany schob sich knapp hinter ihm in das Geschäft hinein, ihre Miene grimmig.

„Mir egal, ob er sprechen kann oder nicht – in meinem Laden gilt Hundeverbot!", rief der Vogelhändler. „Muss doch auf meine lieben Vögelchen aufpassen."

„Keine Angst, der Kleine tut nichts", beschwichtigte Ebenezer. „Das heißt, er *tut* durchaus etwas – und nicht nur sprechen, o nein! Lassen Sie uns doch einen Blick auf den Hoatzin werfen. Sie werden es nicht bereuen."

Als er das Biest tiefer in den Laden hineinwinkte, bemerkte Bethany, wie aufgekratzt es auf einmal war. Was hatte es nur vor …?

Der Hoatzin stank abseits von allen anderen Vögeln vor sich hin. Wann immer er sich einem Plaudergrüppchen anschließen wollte, ergriff dieses hüpfend und watschelnd die Flucht.

„Der Arme", seufzte der Vogelhändler. „Er hätte so gern einen Freund, wenigstens einen. Aber daraus wird nichts. Die anderen wollen auf keinen Fall mit ihm spielen, nur weil er so bestialisch stinkt. Davon wird er traurig – und vom Traurigsein stinkt er noch bestialischer."

„Es wäre doch gelacht, wenn *Tweezer, der Weise* da nichts machen könnte!" Ebenezer plusterte sich so sehr auf, man hätte ihn fast für einen entfernten Verwandten des Vogels hinter ihm halten können, eines Prachtfregattenvogels mit dickem Kehlsack. „Stimmt doch, Biest?"

Nun, da das Biest den Vögeln ganz nahe war, blähten sich seine Nasenlöcher noch gewaltiger auf.

„Ach du jemines", sagte es ängstlich. „Hier kommen mir fürchterlich viele Düftchens bekannt vor."

„Mach einfach, was du immer machst!", zischte Ebenezer ihm zu. „Wie stehe ich denn sonst da?"

Zögerlich schloss das Biest seine sorgenvollen Augen. Es summte und wackelte, schwankte kurz bedenklich hin und her … und erbrach endlich einen durchsichtigen Kasten mit einem Kringelröhrchen an der einen Wand.

„Potz Blitz!", rief der Vogelhändler. „Mir sind ja schon ein paar seltsame Tierchen untergekommen, aber so eins noch nie. Teufel auch, was ist das für ein Ding?"

„Eine Bombe, schätze ich", meinte Bethany.

„Ein Stinkekästchen", stellte das Biest klar. „Durch das Rohr kommt Luft rein, damit das Vögelchen nicht erstickt, und schlechte Düfte werden auf dem Weg nach

draußen in schnuppergu-
te verwandelt. Und weil der Kasten so
leicht ist, kann das Vögelchen darin be-
quem rumflattern." Das Biest knetete nervös seine Hände. „Können wir dann? Wir sollten wirklich schnell nach
Hausi."

Erst wollte Ebenezer der verdienten Lobeshymne
lauschen.

„Na los", sagte er vorfreudig zum Vogelhändler,
„probieren Sie's aus."

Der Vogelhändler hob den vor sich hin müffelnden
Hoatzin auf und setzte ihn behutsam in den Stinkekasten. Schlagartig verwandelten sich alle seine üblen
Gerüche in herrlich aromatische. Und wie das Biest
prophezeit hatte, konnte sich der Hoatzin in dem feder-
leichten Behältnis ohne Probleme fortbewegen.

In seinem neuen Zuhause hüpfte er auf Tauberich
Keith und den Bombastisch Blutrünstigen Adler zu –
und zum ersten Mal in seinem Leben nahmen ihn diese
freundlich gurrend und krächzend in Empfang.

„Ist das zu glauben!", rief der Vogelhändler. „So glücklich hab ich den alten Stinker noch nie gesehen. Mr
Tweezer! Sie altes Genie, Sie!"

Ebenezer strahlte.

Flatterfried III

Heule-Eule

Wiedeschopf,
die Rote

Gigi

LL Kük J und
Kük D'État

Patrick

Montcrief

„Schnuckel?", sagte das Biest und zupfte an Ebenezers Ärmel. „Wir sollten jetzt wirklich los. Ich muss weg von den ganzen Düftchens hier. Ist zu gefährlichens."

„Sei still!", befahl Ebenezer. „Ich glaube, der gute Mann wollte noch etwas Nettes über mich sagen."

„Worauf Sie Gift nehmen können!" Den Hoatzin so fröhlich zu sehen, rührte den Vogelhändler beinahe zu Tränen. „Mr Tweezer, Sie sind ein …"

Zu Ebenezers großem Bedauern wurde der restliche Satz von einem Donnergrollen übertönt. Von einem solch dröhnenden und durchdringenden Knurren, dass das Schaufenster des Geschäfts splitterte und sämtliche Vögel panisch Alarm schlugen.

Das Knurren kam aus dem Magen des Biests.

Das Bäuchlein des Biests

Der Magen des Biests konnte auf verschiedenste Weise knurren. In diesem Fall brachte er ein grauenvolles Kratzgeräusch hervor, das sich tief in die Ohren fräste und jeden klaren Gedanken unmöglich machte. Bethany, Ebenezer und der Vogelhändler sanken gequält auf die Knie, während die Vögel immer noch in blanker Panik schnatterten und kreischten, quakten und gurrten.

„O neinchens!", rief das Biest. „Schscht! Böses Bäuchlein! Schschtchens noch mal!"

Der Magen knurrte weiter, so als hätte er eine Menge Versäumtes nachzuholen.

„Was ist das für ein Höllenlärm?", jammerte der Vogelhändler. „Tut ja höllisch in den Ohren weh!"

„Ach du jemines!", klagte das Biest. „Wie mache ich nur, dass es wieder auf-hörlt?"

Es entschied sich dafür, im Eiltempo aus dem Laden zu watscheln.

Da erwachte Bethany aus ihrer Starre. „Ich hab's geahnt!" Sie stemmte sich hoch und nahm, noch etwas unsicher auf den Beinen, die Verfolgung auf. „Das Biest hat sich null geändert! Los, wir müssen hinterher!"

Tatsächlich war Ebenezer ihr dicht auf den Turnschuhabsätzen. Vor der Vogelhandlung angekommen, sahen sie, wie das Biest mit seinen Minifäusten auf seinen Bauch eindrosch, wie um ihn mit Gewalt zum Schweigen zu bringen.

„Wir müssen Nickle verständigen!", rief Bethany.

„Für den Fall eines Notfalls hat er mir das hier gegeben." Ebenezer zauberte den daumengroßen Knopf aus der Tasche. „Aber sollten wir wirklich jetzt schon –"

Bethany riss ihm den Knopf aus der Hand und drückte ihn mit aller Kraft. Eine Sekunde später quoll eine Pfütze aus dem Bürgersteig hervor.

Heraus trat Mr Nickle, einen Gehstock wie ein Ritterschwert nach vorn gestreckt. Als er das donnernde Magenknurren bemerkte, zuckte er zusammen.

„Was ist passiert?", fragte er Bethany und Ebenezer.

Bethany war außer sich. „Genau, was ich vorhergesagt habe! Das Biest geht in den Laden, riecht lauter Tiere, die ihm Appetit machen, und zack, ist es wieder das Alte. Sieht aus, als müsste es leider zurück in den Käfig."

„O neinchens", jammerte das Biest. „Böses Bäuchlein! Macht Bethany und Ebbi-Schnieser sauer."

Mr Nickle zog seine dauerkrause Stirn noch krauser. „Hat das Biest heute schon etwas zu fressen bekommen?"

„Sagten Sie nicht, dass es nicht mehr frisst?", entgegnete Ebenezer.

„Ja, kein Fleisch mehr – aber *irgendetwas* muss es natürlich fressen, Sie verflixter Dummbeutel!"

Mr Nickle zielte mit einem Gehstock auf einen Punkt oberhalb des Biests und öffnete genau dort, mitten in der Luft, eine Portalpfütze. Aus dieser stürzte ein Berg Altmetall ins Kanu hinab.

Das Biest fiel hungrig darüber her, wie ein Hund über eine Handvoll saftiger Knochen. Keine zehn Sekunden später befand sich der Berg in seinem Bauch und bald darauf verstummte mit einem leisen Knirschen das Knurren.

„Vielen lieben Dankens, Nickle-Wickle!", rief das Biest.

Zur Sicherheit ließ Mr Nickle noch einen zweiten Berg Altmetall ins Kanu hinabstürzen.

„Was soll das?", fragte Bethany. „Wenn schon Metall, dann bitte in Käfigform!"

Mr Nickle sah sie fragend an. „Hat die Kreatur denn wirklich einen Vogel gefressen?"

„Das nicht, aber –"

„Ich fasse zusammen: Das Biest wurde vollkommen ausgehungert in eine *Vogelhandlung* geführt – und hat sich nicht mal einen kleinen Happen gegönnt? Das stimmt doch zuversichtlich. Und wie schreitet seine Erneuerung und Besserung ansonsten voran?"

„Bis zu diesem Punkt eigentlich nicht schlecht", meinte Ebenezer. „Es hat den ganzen Tag nützliche Dinge für die Nachbarn erbrochen."

Mr Nickle nickte. „Gut. Verflixt gut sogar."

„Und nicht, dass ich mir selbst auf die Schulter klopfen wollte", sagte Ebenezer, während er dazu ansetzte, sie zumindest zart zu streicheln. „Aber einige Nachbarn haben lobend erwähnt, wie gut es mir gelung…"

„Leute, geht's noch?!", fuhr Bethany dazwischen. „Das Biest ist genau wie früher. Schaut euch doch mal an, wie der Laden aussieht."

„Ja, das bringen wir lieber schnell in Ordnung." Mit erhobenem Gehstock entsplitterte Mr Nickle das Schaufenster. Dann hinkte er in das Geschäft hinein und kurz darauf wieder hinaus. „Ich habe nur eben das Gedächtnis des Vogelhändlers bereinigt. Er wird sich nicht an das Knurren erinnern können. Schön, dann wollen wir mal."

Er öffnete eine Pfütze unter ihren Füßen, groß genug für das Biest, Bethany, das Kanu, Ebenezer, den Roller und Mr Nickle selbst. Schwups, waren sie wieder auf dem Dachboden des fünfzehnstöckigen Hauses.

„Was sollen wir hier?", rief Bethany. „Das Biest muss zurück zu D.O.R.R.i.S!"

„Och nö, bitte nicht, Nickle-Wickle! Die ganzen guten Tateln machen mir doch sooo viel Spaß. Und hör mal! Mein Bäuchlein ist gar nicht mehr gwum-melig."

„Solange Ebenezer und Bethany dich regelmäßig füttern, wüsste ich nicht, warum du deine Besserung und Erneuerung nicht hier fortsetzen solltest", sagte Mr Nickle. „Tatsächlich ist deine Zurückhaltung in der Vogelhandlung ein klares Indiz, dass du hervorragend vorankommst. Gut gemacht, Mr Tweezer."

Ebenezer wurde rot. Von allen Komplimenten, die er an diesem Tag erhalten hatte, waren ihm die von Mr Nickle am liebsten und teuersten.

„WIE DUMM KANN MAN SEIN!" Bethany schaute zwischen den beiden Männern hin und her. „Wann kapiert ihr endlich, dass das alles zur List des Biests gehört?"

„Wenn es wirklich noch das Alte wäre, warum in aller Welt sollte es dann so viel Gutes tun?", erwiderte Ebenezer. „Sag's mir, und ich schieße das Biest sofort auf den Mond."

Bethany öffnete den Mund, schloss ihn wieder und öffnete ihn noch mal, ein bisschen wie ein Goldfisch.

„Was weiß ich!", rief sie schließlich. „Es macht verdammt noch mal keinen Sinn, okay? Aber eins weiß ich, und zwar, dass sich das Biest nicht ändern KANN!"

„Das hat man von uns beiden auch behauptet", sagte Ebenezer. „Kaum jemand hat uns zugetraut, dass wir uns bessern – und nun schau uns an. Ja, das Biest hat unbeschreibliche Untaten begangen, aber hat es nicht auch eine zweite Chance verdient?"

„Nö. Und wag es ja nicht, mich mit dem Ding da zu vergleichen. Das Biest und ich haben NICHTS gemeinsam. Kapiert? NICHTS!"

„Also ich habe genug gehört", schaltete sich Mr Nickle ein. Zu seinen Füßen öffnete sich eine Portalpfütze. „Machen Sie nur genau so weiter, Mr Tweezer. Und wenn Sie Hilfe brauchen, bin ich auf Knopfdruck bei Ihnen."

Während Mr Nickle verschwand, stampfte Bethany

schon aus dem Dachboden hinaus, glühend heiße Tränen in den Augen. Sie stampfte immer weiter, bis in ihr Zimmer, dessen Tür sie krachend zuwarf.

Wie oft hatte sie sich schon über Ebenezer geärgert! Doch an eine solche Wut konnte sie sich nicht erinnern. Nach allem, was sie gemeinsam durchgemacht hatten – wie konnte er da ihre Verwandlung in die neue, gute Bethany mit den rätselhaften Machenschaften des Biests vergleichen?!

„Ich bin nicht wie das Biest!", schrie sie in das leere Zimmer hinein.

Sie schrie immer noch, als ihr ein Gedanke kam: Vielleicht war das exakt das Problem? Vielleicht musste sie, wenn sie das Biest besiegen wollte, genauso skrupellos vorgehen wie ihr Feind? Ja, vielleicht war sie bisher einfach zu zimperlich gewesen, um endgültig über das verschlagene Vieh zu triumphieren.

Und während sie mit den Ärmeln ihre verheulten Augen trocken wischte, zuckte eine Idee durch ihren Kopf. Es wäre ein kniffliger Plan, der fürchterlich, absolut katastrophal schiefgehen könnte, aber gab es eine andere Möglichkeit?

Bethanys Entschluss stand fest: Sie würde das Biest füttern.

Ein saftiges Sandwich

Am nächsten Morgen stand Bethany früh auf, um ihr bisher saftigstes Sandwich zuzubereiten. Sie riss die weichen Eingeweide aus einem Baguette und stopfte es mit gewürfeltem Hühnchen, Rind, Lamm, Wildschwein, Ochse und allem anderen aus, was Ebenezers Fleisch-kühlschränke hergaben. Am Ende deckte sie das Ganze zur Tarnung mit Käsescheiben ab.

Bethany hatte extra zeitig losgelegt, um das Sandwich ungestört zusammenbasteln und dann heimlich dem Biest servieren zu können. Doch als sie ihrer Kreation gerade den letzten Schliff verlieh, kam Ebenezer herunter. Er war selbst für seine Verhältnisse unge-wöhnlich albern gekleidet und hatte ein Lächeln auf den Lippen, das regelrecht vor Selbstzufriedenheit triefte.

„Guten Morgen!", rief er. „Ah, wieder einmal am Sandwichmachen? Na, ich hoffe, es wird so sonderbar wie wohlschmeckend."

Bethany schnitt eine Grimasse. Sie dachte noch lange nicht daran, ihm zu verzeihen. „Was bist du schon so früh auf den Beinen?"

„Tja, *Tweezer, der Weise* wird heute einen neuen Kundenrekord aufstellen." Fast schon im Hopserlauf eilte Ebenezer von der Küche ins vordere Wohnzimmer. „Schau dir DAS an!"

Als er mit einem Ruck die Vorhänge öffnete, erblickte Bethany die gewaltige Menschenmenge auf dem Rasen vor dem Haus.

„Wunderbar, nicht wahr?", jubelte Ebenezer. „Ihnen allen muss zu Ohren gekommen sein, welch ein Füllhorn an guten Taten ich gestern ausgeschüttet habe."

„Die Kotze des Biests, meinst du", sagte Bethany.

„Ganz genau – aber das ist doch ein und dasselbe. Hätte ich nicht die kluge Idee gehabt, mit dem Biest Gassi zu gehen, wären sie schließlich nie in den Genuss seines Erbrochenen gekommen." Ebenezer drehte sich um und bemerkte, dass Bethany keinen Deut wohlwollender dreinschaute. „Ich weiß, es gab ein bisschen Zoff zwischen uns, aber wollen wir den leidigen Streit nicht endlich hinter uns lassen? Bald wirst du mir ohnehin recht geben müssen."

„Bald wirst du *mir* recht geben müssen, dass du ein gottverdammter Vollidiot bist."

Bethany schnappte sich das Sandwich und ging damit zur Treppe. Doch sie kam nicht mal bis zur ersten Stufe, weil ihr von oben das Biest im Kanu entgegenschoss.

„Wuhuuuuuu!", kreischte es und wackelte das Boot im Flur zum Stillstand. Es war immer noch in sein Hundekostüm gekleidet. „Morgen, Bethany! Morgen, Ebbi-Schnieser! Wann darf ich endlich loskotzeln?"

„Der erste Kunde wird sicherlich jeden Mo...", sagte Ebenezer.

Korrekter als „jeden Moment" wäre „exakt in diesem Moment" gewesen, denn da dingdongte schon die Türglocke.

„Oh, wie tollvoll!", rief das Biest. „Mach schnell, Schnuckel!"

Ebenezer warf einen prüfenden Blick in den Flurspiegel und errötete ein wenig, da er an diesem Tag selbst für seine Verhältnisse ungewöhnlich elegant aussah. Dann öffnete er die Tür und stellte fest, dass an der Spitze der Warteschlange wieder einmal Eduardo Barnacle stand.

„Wissen Sie, welches Wort heute auf meinem Toilettenpapier zu lesen war? *Frappierend!* Wie passend, möchte man da sagen, denn es ist wirklich *frappierend*, was Ihre Gartenzwerge geleistet haben." Eduardo schien eine kleine Rede vorbereitet zu haben. „Ich möchte nicht gierig erscheinen, aber hätten Sie nicht irgendetwas in der Hinterhand, das meinem Garten zu *noch* größerem Glanz verhelfen könnte?"

Ebenezer knallte ihm die Tür vor der Nase zu und schaute das Biest auffordernd an. Dieses erbrach einige Schnellkeimsamen, aus denen Blumen wachsen würden, an denen Nasenmenschen versunkene Erinnerungen erschnuppern konnten.

„Gib diese den Gartenzwergen", sagte Ebenezer danach zu Eduardo. „Und freu dich auf einen wahren Hochgenuss an Gerüchen."

„Mr Tweezer, ich bin wahrlich *frappiert* davon, wie Sie sich zu meinem Lieblingsnachbarn mausern." Eduardos nächster Satz zauberte Ebenezer ein Lächeln ins Gesicht und Bethany eine Grimasse. „Miss Muddle sollte *Ihnen* morgen eine Party widmen und nicht Bethany."

Nummer zwei in der Warteschlange war die verblüffend echsenartige Zoomitarbeiterin. Sie erkundigte sich, ob es nicht irgendeine Möglichkeit gäbe, sich mit ihren tierischen Schützlingen zu unterhalten.

„Besonders mit den Elefanten", krächzte sie. „Mit denen muss ich mal ein ernstes Wörtchen über ihre Verdauungsgewohnheiten reden."

Ebenezer warf die Tür zu und sah das Biest ungeduldig an. Es würgte einen fliederfarbenen Schal und dazupassende Ohrenschützer hervor.

„Miss Echsel soll sich den Schal fest um den Hals binden, wenn sie mit den Kackamonstern reden will. Und mit den Ohrenschützern auf dem Köpfchen versteht sie ihre Sprache", erläuterte das Biest. „Aber oooooh, kann ich ihr das selber gebeln? Ich würde doch so gerne mit den Leuten pwau-dern!"

„Nichts da!", platzte Ebenezer heraus. „Für das Gelingen unserer guten Taten ist es von entscheidender Bedeutung, dass *ich* das Erbrochene aushändige."

Also überreichte Ebenezer Schal und Ohrenschützer.

Die Echsendame ließ ihre dicken Augenbrauen skeptisch in die Höhe schnellen. „Wenn ich die Dinger im Elefantengehege anziehe und es passiert nichts …" Sie stieß eine Drohung aus, die man in ihrer Grobheit unmöglich auf diesen Seiten wiedergeben kann. „Aber wenn sie funktionieren, erzähle ich allen Tieren von Ihrer unendlichen Weisheit, Mr Tweezer."

Als die Echsendame davonhuschte, drehte Ebenezer sich breit grinsend zum Biest. „Hast du das gehört? Selbst die Tiere werden von meiner Weisheit erfahren!"

So vergingen mehrere Stunden. Das Biest erbrach eine breite Palette an Wunderdingen, Ebenezer heimste das Lob dafür ein und Bethany wartete ungeduldig auf das Ende der Kotzorgie. Doch es drängelten sich immer mehr Wartende auf dem Rasen – und solange Ebenezer und das Biest ihre Wohltätershow abzogen, könnte Bethany es bestimmt nicht davon überzeugen, in das saftige Sandwich zu beißen.

Schließlich stand sogar Miss Muddle vor der Tür.

„Ich habe schon so viel von Ihrem hilfsbereiten Hund gehört", sagte sie zu Ebenezer. „Könnte er mir vielleicht irgendetwas ausspucken, das meinen Laden bis morgen auf Vordermann bringt? Noch sieht es dort aus wie NACH einer Party …"

Ebenezer schloss die Tür und sah zu, wie das Biest zwei Roboterspinnen mit Blechkörpern und schlängelnden Tentakelbeinen hervorwürgte.

„Wehe, die tun meiner Muddle weh!", drohte Bethany.

„Das sind Putzspinnis!", rief das Biest begeistert.

Wie die Gartenzwerge erwiesen sich auch

die Putzspinnen als fleißig und zupackend – sie waren schon dabei, im Flur für Ordnung zu sorgen. „Ich hoffe, sie gefallen der Muddle."

„Das werden wir nie erfahren", sagte Bethany. „Nein, Ebenezer, nicht anfassen! Nicht die Tür aufmachen! Und gib sie bloß nicht –"

Ebenezer präsentierte Miss Muddle das Erbrochene.

„Ich glaub, mein Kieferbrecher kracht." Miss Muddle bestaunte die beiden Apparaturen. „Die sind ja toll!"

„Fassen Sie sie bloß nicht an!", warnte Bethany. „Sie dürfen die Teile auf keinen Fall –"

Ebenezer hielt ihr den Mund zu. „Nehmen Sie das

bitte nicht ernst – Bethany hat ein wenig Angst vor Hunden. Die Putzspinnen werden dafür sorgen, dass Ihr Laden im Handumdrehen wieder blitzeblank ist."

Miss Muddle strahlte. „Wenn die mir das Aufräumen abnehmen, kann ich noch den ganzen Tag an den Blubbertrompeten werkeln. Herzlichen Dank, Mr Tweezer."

Bethany konnte sie nicht mehr warnen. Ebenezer hatte schon die Tür zugeschmissen und nahm erst die Hand von ihrem Mund, als Miss Muddle verschwunden war. Beziehungsweise erst, als Bethany einen seiner Finger zwischen die Zähne bekam und zubiss.

„Aua!", jammerte er. „Das blutet ja!"

Bethany war das piepegal. Sie ließ den Nickle-Notfallknopf, den sie Ebenezer heimlich abgenommen hatte, in ihrer Tasche verschwinden und nickte dem Biest zu. „Hunger?" Das Sandwich verbarg sie hinter ihrem Rücken.

„O jaaa!", rief das Biest.

Doch Ebenezer ließ nicht mit sich reden. „Später."

Wenn Bethany noch länger zugeschaut hätte, wie die Nachbarn mit Erbrochenem beglückt wurden, hätte sie sich selbst übergeben müssen. Also stieg sie mit dem Sandwich zu ihrem Zimmer hinauf, um die Wartezeit dort abzusitzen.

Das Absitzen erforderte eine Menge Sitzfleisch. Als der

letzte Kunde den Rasen verließ, stand der Mond hoch am Himmel. Endlich konnte Bethany mit dem Sandwich nach unten gehen. Sie war fest entschlossen, nicht zuzulassen, dass das Biest seinen rätselhaften Plan weiter vorantrieb.

„Ach du jemines. Ich glaube, ich kann nücht mehr, Schnuckel", sagte das Biest zu Ebenezer, während Bethany die letzte Treppe hinuntermarschierte. „Fürchte, ich habe mir die Züngleins verstauch-selt."

„Kein Problem, das war sowieso der Letzte für heute", erwiderte Ebenezer. „Aber wie viel Spaß der Zugführer an seinem unüberhörbar und unignorierbar lauten Megafon haben wird! Er war jetzt schon ganz begeistert."

„Ja, wie schönens!" Das Biest führte einen trägen Freudentanz auf. „Nichts macht mich glücklicherns, als andere glücklichens zu machen."

Bethany verdrehte die Augen. Ebenezer warf derweil einen Blick auf seine Armbanduhr und erkannte, wie spät es geworden war.

„Wird Zeit, dass wir dich füttern", sagte er. „Nicht dass es wieder zu einem Vorfall wie gestern kommt."

Hinter ihrem Rücken krallte Bethany die Finger noch fester in das Sandwich. Wenn es nach ihr ginge, wäre ein Vorfall wie am Vortag genau richtig.

„Heißt das, du hast ein büsschen leckerschmecker Alt-metall-Mampf für mich?", fragte das Biest.

Ebenezer winkte ab. „Nicht doch. Ich denke da an erst-klassige Metallköstlichkeiten aus der Tafelsilbersuite im neunten Stock. An echte Sammlerstücke von erlesener Qualität – genau der richtige Lohn für deine harte Arbeit."

Ebenezer sprang die Stufen hinauf, um das Futter zu holen.

Es dauerte einige Sekunden, dann erkannte Bethany, dass die ersehnte Gelegenheit gekommen war: ein paar Minuten unter fünf Augen mit dem Biest. Die musste sie nutzen.

Das Biest sah sie sabbernd und lächelnd an, und hätte Bethany es nicht besser gewusst, hätte sie in seinem Gesicht nichts als ehrliche Zuneigung erkennen können. „Und, wie findest du mein Kotzelwotz?", fragte es.

„Totaaal beeindruckend." Mit ihrer freien, sandwichlosen Hand vergewisserte Bethany sich, dass die Trompete – ihre Waffe für den Notfall – hinten in ihrem Hosensaum steck-te. Auch der Nickle-Knopf war, wo er sein sollte. „Du bist doch sicher hungrig von der ganzen Arbeit?"

„Ja, stimmt! Sooo nett, dass du fragst." Das Biest schien hocherfreut, dass Bethany sich auf dieses Gespräch einließ. „Aber Altmetall-Mampf macht immer ganz doll satt."

„Willst du nicht mal Menschenessen probieren?"

„Nein, das haben der Nickle-Wickle und D.O.R.R.i.S mir ganz genau erklärt: Menschen zu futtern ist PFUI!" Das Biest sah Bethany an. „Komisch, dass du das nicht weißt."

„Wie kommst du darauf, dass man Menschen essen kann?", knurrte Bethany mit zusammengebissenen Zähnen. „Nee, du sollst *unser* Essen probieren. Zum Beispiel dieses Käsesandwich. Willst du mal beißen?"

Sie hielt es dem Biest hin. Dessen Zungen hingen schon lechzend aus seinem Maul.

„Ich sollte das lieber lassen", sagte es nervös.

„Und warum? Ist doch nur ein bisschen Käse. Wenn es dir nicht schmeckt, spuckst du es einfach wieder aus."

Es war ein gefährliches Spiel, das wusste Bethany.

Eine Zunge des Biests streckte sich tastend vor.

„Nur ein Happen", lockte Bethany. „Das kann doch nicht schaden."

Da schloss das Biest die Augen und schlang beide Zungen um das Brot. Zuerst ließ es ein Bröckchen Käse in seine Mundhöhle fallen, dann knabberte es vorsichtig ein Stück Sandwich ab.

„Du meine Gütchens", flüsterte es.

Die drei Augen des Biests wurden zu schwarz glitzern-den Abgründen der Gier. Vom Grund seines Magens stieg ein Grollen und Rumoren auf, erst leise und sanft, dann laut und so mächtig, dass der Kohlgeruch seines Atems schlagartig den ganzen Hausflur erfüllte.

Schon hatte es das Sandwich verschlungen.

„Mehrens! Bitteeeee!", rief das Biest.

Bethany hätte fast geschrien – vor Freude oder Furcht, sie wusste es selbst nicht. Das Biest jagte ihr Angst ein, doch zugleich war sie hellauf begeistert. Wenn D.O.R.R.i.S jetzt nicht einsah, dass es definitiv noch eine Gefahr darstellte, wann dann?"

„Mehrens?", bat das Biest.

„Sorry, alles weg", sagte Bethany. Oben im Treppenhaus waren Ebenezers leise Schritte zu hören.

„Mehrens!", verlangte das Biest mit einem leichten Fauchen.

„E-Es ist wirklich alle. Du hast das ganze Baguette aufgefressen."

„MEHRENS, habe ich gesagt!", donnerte das Biest. „UND WENN DU NICHT SOFORT WAS RAUS-RÜCKST, TÖRICHTES GÖR, DANN SOLL ES DIR LEIDTUN!"

Raubzug um Mitternacht

U psi!" Das Biest schlug sich eine winzige Hand vor
das Maul. Das gierige Glitzern verschwand aus
seinen Augen, das zornige Beben aus seiner Stimme.
„Keine Ahnung, was da gerade los war. Vielleicht bin ich
aller-wergisch auf Käsesandwiches."

Bethany regte sich tierisch auf. Dass das Biest seine
Hungerwut so schnell überwunden hatte! Und dass sie
vor lauter Staunen über seine rasende Gier vollkommen
vergessen hatte, rechtzeitig den Notfallknopf zu
drücken!

„Ach, tu doch nicht so", giftete sie es an. „Du weißt
genau, was da drin war. Der Käse hat dir nicht so einen
Appetit gemacht. Sondern das Fleisch darunter."

„Waaaaas?" Das Biest wirkte aufrichtig entsetzt. „Du
hast mir Fleischens zu fressen gegeben? Aber warum?
Warum nur?"

„Um dich davon abzuhalten, dem Stadtviertel was weiß ich was anzutun. War doch klar, dass es nur einen Fitzel Fleisch braucht, um das echte Biest aus dir hervorzulocken."

„Aber das war nicht das echte Biestchen! Das Zeug hat ürgendwas anderes in mir ent-fuässelt, ürgendwas …" Das Biest starrte auf seinen Bauch, als fände es selbst keine Worte für den Schrecken, der irgendwo darin schlummerte. „Ürgendwas … ganz, ganz Schlümmes."

Da rumpelte Ebenezer ins Erdgeschoss, schwer beladen mit zwei Stapeln altertümlicher Silberteller, -tassen, -tabletts und so weiter. Beide Türme wankten bedrohlich, doch irgendwie konnte er sie noch ausbalancieren.

„Was war das eben?", fragte er, während er das Tafelservice vor dem Biest ausbreitete. „Ich könnte schwören, ich hätte etwas gehört."

„Du musst dir mal die Öhrchen pfut-zen. Wir waren ganz leisens." Das Biest stieß ein Lachen aus, das sich eher nach einem Ziegenpups anhörte, und gähnte so demonstrativ wie übel riechend. „Uffziwuffz, bin ich müde. Zeit für die Heia."

„Lüge!", rief Bethany. „Du hast dich nicht verhört. Du hast gehört, wie das Biest wirklich drauf ist!"

„Nun lass es doch endlich gut sein", sagte Ebenezer

entnervt. Er nickte dem Biest aufmunternd zu. „Möchtest du nicht mal von dem leckeren Silber kosten, das ich extra für dich angeschleppt habe?"

„Nein, dankens." Das Biest stieg ins Kanu, wackelte mit den Fingern und bretterte die Treppe hinauf. „Bin schon pappsatt."

Bethany öffnete den Mund, um Ebenezer vom Hungeranfall des Biests zu berichten. Doch würde er ihr glauben, solange es sich ihm als ein solches Musterbiest präsentierte? Wohl kaum. Wenn sie ihn überzeugen wollte, musste sie es dazu bringen, noch einmal etwas Verbotenes zu fressen.

„Also ich habe KRASS HUNGER!", rief sie. „WISST IHR WAS? ICH GLAUBE, ICH MACHE MIR JETZT EIN SAFTIGES SANDWICH MIT LAUTER ZEUG AUS UNSEREN KNALLVOLLEN FLEISCHKÜHL-SCHRÄNKEN!"

Ein paar Treppen höher hielt das Kanu für einen Moment an. Dann bretterte es noch schneller in Richtung Dachboden.

„Ein kleiner abendlicher Imbiss?", sagte Ebenezer. „Hmm, das käme mir nicht ungelegen. Wärst du so lieb, mir auch ein Sandwich anzurichten?"

Bethany starrte ihn an. War er wirklich so, so dumm?

„Hau doch ab und mach dir selber eins. Ich geh schlafen, und zwar hier unten." Sie marschierte ins vordere Wohnzimmer und ließ sich dort wie ein Brett aufs Sofa fallen.

„Sicher?", fragte Ebenezer. „Könntest du dich in deinem Bett nicht besser für die morgigen Süßwaren-festivitäten ausschlafen?"

„Ich penne, wo ich verdammt noch mal will!"

„Aber ja doch." Er kratzte sich am Kopf. „Gut, dann … gehe ich wohl mal nach oben. Träum süß!"

Bethany antwortete mit einem gar nicht süßen Pups-geräusch. Sie horchte darauf, wie Ebenezer die Treppe hochstieg, und richtete sich wieder auf.

Warum sie unten geblieben war? Weil sie fest davon ausging, dass das Biest früher oder später im Erdgeschoss auftauchen würde, um sich in aller Ruhe die Fleisch-kühlschränke vorzunehmen. Bethany schaltete das Licht aus. So würde es glauben, die Luft wäre rein.

Jetzt musste sie nur noch abwarten.

Das stellte sich als überraschend schwierig heraus. Von der Dunkelheit wurde Bethany müde und der Schlaf ist bekanntlich nie verlockender als genau dann, wenn man alles darf, nur AUF GAR KEINEN FALL einschlafen.

Hinter ihr lag ein anstrengender Tag, der nun ihren

Geist träge und ihre Augenlider schwer werden ließ. Um sich wach zu halten, zog Bethany das Foto von dem schnurrbärtigen Mann, der schnurrbartlosen Frau und der stirnrunzelnden Baby-Bethany aus der Gesäßtasche.

Es war eine ihrer Lieblingsbeschäftigungen, sich Geschichten über ihre Eltern auszudenken, als Ersatz für all das, was sie nicht über sie wusste. Während ihrer Zeit im Waisenhaus hatte sie sich die beiden meist als Piraten und Cowboys vorgestellt oder als Polarforscher, die von bösartigen Pinguinen gefangen genommen wurden und seitdem als verschollen galten. Oder aber als Magier, die sich bei einem misslungenen Trick aus Versehen gegenseitig weggezaubert hatten. Doch seit sie den Entschluss gefasst hatte, sich zu bessern, machte Bethany ihre Eltern in Gedanken stets zu herzensguten Wohltätern.

Diesmal wurden sie zu Angehörigen einer Friedensmission, die auf dem Schlachtfeld eines brutalen Krieges gestrandet waren. Zu Geheimagenten, die reihenweise Oberbösewichte abfertigten. Zu Superhelden, die zu nichts anderem kamen, als zerstörerische Asteroiden von der Erde wegzukicken. Diese Fantasien waren das perfekte Gegenmittel für Bethanys Müdigkeit – sie wirkten so gut, dass sie immer noch darin versunken war, als draußen langsam die Sonne aufging.

Gerade sah sie vor ihrem geistigen Auge, wie der schnurrbärtige Mann und die schnurrbartlose Frau in Feuerwehrkluft mit unvorstellbar grauenerregenden Vulkanmonstern rangen. Da hörte sie plötzlich etwas von der Treppe.

Das Seltsame an solchen Geräuschen in der Dunkelheit ist: Man kann sich nie ganz sicher sein, ob man sich nicht doch verhört hat, bis noch etwas anderes geschieht. In diesem Fall bestand das andere darin, dass drüben in der Küche das Licht ein- und sofort wieder ausgeschaltet wurde.

Am liebsten wäre Bethany mit einem Finger auf dem Nickle-Notfallknopf in die Küche gesprintet. Doch sie riss sich trotz aller Mühe zusammen und huschte stattdessen auf Zehenspitzen hinüber. Sie durfte Nickle erst verständigen, wenn sie hieb- und stichfest beweisen konnte, wie das Biest tickte.

Schon vom Flur aus

sah sie die offene Küchentür. Die Deckenlampe war ausgeschaltet, die aufgehende Sonne tauchte das Zimmer
aber in fahles Licht – die Sonne und die Kühlschrank-
beleuchtung. Außerdem war ein abstoßendes, irgendwie
zischelndes Schlürfen und Schmatzen zu hören.

Bethany spähte in den Raum und sah, wie sich das
Biest durch den Inhalt eines Fleischkühlschranks
mampfte, kaute und knabberte. Da es ihr den Rücken
zukehrte, konnte sie nicht erkennen, ob es auch die dazu
passende Schreckensmiene aufgesetzt hatte.

Vorsichtig schob Bethany sich in die Küche
hinein. Schmatzgeräusche dröhnten ihr in den
Ohren und nun erblickte sie auch die beiden

hemmungslos grapschenden Zungen des Biests. Wie gierige Tentakel ergriffen, zermalmten und verschlangen sie alles, was sie kriegen konnten. Und jedes Mal, wenn sich das Biest ein besonders saftiges Stück einverleibte, stieß es ein widerliches Maunzen des Wohlgefallens aus, gefolgt von einem leisen, kohlstinkenden Kichern.

Den ersten Kühlschrank hatte es leer gefressen. Es hatte jeden Zentimeter davon ausgeschleckt und war doch noch nicht gesättigt. Also riss es das Gerät mit der Kraft seiner Zungen von der Wand und zerkleinerte es mit seinen Zähnen zu einem gaumenfreundlichen Metallbrei.

„Bäh", machte es. „Schmeckt wie Altmetall. Fleisch ist viiiiel leckerer."

Das Biest watschelte zum nächsten, noch prall mit Tierischem gefüllten Kühlschrank und gluckste dabei wie ein Kleinkind beim Betreten eines Spielzeugladens.

Wenn das nicht der perfekte Zeitpunkt war, Mr Nickle zu rufen. Bethany fummelte den Knopf aus ihrer Tasche – doch irgendwie brachte sie es noch nicht fertig, ihn zu drücken. Als sie das Biest so sah, wie es meterweise Schweinerippchen, eimerweise Würstchenauflauf und alles, was man sich sonst noch vorstellen konnte, zerfetzte und zerbiss, verputzte und verdrückte … da musste sie sich doch die Frage stellen, ob es so eine brillante

Idee gewesen war, ihren Widersacher zu diesem Gelage zu verleiten. Denn mit jedem Happen schien sich der Heißhunger des Biests noch zu steigern.

Bethany bekam es mit der Angst zu tun. Mit zitternden Fingern versuchte sie, den Knopf zu betätigen. Doch weil sie so zitterte und weil es zudem recht dunkel war, rutschte sie ab – und der Knopf hüpfte aus ihrer Hand wie eine Münze bei einem allzu schwungvollen Münzwurf.

Laut klimpernd sprang der Knopf über den Boden davon. Bethany griff nach der Trompete in ihrem Hosensaum, kam dabei jedoch mit dem Ellenbogen gegen den Lichtschalter und mit einem Schlag war es taghell in der Küche.

Das Biest fuhr blitzartig herum, seine Zähne gefletscht und sein Blick irr, wie eine Ratte im Angesicht eines angriffslustigen Katers. Doch kaum hatte es Bethany erkannt, wurde seine Miene weich.

„Bethany?", fragte es. Aus seinem Maul triefte roter und rosafarbener Fleischsaft. „Was machst du hier?"

Darauf fiel Bethany keine gute Antwort ein.

Also sagte sie nur: „Nee, was machst du hier?"

Das Biest schloss den Kühlschrank und watschelte in der Küche auf und ab, verzweifelt mit den Hängen ringend.

„Du hättest mich nicht dazu brüngen dürfen, so was zu fressen", sagte es. „Von dem Altmetall-Mampf ist mir nie so komisch geworden."

„Wie, komisch?", hakte Bethany nach.

„Na ja, das Fleischzeug ... Je mehr ich davon fresse, desto mehr brauche ich. So als wäre da ein Löchlein oder eine Höhlens ganz unten in meinem Bäuchlein, und das Lochdings will immer mehr, mehr, MEHR!" Das Biest konnte einem beinahe leidtun, wie es da fieberhaft im Kreis watschelte. „Ich kann es nicht so gut erklären, aber das Loch mag das Fleischzeug ... nur nicht *genug*. Es schreit nach ürgendwas noch Saftigerem, nach ürgendwas, ürgendwas ... Ach, ich will es gar nicht aus-sprechseln."

„Sprich's aus."

„Ich glaube, es will ürgendwas mit ... mit ... mit einem Puls?" Das Biest verbarg sein Gesicht hinter seinen kleinen Händen.

Bethany umfasste die Trompete noch fester. Der Notfallknopf lag zwischen dem Biest und ihr auf dem Boden. Doch wenn sie auch nur einen Schritt dorthin machte, wäre sie in Zungenreichweite.

Das Biest hatte bemerkt, wohin sie blickte, und den Knopf entdeckt. Bethany rechnete mit einem geifernden Wutanfall – doch es schien zutiefst verletzt.

„Das ist der Sinn von dem Ganzen, oder?" Das Biest hörte sich an, als hätte es einen dicken Kloß in mindestens einer Kehle. „Deshalb hast du mir das Sandwich zu futtern gegeben, nicht wahr? Damit ich wieder im Kwäfig lande?"

Bethany sagte kein Wort, doch das Biest nickte, als wisse es sowieso Bescheid. Mit einer lang ausgestreckten Zunge klaubte es den Knopf vom Boden auf.

In Gedanken verfluchte sich Bethany für ihre Tollpatschigkeit. Jetzt war der Knopf weg – und dem Biest war alles zuzutrauen.

Es hielt ein paar Sekunden inne. Dann warf es Bethany den Knopf zu. Verblüfft fing sie ihn mit einer Hand auf.

Das Biest sah ihr ins Gesicht. „Ich bin nicht böse. Ehrlichens. Meine Erinner-wungen sind futsch. Und ich will wirklich ein liebes Biestchen sein. Bitte schöns, Bethany, glaub mir."

Für einen Augenblick kamen Bethany ganz leise Zweifel. Dann schoss ihr jede einzelne Gemeinheit durch den Kopf, die das Biest ihr je angetan hatte, und sie drückte mit aller Kraft den Knopf.

Die verschärfte Entbiesterung

Einen Moment lang schien das Biest in tiefer Traurigkeit zu versinken. Doch dann machte es sich an die Arbeit. Während sich in der Küche eine Portalpfütze bildete, schleckte es mit seinen Zungen erst sein Gesicht sauber und beseitigte danach alle weiteren Spuren seines Fressanfalls.

Aus der Pfütze ploppte Mr Nickle, im abgetragenen Pyjama und mit Schlafmütze auf dem Kopf.

„Was liegt an?", fragte er hörbar müde.

„Das Biest!", rief Bethany triumphierend. „Da! Es hat Fleisch gefressen!"

Mr Nickle rieb sich die Augen und drehte sich zum Biest. In der Gewissheit, endlich gewonnen zu haben, tat Bethany es ihm gleich – und erkannte, dass es schon wie-

der zu spät war. Das Biest hatte ein freundliches Sabberlächeln aufgesetzt und hielt lediglich eine Gabel in einer
seiner kleinen Hände.

„Aberchens!", sagte es. „Ja, ich futtere was, aber sicher-
wich kein Fleischlein." Es biss die Gabelzinken ab.
„Mmh, Besteck ist leckervoll!"

Was hätte Bethany tun, was sagen können, um zu
beweisen, dass nicht *sie* log, sondern das Biest?

Mr Nickle furchte genervt sein faltiges Gesicht und
nahm ihr den Notfallknopf aus der Hand. „Der ist nichts
für Leute, auf die man sich nicht verlassen kann." Er
steckte den Knopf in die Brusttasche und verschwand
ohne weitere Worte in der Pfütze.

Bethany konnte kaum fassen, dass ihr Plan dermaßen
schiefgegangen war.

„Entschuldigens für das schnelle Saubermachens",
sagte das Biest da. „Das war ein bisschen fies von mir.
Aber ich wollte doch unbedingt zu Hausi bleiben."

Langsam kam Bethany der Verdacht, dass das Biest
nie wieder aus dem Haus verschwinden würde. Wenn
man es nicht einmal mit bergeweise Fleisch überführen
konnte, wie lange würde es dann noch bleiben? Tage?
Wochen, Monate … womöglich Jahre? Vielleicht
bestand sein geheimnisvoller Plan darin, Bethany nie

mehr in Frieden zu lassen – oder erst auf ihrem Sterbe-
bett.

„Bethany? Hast du gehört?", fragte es. „Ach, ich hoffe,
du kannst mir verzeihens."

Bethany verließ deprimiert die Küche und floh tiefer
ins Haus hinein.

Wieder einmal hatte sie sich von dem Vieh überlisten
lassen – wie oft denn noch?! Egal, was sie versuchte,
ganz gleich, wie sehr sie sich reinhängte, irgendwie verschwand das Biest am Ende doch nie aus ihrem Leben.
Und solange das so war, würde es immer alles Glück
daraus wegfressen.

Sie schnappte sich eine Decke und ging in den Garten.
Erst als sie sich ins Gesicht fasste, stellte sie fest, dass
zornige Tränen aus ihren Augen flossen. Überrascht war
sie nicht.

Dort, auf der Wiese hinter dem Haus, beobachtete sie,
wie die Sonne aufging – wie der Tag ihrer großen Party
anbrach. Es hätte ein Moment des Triumphes sein sollen,
doch auch den hatte ihr das Biest kaputt gemacht. Sie
hatte einfach keine Idee mehr, was sie noch tun konnte.

Irgendwann zog Bethany die Trompete aus der Hose
und betrachtete sie durch den Tränenfilm vor ihren
Augen. Ein paar Tage zuvor hatte sie noch geglaubt, sie

würde das Biest nie wiedersehen. Wie glücklich sie in dieser Zeit gewesen war. So glücklich wie noch nie.

Sie stieß einen leisen Schrei der Wut aus, der Sehnsucht nach irgendeinem Einfall, wie sie ihren Feind doch noch für immer loswerden könnte, starrte dabei zum Himmel – und erkannte, dass dort etwas war.

Es war ein purpurfarbenes gefiedertes Etwas, welches pfeilschnell und unaufhaltsam wie ein zorniger Tornado auf das fünfzehnstöckige Haus zuschoss. Bethany hatte es kaum entdeckt, da landete es schon neben ihr, eingehüllt in eine Wolke aus herabsinkenden Federn.

An seinem hasserfüllt funkelnden Blick erkannte Bethany sofort, dass der Wintlorsche Purpurbauchpapagei nicht vorhatte, ihr einen netten Besuch abzustatten.

„Du bist Bethany?", sagte er scharf. „Ich hätte da eine Frage: Wo finde ich das Biest?"

Mortimer, der Mörderische

W ie du riechst!", sagte Bethany. „Herrlich!" Sie wollte nicht wie Eduardo Barnacle reden und konnte doch nicht anders, ein so wundervoller Duft stieg ihr in die Nase.

„Ich bin stundenlang geflogen. Ich rieche nach Schweiß", sagte Mortimer, der das frische, erdige und leicht verspielte Aroma eines Gardeniengartens in einer lauschigen Sommernacht verströmte. Durch eine glückliche Fügung hatten sich die Schweißdrüsen der Wintlorschen Papageien im Lauf der Evolution so entwickelt, dass sie statt stinkenden Sekreten wohltuende Düfte hervorbrachten. „Du riechst dagegen nach ... Na, du *riechst* eben. Solltest vielleicht ab und an den Pulli wechseln, Bethany."

„Woher zum Teufel weißt du, wie ich heiße?", fragte sie. „Halt, noch mal von vorn: Wer zum Teufel bist du?"

„Ich heiße Mortimer und im Gegensatz zu meinen Artgenossen bin ich keine Plaudertasche. Sag mir, wo das Biest ist. Sofort!"

„Du siehst so jung aus. Also im Vergleich zu den Papageien, die ich kenne. Wie alt bist du?"

„Alt genug", antwortete Mortimer etwas zu schnell.

Bethany und Mortimer blickten sich an. Beide erkannten in den Augen ihres Gegenübers einen Zorn, der ihnen selbst nicht fremd war.

„Und was genau willst du hier?", fragte Bethany.

Mortimer schnalzte mit dem Schnabel. „Das Biest töten." Aufmerksam beobachtete er ihr Gesicht. „Ich will ihm die Augen auspicken und mit meinen Krallen seine Haut blutig kratzen. Und ich will mir dabei Zeit lassen – für jeden Teelöffel Schmerz, den Claudette ertragen musste, soll es drei Suppenkellen voll bekommen. Ehrenwort."

Bethany hielt sich selbst für ziemlich hartgesotten, doch Mortimers Augenauspick- und Blutigkratzpläne schlugen ihr ganz schön auf den Magen. Es dauerte einen Moment, bis sie wieder klar denken konnte: Sie musste das Biest endlich besiegen – und jetzt war ihr die Lösung für all ihre Probleme buchstäblich in den Schoß geflattert.

„Weiß Claudette davon?", fragte sie.

Mortimer schüttelte den Kopf. „Natürlich nicht."

„Vielleicht sollten wir sie anrufen."

„Sie wäre wahrscheinlich zu schwach, um ans Telefon zu gehen." In Mortimers Augen glitzerten purpurfarbene Tränen. Er blinzelte sie eilig weg. „Hör auf, mich hinzuhalten. Sag mir, wo das Biest ist, oder geh mir aus dem Weg."

Bethanys Gewissen meldete sich zu Wort: Was wohl ihre Freundinnen und Freunde davon halten würden? Claudette, Muddle, Geoffrey, selbst der blöde Ebenezer? Würde irgendjemand von ihnen die bösen Gedanken in ihrem Kopf absegnen? Bestimmt nicht.

Im Gegenzug ratterte Bethanys Gehirn gleich mehrere Argumente herunter, warum sie Mortimer mit einem herzlichen Toi-toi-toi zum Biest schicken sollte.

Selbst wenn sie sich nie begegnet wären, hätte der junge Papagei ziemlich sicher versucht, das Biest zu töten. Indem sie ihn machen ließ, tat sie *selbst* nichts Schlimmes. Ja, wenn man so wollte, wäre es sogar eine *gute* Tat. Denn ohne das Biest wäre die Welt eindeutig besser dran.

„Ich bin kein geduldiger Vogel", sagte Mortimer.

Bethany hatte sich entschieden. Sie musste auch mal

an sich selbst denken. Und deshalb durfte sie keine Chance auslassen, das Biest loszuwerden.

„Drinnen ist ein Mann", sagte sie. „Ebenezer. Er würde wahrscheinlich versuchen, dich aufzuhalten. Aber heute Nachmittag gehen wir auf eine Party und dann ist das Biest allein zu Hause. Das wäre sicher ganz hilfreich."

„Ich brauche keine Hilfe", keifte Mortimer. „Warum wollen mir immer alle helfen?"

„Sei nicht dumm. Am Ende wirst du froh sein, dass dir jemand geholfen hat. Das Biest tut so, als hätte es den Verstand verloren – aber es will dich bloß reinlegen, klar? Es könnte seine Tarnung jeden Moment fallen lassen."

„Ich hoffe es. Bevor ich ihm die Augen auspicke, will ich darin seine wahre Bosheit sehen."

„Wenn es beschließt, zum Angriff überzugehen, ist sowieso alles vorbei", sagte Bethany. „Das heißt, wenn du das Biest umbringen willst, musst du schnell sein. Und umbringen kannst du es nur damit."

Sie hielt Mortimer die Trompete hin. Dabei gab sie sie nicht gern aus der Hand. Ohne das Instrument – und ohne den Notfallknopf, der auch schon weg war – fühlte sie sich nackt und schutzlos.

„Das soll wohl ein Scherz sein", sagte der junge Papagei. „Keine Trompete der Welt kann es mit meinen geschliffenen Krallen aufnehmen."

„Na klar. Und rein gar nichts auf der Welt kann es mit den geschliffenen Zähnen des Biests aufnehmen." Bethany nickte ihm zu. „Vertrau mir. Nimm das Ding mit."

In ihrem Kopf schlug erneut ihr Gewissen Alarm. „Aber lass mich erst Ebenezer da rausholen, ja? Du bleibst hier, bis du hörst, wie ich die Haustür zuknalle. Glaub mir, du wirst es hören."

Mortimer knurrte widerwillig, aber zustimmend.

Bethany eilte ins Haus, die Finger tief in die Ohren gestopft, um ihr lärmendes Gewissen auszusperren. Erst in der Küchentür nahm sie sie wieder heraus.

„Nein, Schnuckelchen, nein! Das ist mein letztes Wortens!", hörte sie das Biest zu Ebenezer sagen. „Okay, nicht mein letztes, weil ich noch was sagen will. Nämlich dass ich nicht zur Party-ly mitkomme, weil heute Bethanys großer Tag ist und weil ich ihr den nicht vermiesen will. Weiß doch, dass sie mich immer noch nicht leidens kann."

Offenbar musste Bethany das Biest nicht erst mühsam zum Bleiben überreden. Sie warf einen Blick zum Garten und fragte sich plötzlich, ob sie wirklich das Richtige tat.

„Also ich finde das schäbig von dir", antwortete Ebenezer. „Ich habe mich doch so darauf gefreut, dich noch ein paar nützliche Dinge für die Nachbarn erbrechen zu lassen."

Bethany atmete tief ein und schlenderte in die Küche, so entspannt wie unter den gegebenen Umständen möglich.

„Komm, Ebenezer, wir müssen los." Sie schaute demonstrativ auf die Uhr, obwohl sie die Ziffern mit ihren nassen Augen sowieso nicht erkennen konnte. „Sonst kommen wir noch als Letzte an."

Ebenezer war anzusehen, dass er zögerte. Egal wie, Bethany musste ihn aus dem Haus schaffen.

„Bist du denn gar nicht neugierig, was die Partygäste über deine guten Taten zu sagen haben?", fragte sie.

Er kaute nachdenklich auf seiner Unterlippe. Bethany hatte einen Treffer gelandet – er sonnte sich doch so gern in der Bewunderung der Leute.

„Ach, verflucht noch mal." Ebenezer wandte sich an das Biest. „Letzte Chance. Willst du wirklich nicht mitkommen?"

„Ich will es nicht auf meiner Party", mischte sich Bethany ein. „Es bleibt hier und Schluss."

„Ich habe Bethany das Leben schon schwer genug

gemacht", sagte das Biest. „Will ihr nicht auch noch ihre Party-ly verderbens."

„Gut so", erwiderte Bethany mit einem Zittern in der Stimme.

Ebenezer ging zur Tür. Als Bethany ihm folgen wollte, rief das Biest nach ihr.

„Ach, eins noch", sagte es. „Entschuldigens, dass ich so kackens zu dir war. Ich weiß noch nicht, wie, aber ich gebe dir mein Ehrenlord, dass ich es irgendwie schaffen werde, dass wir Freundens werden."

Das Biest wagte ein vorsichtiges Sabberlächeln. Bethany ließ es stehen und stapfte hinter Ebenezer aus dem Haus. Die Hand an der offenen Tür, zögerte sie. Drüben im Garten wartete Mortimer nur noch auf den Knall.

„Bist du so weit?", rief Ebenezer, der sich schon auf den Fahrersitz des Wagens schob.

„Ja … ja, klar." Bethany schmiss die Tür mit aller Kraft zu und stieg ein.

Biest und Papagei

Das Biest wunderte sich. Warum Bethany die Tür wohl so laut zugeknallt hatte? Hoffentlich, hoffentlich hatte es ihr nicht die Stimmung verdorben! Langsam und tief bekümmert setzte es sich in Bewegung.

Es war fest entschlossen, sich mit dem Mädchen anzufreunden – nur wie? Das Biest kaute nachdenklich auf seinen Zungen herum. Vielleicht könnte es ihr für später, nach der Party, ein *büsschen* was vorbereiten. Ein paar kleine Überraschungen …

Als es sich gerade all die schönen Dinge ausmalte, die es für sie erbrechen könnte, rumpelte und grummelte auf einmal sein Magen. Seit es das saftige Sandwich verspeist hatte, knurrte er immer öfter und immer fordernder.

„Schscht!", sagte das Biest zu seinem Bauch. „Schschtchens! Hör auf! Du kriegst sowieso nichts mehr

davon. Vergiss es einfach, ja? Vergiss das Menschenessen!"

Das war leichter gesagt als getan. Wann immer das
Biest versuchte, gerade *nicht* ans Essen zu denken,
beschwerte sich sein Bauch mit einem wütenden,
geradezu unverschämten Raunzen. Und schon kamen
ihm wieder Fleischwurst und Frikadellen, Rippchen und
Rinderbraten und krosse Hähnchenschenkel in den Sinn,
und erst diese kleinen Knöchelein, die man so leicht
entzweibrechen konnte, um ihren schmackhaften, so
schmackhaften …

„NICHT DAUERND ANS ESSEN DENKEN!",
donnerte das Biest und klatschte seine Zungen ärgerlich
auf das Bäuchlein.

Dieses antwortete mit einem noch wütenderen Knurren, das Biest wiederum reagierte mit noch kräftigeren
Zungenklatschern, bis Knurren und Klatschen zu einem
unheilvollen Trommelrhythmus verschmolzen.

Schließlich musste das Biest tief durchatmen – und
beim Luftholen bemerkte es einen Duft in der Luft. Da
war etwas Neues im Haus. Etwas, das frisch und erdig
roch, einfach ganz und gar … *lecker*.

Zu dem Duft gesellte sich bald ein Geräusch, ein
seltsames gedämpftes Krächzen, das ebenfalls aus dem

Inneren des Hauses zu kommen schien. Zuerst dachte das Biest, es hätte sich verhört – bis es in der Nähe abermals krächzte.

„Hallöli?", rief das Biest. „HALLÖLI, habe ich gesagt?!"

Die Antwort bestand in einem derart tiefen Schweigen, dass das Biest erneut seinen Ohren misstraute. Also säuberte es diese sorgfältig mit seinen Zungen, und während der Ohrenschmalz auf deren Oberfläche brutzelte, bemerkte es ein zweites Geräusch. Es klang verdächtig nach Flügelflattern.

Sekunden später kam ein Wintlorscher Purpurbauchpapagei ins Zimmer geflogen, ein junger Bursche offenbar, der in den Krallen eine Trompete hielt.

„Jetzt beschützt dich keiner mehr, was?", krächzte er mit einem zufriedenen Schnabelschmunzeln. „Freu dich – gleich machst du Bekanntschaft mit den Krallen des Mortimer!"

Süßes mit bitterem Beigeschmack

Hupend und trötend bahnte Ebenezer sich einen Weg zum Süßwarengeschäft, doch fast noch lauter lärmte Bethanys Gewissen. Je näher sie der Party kamen, desto stärker wurde ihr Gefühl, dass sie keine Party verdient hatte.

„Wie lange willst du eigentlich noch auf mich sauer sein?", fragte Ebenezer.

„Was ist?", sagte Bethany.

„Na, wegen des Biests. Du nennst mich die ganze Zeit Ebenezer und nicht Blödgesicht – das ist kein gutes Gefühl."

„Ich dachte, du magst es nicht, wenn man dich Blödgesicht nennt."

„Tue ich auch nicht. Aber nun, da das letzte Mal ein

paar Tage her ist, vermisse ich es durchaus." Ebenezer machte eine Pause. „Ich wüsste gern, wie ich mir meinen Spitznamen zurückverdienen kann."

Seine netten Worte stachelten Bethanys Gewissen nur noch weiter auf. An sich redete sie aus Prinzip nicht über ihre Probleme, weil sie dadurch bloß größer und realer erschienen – in diesem Fall aber, erkannte sie, wäre ein Problemgespräch immer noch besser, als sich allein mit ihren Schuldgefühlen herumschlagen zu müssen.

„Ich hasse das Biest!", platzte sie heraus. „Mehr als alles andere auf der Welt. Und ich hasse dich und alle, die glauben, es könnte sich ändern, obwohl es ZWEIMAL versucht hat, mich zu fressen! Also denk ja nicht, ich werde dich irgendwann wieder Blödgesicht nennen. Das kannst du voll vergessen."

In einer Seitenstraße fand Ebenezer einen letzten freien Parkplatz. Offensichtlich hatte sich das gesamte Stadtviertel zum Süßwarengeschäft aufgemacht. Er antwortete erst, als Bethany und er ausgestiegen waren und nebeneinander den Bürgersteig hinunterliefen.

„Ja, ich hätte dich erst fragen müssen, bevor ich mit dem Biest Gassi gehe. Das war falsch von mir. Und ich schätze … Also wenn ich so darüber nachdenke … dann war es doppelt falsch von mir, mich für sein Erbrochenes loben zu lassen. Aber nun ja. Du hast mich erst darauf gebracht."

„Was soll ich gemacht haben?", fragte Bethany.

„Seien wir mal ehrlich: Du bist viel besser in guten Taten als ich. Du hast dazu einfach mehr Talent. Und wie soll ich sagen …? Ich war wohl ein bisschen neidisch und habe deshalb die Lorbeeren für das Erbrochene eingeheimst. Weil ich auch mal so tolle gute Taten vollbringen wollte wie du."

Bethany öffnete den Mund, um ihm zu gestehen, dass sie in Wirklichkeit gar nicht so toll und gut war. Doch Ebenezer hatte noch etwas zu sagen.

„Bevor wir uns kennengelernt haben, war ich ein egoistischer Idiot, der sich nur für sich selbst und für sonst nichts interessiert hat. Gut, außer für modische Kleidung. Und du … also dein liebster Zeitvertreib war es, dem armen Geoffrey Würmer in die Nasenlöcher zu stopfen. Doch dann haben wir uns zusammengetan, um uns zu bessern, und ich würde behaupten, dass wir uns tatsächlich geändert haben. Und wenn du mich dazu bringen kannst, schlechte Gewohnheiten aus fünf Jahrhunderten abzulegen, dann sollte sich doch auch das Biest ändern können."

„Es wird sich NIEMALS ändern", erwiderte Bethany.

„Ich glaube, es hat sich bereits geändert. Zugegeben, sein Gedächtnisverlust dürfte dabei keine geringe Rolle gespielt haben, aber –"

„Nee, nee. Hör bloß damit auf. Das Biest hat keine zweite Chance verdient."

„So wenig wie ich damals, würde ich sagen. Aber du hast mir trotzdem eine gegeben", meinte Ebenezer. „Natürlich geht so etwas nicht von heute auf morgen. Aber wenn du erst einmal siehst, wie viel Gutes wir mit einem *guten* Biest für die Welt bewirken könnten, dann wirst du noch mal ins Grübeln geraten."

Ebenezer und Bethany waren vor dem Süßwarengeschäft angekommen. Während er eintrat, blieb sie noch einen Moment vor der Tür stehen. Sie blickte in Richtung des fünfzehnstöckigen Hauses und dachte darüber nach, was sich in diesem Moment vermutlich in einem der fünfzehn Stockwerke abspielte.

Es war kein schöner Gedanke.

Die Rückkehr des Biests

Was ist ein Mortimer?", fragte das Biest und warf einen Blick hinter den sonderbaren, purpurfarben gefiederten Besucher. „Kommt das Mortimer baldens?"

„Er ist schon da." Die Augen des Papageien flammten auf. „Und du wirst jeden Moment gemortimert!"

„Oooh, hört sich das aufregens an! Was für ein Dingels das Mortimer wohl ist …?"

„*Ich* bin Mortimer!", rief Mortimer, breitete seine Schwingen zu voller Größe aus und umfasste dabei die Trompete noch fester. „Und es wird nicht AUFREGEND, sondern grauenhafter als in deinen schlimmsten Albträumen!"

Das Biest kratzte sich an seinem klumpigen Kopf. „Ui, du siehst aber hübsch aus. Das Gold von dem Glitzerdingels passt so gut zu deiner Purpurfarbe."

„Ich bin nicht hübsch! Ich bin eine Ausgeburt der Hölle!"

„Ach du jemines. Tut mir leid, diese Verwechslung", sagte das Biest. „Es gibt bestimmt viele, die dich ganz, ganz gwu-selig finden."

„Es tut dir leid? Es tut dir leid?! *Leiden* sollst du!" Mortimer ließ die Trompete bedrohlich hin und her baumeln. „Und ich werde dich leiden lassen … mit diesem Ding hier!"

Das Biest lächelte den Papageien an. Es konnte ihm nicht ganz folgen, fand ihn aber höchst unterhaltsam.

„Ich sagte: mit diesem DING hier!" Mortimer schwenkte die Trompete noch eindringlicher. Das Biest lächelte lediglich wieder. „Macht dir das nicht eine Wahnsinnsangst?"

„Nicht wirklich", meinte das Biest. „So was haben viele Leute dabei, wenn sie mich besuchen kommen. Ich weiß nicht, warum, hab mich nie zu fragen getraut. Aber wenn du willst, tue ich so, als wenn ich mich ganz doll fürchtens täte."

Mit einem ärgerlichen Krächzen schleuderte Mortimer die Trompete fort. „Wusste ich doch, dass Bethany mich nur auf den Arm genommen hat!"

„Oooh, du kennst Bethany? Wie schönchens!", rief das Biest. „Aber ach, sie ist leider gerade gegangen."

„O ja – um mir Platz zu machen!", zischte Mortimer. „Um die Bahn freizumachen für deinen TOD."

Da hüstelte das Biest nervös, wich einen Schritt zurück und blieb dabei an einem Stuhl hängen. „Ich glaube, du verwechselst meine Bethany mit einer anderen Bethany."

„Grimmiger Blick, laufende Nase, ranziger Pulli? Nein, nein, wir meinen schon dieselbe." Mortimer flatterte über dem rückwärtswatschelnden Biest. „Sie hasst dich. Vielleicht sogar noch mehr, als ich dich hasse. Wir zwei, wir haben das zusammen ausgeheckt."

„W-Was ausgehecktens?", fragte das Biest.

Mortimer rieb sich die Krallen.

„Vorsichtlich", sagte das Biest. „Damit könntest du glatt wem die Äuglein ausstechen."

„Ganz genau. Und ich dachte, als Erstes ist dein mittleres dran."

Das Biest musste es wohl oder übel einsehen: In den Augen des Papageien glühte die Mordlust und sein mordlustiger Blick richtete sich direkt auf das Biest.

„Aber w-warum?", fragte es, immer weiter rückwärtswatschelnd, ohne dem flatternden Papageien entkommen zu können.

„Warum? WARUM?! Weil du ein Monster bist! Ein

Teufel in Klumpengestalt, der es verdient hat, quälend langsam zu verenden!"

„Ich habe mich geändert." Das Biest stolperte über seine eigenen Füße und landete auf dem Rücken. Hilflos musste es zusehen, wie Mortimer über ihm kreiste, ähnlich einer Krähe über köstlichem Aas. „Ich will nur noch eins: mit Ebbi-Schnieser und Bethany Freunde sein und mein ganzes Leben lang mit ihnen gute und liebe Tateln tun!"

„Warst du denn *lieb* zu Claudette?", erwiderte Mortimer verbittert. „Stellst du dir so etwas unter einer *guten Tatel* vor?"

Das Biest verstand überhaupt nichts. Und wenn es schon von den Krallen eines zornigen Papageien aufgeschlitzt werden sollte, dann wollte es zumindest wissen, warum.

„Claudette?", fragte es. „Tut mir fürchter-wich leid, aber das Wort kenne ich auch nicht."

„Wer's glaubt!", kreischte Mortimer.

Das Biest kniff seine drei Augen zusammen und grub in seinem Gedächtnis nach irgendeiner Erinnerung an den rätselhaften Begriff. „Claudette … Doch, das Wort klingt mir vertraut in den Ohrens. Es geht mir leicht von den Zungens."

„Ja! Ja, erinnere dich!", rief Mortimer. „Claudette soll das Letzte sein, woran du in diesem Leben denkst!"

„Ist ein Claudette vielleicht ein … Frag mich nicht, wie ich darauf komme, aber … ist es ein leicht zäher, aber leckervoller Snack?" Mit neuer Hoffnung öffnete das Biest die Augen und spähte zu Mortimer hinauf.

Der antwortete mit einem wutentbrannten Krächzen.

„Ach du jemines", sagte das Biest.

Immer noch krächzend stürzte Mortimer sich herab. Seine küchenmesserscharfen Krallen rasten auf das mittlere Auge des Biests zu wie ein Dartpfeil auf seinem Flug ins Schwarze.

Das Biest sah den Tod kommen.

Es reagierte rein instinktiv. Wie ferngesteuert riss es sein Maul weiter auf, als das Biest es je für möglich gehalten hätte. Und genauso schnell und automatisch schnappten seine Kiefer wieder zu – wobei sie Mortimers mühevoll geschliffene Krallen abschnitten.

Mortimer stieß einen Schrei aus, der gewöhnliche Ohren glatt zum Bluten gebracht hätte. In den Ohren des Biests hörte sich der Schrei aber vor allen Dingen seltsam vertraut an. Während es auf den knusprigen Krallenstücken herumkaute, regte sich in ihm die Erinnerung.

Das Biest,
hatte Agent Louie
dem jungen Papa-
geien vor einiger Zeit
erklärt, sei so unberechenbar, unheimlich und stachelig
wie ein Igel, der mit einem Torpedo in den Schatten lauert.

Nun kam sein wahrer Geist aus seinem
Versteck hervor.

Vergiftete Freundlichkeiten

"K omm rein", sagte Ebenezer. "Lass uns mal eine Weile nicht an das Biest denken. Das ist doch dein großer Moment."

Bethany folgte ihm ins Süßwarengeschäft. Sie durchquerten Zuckerstangenschluchten in Marshmallow-Massiven, gingen unter Kronleuchtern mit dickem Schokola-

denguss und zwischen Wänden aus abbrechbaren Süßigkeiten hindurch. Man konnte selbstreinigende Lollirutschen hinuntergleiten, vorzugsweise mit der Zunge voraus, sich bei einem übersprudelnden Brause-Fondue bedienen und an den Fruchtgummikarren nicht nur Fruchtgummis essen, sondern auch die Karren selbst.

Es war ein hinreißendes Zauberreich aus Zuckerzeug – das für Bethany allerdings einen bitteren Beigeschmack besaß, hatte sie doch gerade das Biest zum Tode verurteilt.

„O nein! Was schaust du denn so? Das hatte ich mir anders vorgestellt!", rief Miss Muddle ihr entgegen. „Liegt's an den Marshmallow-Massiven? War ja klar, dass ich es *damit* übertrieben habe. Dumme Muddle! Aber es sollte nun mal alles perfekt sein, wo ich dir doch schon die ganze Überraschung an der Überraschungsparty verdorben hatte."

Hätten sich Bethanys Eingeweide nicht vor Schuldgefühlen verkrampft, hätte sie sicherlich ein freundliches Wort über die Marshmallow-Massive verloren. Doch sie schwieg und sofort rannte Miss Muddle los und riss die Schaumzuckergebirge ein, obwohl gerade einige Waisenkinder darauf herumkletterten.

Während sie mit Ebenezer durch den Laden spazierte, wurde Bethany Schritt für Schritt bewusst, was für eine unfassbar schlimme Tat sie begangen hatte. Ihre Tat erschien ihr umso schrecklicher, als jeder Gast, dem sie begegneten, nur so überschäumte vor Lob für das Biest.

„Tweezer, Sie Teufelskerl! Das muss man mit eigenen Augen gesehen haben!", rief der Vogelhändler, auf dessen Schulter Tauberich Keith saß. „Der Hoatzin und die Kringelenten sind die dicksten Freunde geworden. Dabei drehen die sich doch sonst immer nur um sich selbst …"

„Richten Sie Ihrem lieben Hund schöne Grüße aus,

ja?", bat die nette alte Dame. „Heute hat meine Enkelin aus Australien angerufen. Sie hat sich so über die Geburtstagskarte gefreut – und die wäre nie im Leben rechtzeitig angekommen, wenn Ihr Wunderbriefkasten nicht gewesen wäre. Da ist er! Ich habe ihn so gern, dass ich ihn gefragt habe, ob er mich zur Party begleiten würde."

„Also dieses Verbandszeug, das Ihr Hund ausgespuckt hat, mein lieber Scholli!", jubelte Dr. Barnacle, Eduardos nicht minder großnäsige Mutter. „Wie hieß er noch? Biest? Der hat auf jeden Fall ein gigantisches Leckerli verdient. Dass Knochen überhaupt so schnell verheilen können! Hier, das Handgelenk habe ich mir letzte Woche verstaucht – schauen Sie, wie gut der Verband schon wirkt!"

„TORÖÖÖÖÖT BWÖÖÖÖÖTIDÖÖÖÖÖBID-DIBÖÖÖÖÖÖT!", trompetete die Echsendame in einer Sprache, die nur Elefanten verstanden hätten. Dann nahm sie den erbrochenen Schal ab und erläuterte mit ihrer üblichen Krächzstimme: „Mich mit den Zootieren zu unterhalten … so etwas Schönes habe ich noch nie erlebt."

Ebenezer fühlte sich pudelwohl. Ja, er rang sich sogar dazu durch, immer wieder zu erwähnen, welch großen

Anteil das Biest und dessen fantastische Kotzkünste an diesen Erfolgen hatten. Er war nämlich neugierig, wie man sich als wirklich guter Mensch fühlte, und wirklich gute Menschen, so seine Vermutung, wollten nicht alle Lorbeeren für sich allein.

Bethany fühlte sich nicht pudelwohl. Die permanenten Lobgesänge auf das Biest weckten in ihr den Verdacht, dass Ebenezer die ganze Zeit recht gehabt haben könnte.

Sie versuchte, sich aus der Menge der Feiernden zu verdrücken. Doch wohin sie sich auch wandte, überall wurde sie von einem Ballon oder Spruchband beglückwünscht: „GUT GEMACHT, BETHANY!", „GRATULATION AN BETHANY, EINEN DER BESTEN MENSCHEN DER WELT!" Und so schämte sie sich nur immer mehr.

Irgendwann hielt sie es nicht mehr aus. Sie musste ein Geständnis ablegen.

„Oh, ähm … Hallo!", rief Geoffrey, als Bethany sich gerade dafür wappnete, Ebenezer alles zu sagen. Geoffrey trug seinen Sonntagsanzug, obwohl dieser ihm inzwischen ungefähr zweieinhalb Nummern zu klein war. „Wie schön, dich zu sehen. Weißt du, ich wollte dich schon die ganze Zeit etwas sehr Wichtiges fra…"

„Jetzt nicht, Geoffrey", fiel Bethany ihm ins Wort, ohne ihn auch nur richtig anzusehen. „Wir reden später."

Sie packte Ebenezer am Ärmel und zerrte ihn beiseite.

„Was ist denn?", fragte er. „Wenn mich nicht alles täuscht, wollte Schwester Mindy mir gerade ein Kompliment für meine Weste machen."

„'tschulligung, aber deine Weste muss warten", sagte Bethany. „Ich hab was Schlimmes getan. Was sehr, sehr Schlimmes."

Claudette kreischt

Mit einem Kreischen, das den ganzen Wald von Wintloria aufweckte, fuhr Claudette hoch. Irgendein Teil von ihr stand noch immer in Verbindung mit dem Biest.

„*Morty! Nicht!!!*", rief sie mit rauer Stimme. Und in unüberhörbarer Panik fügte sie hinzu: „*Das Biest kehrt zurück!*"

Dieser Aufruhr lockte die drei Agenten Hughie, Louie und Stewie zu ihrem Baum – die drei Agenten und sämtliche Purpurbauchpapageien von Wintloria. Claudettes Flügel zitterten und ihre schreckgeweiteten Augen wechselten zwischen brodelndem Schwarz und strahlendem Purpur.

„*Das Biest frisst etwas … etwas mit einem Puls. Seine wahre Natur war gefangen in einer Nebenhöhle seines Magens, doch jetzt kehrt sie mit voller Wucht zurück … kehrt jeder teuflische Traum, jeder gemeine Gedanke, jede entsetzliche Erinnerung zurück … Alles fegt wie ein Tornado in seinen klumpigen Kopf hinein.*" Claudettes fieberhaftes Murmeln und Wispern machte den anderen Papageien Angst. „*Wer hat ihm zu fressen gegeben? Ich habe euch doch gesagt, es darf nicht fressen! Ich habe euch gesagt, es darf nicht entkommen!*"

„Sie fantasiert wieder", sagte Agent Hughie.

„Es ist die einzige Erklärung", meinte Agent Louie.

„Wir sollten ihre Dosis erhöhen, damit sie wieder schlafen kann!", zischte Agent Stewie.

Die drei gingen zu der piepsenden D.O.R.R.i.S-Maschine hinüber. Claudette riss sich den Infusionsschlauch aus dem Leib und krächzte die Agenten wütend an.

„*Begreift ihr das nicht? Sein ganzes Leben zieht vor dem Biest vorüber, so als würde es sterben … doch in Wirklichkeit wird es wiedergeboren. Es sieht die vergangenen Monate mit ganz anderen Augen und es ärgert sich grün und blau … Es kann nicht fassen, dass es sich zu guten Taten hat überlisten lassen. Es empfindet Zorn, Scham und … o nein, nein, nein … GIER NACH RACHE!*"

„Lass uns dir ein heiteres Liedchen singen, ja-ja?",

schlug Giulietta vor. „Die richtige Melodie vertreibt alle Albträume."

„*Das ist kein Albtraum. Es geschieht wirklich – am anderen Ende der Welt. Ich muss dorthin … MUSS BETHANY RETTEN! Sie ist doch eine meiner allerallerallerbesten Freundinnen.*"

„Kommt nicht infrage", sagte Agent Hughie.

„Wir lassen nicht zu, dass du einem Hirngespinst hinterherjagst", sagte Agent Louie.

„Außerdem würdest du die weite Reise kaum überleben!", zischte Agent Stewie.

Doch Claudette wusste: Wenn sie Bethany jetzt nicht zur Hilfe eilte, würde sie nie wieder in den Spiegel schauen können. Da fiel ihr Blick auf das hochkomplexe Technikdings, mit dem Agent Stewie vor einiger Zeit die Portalpfütze nach Wintloria geöffnet hatte. Es hatte bemerkenswerte Ähnlichkeit mit einem Regenschirm.

„Leg dich wieder hin", sagte Giulietta. „In dem Zustand kannst du doch nicht fliegen."

Obwohl sich die Erschöpfung tief in Claudettes Knochen grub, spannte sie ihre Flügel an – in der Hoffnung, nein, in der Gewissheit, dass sie irgendwo in ihrem Inneren die nötige Kraft würde auftreiben können.

„Claudette?", sagte Agent Hughie. „Was soll das wer…"

Mit einem neuerlichen Krächzen flatterte Claudette schwerfällig los und angelte sich mit ihren Krallen den Regenschirm. Auf dem Weg taumelte sie mehrmals gegen Äste, und doch schleppte sie sich so schnell wie möglich aus dem Baum hinaus. Als sie dann am Griff des Schirms herumfummelte, bildete sich einige Meter vor ihr eine Pfütze. Sie schloss die Augen und konzentrierte sich ganz auf ihr Ziel.

„MUSS … BETHANY … RETTEN!", schrie sie – und verschwand.

Geschenke mit Risiken und Nebenwirkungen

„Was hast du getan?", flüsterte Ebenezer.

Bethany und er standen in einer Ecke des Süßwarengeschäfts, zufällig neben dem Korb mit der neuesten Variante der Bombigen Blubbertrompeten.

Alle anderen drängelten sich um Miss Muddle und
verlangten lauthals nach einer „REDE! REDE!". Der
Vogelhändler und Tauberich Keith befreiten gemeinsam
einen Tisch von einem schiefen Bonbonturm,
Timothy und Postbote Paulo bugsierten die Gastgeberin
hinauf.

„Ääähm … du meine Güte! Ich bin doch Süßwarenmacherin und keine Redenschwingerin!", rief sie mit
einem nervösen Hicksen. „Aber ich sollte wohl wirklich
ein paar Worte über unseren nicht sonderlich überrasch-

238

ten Ehrengast sagen, schließlich haben wir uns nur ihret-
wegen hier versammelt …"

„Ich weiß, es ist schlimm", flüsterte Bethany zurück. „Es
war dumm und egoistisch und –"

„Pssst!", machte Eduardo Barnacle, der in der letzten
Reihe der Menschentraube stand, und blähte vorwurfs-
voll die Nasenlöcher. „Es ist kindisch, während einer Rede
zu plaudern. Insbesondere, wenn über einen selbst ge-
redet wird."

Miss Muddle räusperte sich. „Ääähm, also … Wie ich
weiß, waren viele von Ihnen am Anfang keine großen
Bethany-Fans. Bei ihrem ersten Besuch in meinem Laden
hat sie Frösche in meinen Lakritzgläsern versteckt – eine
schöne Überraschung! Aber was tut es zur Sache, wie
jemand *früher* war? Entscheidend ist das Hier und Jetzt.
Und hier und jetzt ist Bethany ein guter, ein sehr guter …"

„Ich weiß, das war falsch von mir", redete Bethany noch
leiser auf Ebenezer ein. „Aber da war plötzlich dieser wü-
tende Papagei, der unbedingt Rache nehmen wollte, und
ich wollte das blöde Sabbermaul so gerne loswerden …
und da dachte ich mir, das wäre doch die Gelegenheit."

„Das Biest zu töten, oder wie?", erwiderte Ebenezer.
„Dass ich dir nacheifern wollte – kaum zu glauben!"

In seiner Erregung vergaß er vollkommen zu flüstern.

Eduardo Barnacle drehte sich noch einmal um, doch diesmal wollte er nicht übers Reden reden.

„Das Biest töten?", näselte er. „Sie wollen dem reizenden Hündchen, dem mein Garten so viel zu verdanken hat, doch nichts antun?!"

Ohne frisch erbrochenes Hörgerät hätte die 89-jährige Showtänzerin und Spagatmeisterin von diesem Gespräch kein Wort mitbekommen. Doch nun hatten sie und alle anderen Bewohnerinnen und Bewohner des Seniorenheims jedes einzelne überdeutlich verstanden.

„Das Biest töten?", sagte die Tänzerin. „Das geht doch nicht!"

So wurde die Kunde von dem geplanten Mordanschlag auf das Biest nach und nach durch die Gästeschar getragen – bis jede und jeder und auch alle anwesenden Vögel Miss Muddle den Rücken zukehrten, um Bethany anzustarren. Tauberich Keith musterte sie besonders anklagend.

„Äh, langweile ich Sie?", fragte Miss Muddle und stieg von dem Tisch hinab. „Tut mir leid. Wie gesagt, ich bin keine große Redenschwingerin."

„Wir verlangen eine Erklärung!", krächzte die Echsendame. „Was soll das heißen – das Biest töten?"

„Da bin ich der falsche Ansprechpartner", sagte

Ebenezer und deutete mit dem Finger auf Bethany, als wäre sie ein dicker fetter Hundehaufen auf einem ansonsten makellos reinen Bürgersteig.

Die aufgebrachte Menschenmenge kreiste Bethany ein. Manche warfen ihr Schimpfwörter an den Kopf. Andere behaupteten, sie hätten Bethany nie für etwas anderes als für eine unverbesserliche Übeltäterin gehalten, die sowieso keine Party verdient hatte. Und die Übrigen zeigten sich entsetzt über das himmelschreiende Unrecht, das dem lieben netten Biest angetan werden sollte.

„Oh, ähm … Bitte seien Sie doch mal still!", rief jemand. Die Partygäste drehten sich um und sahen Geoffrey auf einem Tisch stehen. „Wir sollten uns anhören, was Bethany dazu zu sagen hat. Sie ist meine beste … meine beste Ich-weiß-nicht-was, und ich bin mir sicher, sie könnte so etwas gar nicht. Ich meine, mit einer Mörderin wäre ich eher nicht befreundet, verstehen Sie? Komm schon, Bethany, sag den Leuten, dass du dem Biest nie wehtun würdest."

Geoffrey lächelte sie aufmunternd an. Bethany konnte ihm nicht in die Augen schauen. Sie hatte das Gefühl, mit jeder Pore reinste Schuld auszudünsten. Man musste sie nur ansehen, um zu erkennen, wie sinnlos jedes Wort zu ihrer Verteidigung war.

„Nein", hauchte Geoffrey. „Nicht doch, Bethany."

Nicht einmal Ebenezer und Geoffrey hielten noch zu ihr. Bethany war so allein wie nie zuvor.

Plötzlich drangen seltsame Geräusche aus den Hörgeräten der Seniorentruppe.

„Muss der vermaledeite Krach jetzt sein?", schimpfte der Vogelhändler, während Tauberich Keith sich mit seinen Flügeln die Ohren zuhielt. „Macht einen ja ganz kirre!"

„Wir können nichts dafür", wehrte sich die Tänzerin. Sie und mehrere andere hatten bereits versucht, die Geräte auszuschalten. „Sie knacken einfach so komisch."

„Ist das denn wirklich ein Knacken?", fragte Eduardo Barnacle, seinen Kopf zu einem Seniorenohr geneigt. „Für mich klingt es mehr nach einem *Gackern*. Allerdings nach einem sehr bösartigen und irgendwie … zischelnden."

Alle horchten gespannt. Und hörten, wie das bösartig zischelnde Gackern lauter wurde.

„Was zum Gewölle?", rief der Vogelhändler, der damit den übrigen Gästen die Worte aus dem Mund nahm.

Auch etliche andere Dinge benahmen sich auf einmal daneben. Die Putzspinnen schmissen Süßwarenaufbauten um, die sie selbst liebevoll errichtet hatten. Der

Briefkasten der netten alten Dame spuckte fiese Hassbriefe aus, sorgsam adressiert an die einzelnen Partygäste.
Der Schal wickelte sich immer fester und fester um den
Hals der Echsendame, bis diese um Gnade krächzte. Der
Verband um Dr. Barnacles Handgelenk brach ihr mehr-
fach den Arm, anstatt heilend zu wirken. Und so versank
das Süßwarengeschäft im Chaos.

Es war nicht das erste Mal, dass Ebenezer und Bethany
ein solches Schauspiel erlebten – und wenn das Erbrochene des Biests den Aufstand probte, gab es nur eine
einzige logische Erklärung.

„Das Biest ist noch am Leben", sagte Ebenezer,
zunächst erleichtert, dann ganz im Gegenteil.

„Schön wär's, wenn es nur am Leben wäre", erwiderte
Bethany im Angesicht des wüsten Spektakels, das ihr so
furchtbar bekannt vorkam. „Ich glaube, es ist zur ver-
dammten Vernunft gekommen."

Die beiden schauten aus dem Fenster und entdeckten
am Ende der Straße ein robustes Kanu, das in irrwitzi-
gem Tempo in Richtung Süßwarengeschäft raste. So
schnell, dass zig Radarkontrollen ein Blitzlichtgewitter
veranstalteten, als huschte ein Stargast viel zu flink über
den roten Teppich.

Als das Kanu näher kam, sah Bethany den jungen

Papageien bewusstlos auf einer Sitzbank liegen, begleitet von einer bunten Auswahl an Erbrochenem.

Links und rechts des Gefährts stampften die Gartenzwerge die Straße hinunter, nur dass sie inzwischen zu Giganten herangewachsen waren, beinahe vier Meter größer als zu Hause bei den Barnacles. Der Stinkekasten, in dem noch immer der arme, panische Hoatzin feststeckte, flog im Tempo eines Kanonenadlers nebenher. Das Spielzeug aus dem Waisenhaus war ausnahmslos zu Mordwerkzeugen umgemodelt worden – die gestaltwandelnden Frisbees hatten sich auf die Form messerscharfer Äxte festgelegt, die selbstkreisenden Springseile hatten sich zu Speeren versteift.

Und mittendrin thronte das Biest.

Bethany begriff es sofort: Dies war das wahre Biest. Es hatte keine Ähnlichkeit mehr mit der Kreatur der letzten Tage. An Ebenezers Seite beobachtete sie, wie das Kanu rasch näher und näher kam – wann würde es endlich anhalten? Da kapierten sie beide, dass das Biest gar nicht daran dachte.

Schnell schubste Bethany die Gäste vom Fenster fort. Auf seiner Seite machte Ebenezer es ihr nach.

„WEG DA!", schrien sie. „WEG, WEG, WEG …"

Ein ohrenbetäubendes Klirren hallte durch das

Geschäft, als das Kanu und das anstürmende Erbrochene das Schaufenster zu tausend Scherben zerschmetterten. Miss Muddle, die ihre ganze Arbeit in Schutt und Asche gelegt sah, schrie vor Schreck auf, während Ebenezer verzweifelt nach dem D.O.R.R.i.S-Notfallknopf tastete. Er fand ihn nicht.

„Ja, 'tschulligung", sagte Bethany. „Hab ich dir heimlich abgenommen. Und dann hat Nickle ihn mir abgenommen."

In der Mitte des Trümmerhaufens richtete sich das Biest auf, in einer Hand das Megafon des Zugführers, sein Gesicht verzerrt von einem breiten Sabberlächeln.

„Hallo zusammen", sagte es mit genüsslich zischelnder Stimme. „Ich bin doch auch eingeladen zu eurer Party-ly?"

Feiern, bis der Arzt kommt

„Nicht Party-ly! Party! PARTY!", brüllte das Biest –
sichtlich verärgert darüber, dass es sich seinen
großen Auftritt durch einen dämlichen Zungenstolperer
verdorben hatte. „Ich bin doch auch eingeladen zu eurer
PARTY?"

Es sah sich im Süßwarengeschäft um. Obwohl sein
explosives Erscheinen die Gäste ziemlich durchge-
schüttelt hatte, starrten sie ihm nicht mit der gewohnten
Mischung aus Furcht und Panik entgegen. Ja, in
ihren Augen spiegelte sich so etwas wie …
Besorgnis?

Da dämmerte dem Biest, dass es noch immer
in dem lächerlichen Hundekostüm steckte. Es riss
sich die Kapuze herunter und zerfetzte sie mit einem
Fingerwackeln zu Stoffschnipseln.

„Geht es dir gut, Biest?", erkundigte sich jemand mit

rührender Flötstimme. Es war die nette alte Dame. „Hast du dich etwa rasiert?"

„Gut?", grölte das Biest ins Megafon und reckte seine freie Winzhand triumphierend in die Höhe. „Das ist stark untertrieben! Mir geht es fabelhaft! Wundervoll! Wie soll es mir denn sonst gehen – mir, dem großartigsten Wesen, das sich je auf euren albernen Pla-meten verirrt hat! PLANETEN, MEINE ICH! PLANETEN!"

„Das sind ja *famose* Nachrichten", sagte Eduardo, der diese Gelegenheit, sein aktuelles Toilettenpapierwort vorzuführen, natürlich nicht ungenutzt verstreichen ließ.

„Bethany hat da so was gesagt", meldete sich der Vogelhändler zu Wort. „Dass sie dich töten will? Da haben wir uns Sorgen gemacht. Aber das war wahrscheinlich nur wieder so ein verquerer Scherz von ihr. Sie fand es auch mal komisch, mir Furzbonbons ins Vogelfutter zu mischen. Seltsames Gör."

Er und etliche andere drehten sich missbilligend zu Bethany, die es offenbar lustig fand, über etwas so Unlustiges wie den Tod des Biests zu scherzen. Nur Geoffrey strahlte vor Glück, denn ihm leuchtete vollkommen ein, dass sie bloß einen Witz gemacht hatte.

„Willst du uns helfen, Biest?", fragte Dr. Barnacle mit schmerzverzerrtem Gesicht, gefoltert von ihrem

Knochenbrecherverband. „Ein paar deiner Geschenke scheinen ein bisschen durchzudrehen …"

„Bitte, liebes Biest …", krächzte die Echsendame, während sie mit ihrem Schal kämpfte. *Hilfe …"*

Bethany schob sich unauffällig zu einem eingestürzten Süßwarenturm hinüber, sicherte sich zwei Muddle-Kreationen und steckte Ebenezer eine davon zu.

„Ich soll euch helfen?", spuckte das Biest aus. „Wie käme ich dazu? Ha! Idioten! Das Erbrochene spielt doch auf *meinen* Befehl verrückt!"

Einige Gäste runzelten die Stirn. Andere lachten.

„Was schaut ihr mich so an?", fragte das Biest mit einem drohenden Zungenzischeln. „Habt ihr nur Luft im Schädel? Wisst ihr nicht, mit wem ihr es zu tun habt?"

„'türlich wir wissen das. Alberne Biestlein!", rief Amy Clue, ein besonders kleines Waisenkind mit Teddy im Arm. „Du bist ein ganz Lie-bär. Biestlein ist doch nicht gwu-selig."

So leise Amy gesprochen hatte, so lautstark fiel die Zustimmung der Partygäste aus. Niemand unter ihnen schien das Biest zu fürchten. Diesem ging das gehörig gegen den Strich. Es wusste überhaupt nicht, wie man in so einer Situation zu reagieren hatte.

„Nicht gruselig, was?", sagte es. „Es ist nichts gruse-lig … DARAN?"

Auf sein Fingerwackeln hin setzte sich das Erbrochene in Bewegung. Die Gärtnergiganten beugten sich zu den Gästen hinab und leuchteten ihnen mit rot glühenden Augen ins Gesicht. Der Stinkekasten verschärfte den natürlichen Duft seines Bewohners und erfüllte so das ganze Geschäft mit übel riechenden Schwaden. Die Axtfrisbees kreis-ten durch den Raum, sodass alle schnell den Kopf einzogen, um selbigen nicht zu verlieren.

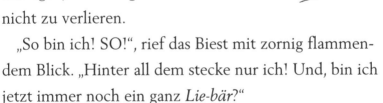

„So bin ich! SO!", rief das Biest mit zornig flammen-dem Blick. „Hinter all dem stecke nur ich! Und, bin ich jetzt immer noch ein ganz *Lie-bär*?"

Die Stimmung war tatsächlich abrupt umgeschlagen. Alles war genau so, wie das Biest es sich ausgemalt hatte: schrille Schreie, panisch geweitete Augen …

Es lächelte, wollte den Moment auskosten. Doch aus unerfindlichen Gründen erfüllte das Spektakel seine finstere Seele nicht mit Freude und Befriedigung. Irgendwo in seinem Hinterkopf meldete sich sogar eine Stimme, die behauptete, sein Vorgehen sei „sooo schlimmvoll".

Um sich davon abzulenken, schaute sich das Biest im Süßwarengeschäft um – und sah Bethany und Ebenezer.

„Das heißt … hinter all dem stecke nicht NUR ich!", brüllte es ins Megafon. „Auf keinen Fall möchte ich die Lorbeeren allein einheimsen, wenn meine beiden Helfer doch einen großen Teil davon verdient haben! Ihr fürchtet um euer Leben? Dann gebührt ein großer Teil eurer Furcht … Bethany und Ebenezer!"

„Es tut mir leid", sagte Ebenezer zu Bethany, während er sich unter einer Axt duckte. „Das Biest kann sich nicht ändern. Ich hätte es in seinem Käfig schmoren lassen und mich schön fernhalten sollen."

„Nee, nee. Ich bin schuld an dem Ganzen", erwiderte Bethany. „Wenn ich mich nicht eingemischt hätte, wäre das echte Biest vielleicht nie mehr rausgekommen."

Weder er noch sie hielten besonders viel von Umarmungen, nicht einmal bei akuter Lebensgefahr. Deshalb hatten sie sich mit der Zeit einen Ersatz ausgedacht: Bethany neigte ihren Kopf, Ebenezer tätschelte ihn.

„Habt ihr gehört?", fauchte das Biest ins Megafon. „Wenn das kein Geständnis war! *Diese beiden* tragen die

Verantwortung für eure Angst und Panik. Ebenezer hat mich dazu verleitet, die Geschu-änke hervorzuwürgen, die jetzt über euch herfallen. Bethany hat meinen Geist befreit und mir so alles verdorben. Sonst wäre ich noch das herzensgute Biest, das ihr kennen und lieben gelernt habt."

Bethany wusste, dass von ihr erwartet wurde, sich leidenschaftlich zu verteidigen. Doch an einer bestimmten Stelle der Anklage des Biests war sie ins Stutzen geraten.

„Verdorben?", sagte sie.

„Was?", fragte das Biest.

„Verdorben", wiederholte Ebenezer. „Du hast gerade gesagt, Bethany hätte dir alles verdorben. Findest du es denn nicht gut, dass dein Geist erwacht ist?"

„Aber natürlich! Mein Geist ist ein Wunderwerk der Niedertracht. Ohne meinen Geist wäre ich nicht ich selbst – und ich bin ein Supidupischnupistar!" Nicht zum ersten Mal verabreichte sich das Biest eine Ohrfeige, genervt von seiner BLÖDELIGEN KLEIN-KINDSPRÜ-ACHE.

In diesem Augenblick platzte eine Pfütze ins Süßwarengeschäft. Es war eine beängstigend instabile Pfütze: Zunächst öffnete sie sich in den Trümmern der Marshmallow-Massive, dann auf mehreren Abschnitten der ableckbaren Rutsche, dann wieder an einer Süßigkeiten-wand.

Schließlich entschied die Pfütze sich für die Zimmer-decke, wo sie jedoch nicht wie üblich fauchte und brauste, sondern flackernd Funken versprühte. Plötzlich purzelte Claudette heraus und riss auf ihrem Sturz einen Schokoladenkronleuchter mit sich, während die Pfütze verschwand.

„Claudette?", fragte Bethany, erst überglücklich vor Begeisterung, im nächsten Moment ganz kribbelig vor Angst um ihre liebe Freundin. „Es ist zu gefährlich hier! Hau wieder ab!"

Doch es war zu spät – bei Claudettes hartem Aufprall war der hochmoderne Regenschirm in ihren Krallen zer-brochen.

Die Portalreise hatte die Papageiendame übel mitge-nommen. Einer ihrer Flügel war abgeknickt, ihr Schna-bel eingedellt und die Federn fielen ihr aus, als könnte sie Purpur nicht mehr sehen.

„Hallo, Schätzchen", sagte Claudette. Ihre Stimme war noch schwächer geworden, jedes Wort musste sie sich hart erkämpfen. „Ich will ... dich retten."

Claudettes beklagenswerter Zustand trieb Bethany die Tränen in die Augen und Ebenezer einen dicken

Kloß in den Hals. Am stärksten aber reagierte ausgerechnet das Biest.

Als zartbesaitet war es wohl noch nie bezeichnet
worden. Ja, selbst der entsetzlichste Anblick entlockte

ihm normalerweise entweder ein fröhliches Gackern oder ein vorfreudiges Schmatzen. Doch es schien irgendwie Schwierigkeiten zu haben, Claudette auch nur anzusehen.

„War … war ich das?", fragte es.

Claudette hatte kaum genügend Kraft zum Sprechen, geschweige denn zum Fliegen. Und trotzdem – abgeknickter Flügel und eingedellter Schnabel hin oder her – war sie fest entschlossen, Bethany zu retten. Also schleppte sie sich dem Biest entgegen.

„Was machst du da?", fragte es.

„*Muss … Biest … aufhalten.*" Ein stechender Schmerz verzerrte Claudettes Gesicht. „*Muss … Bethany … retten!*"

„Du glaubst, du kannst mich aufhalten? Das kann niemand hier. Niemand!"

Das Biest riss sein Maul auf, um ein triumphierendes Lachen auszustoßen. Es kam kein Ton heraus.

„*Ich habe deinen Geist gespürt. Ich weiß, er war … nicht so*", stammelte Claudette, während sie sich hinkend dem Biest näherte. „*Offenbar steckt die Erinnerung noch in dir. Und sie … sie wirkt. Mit dem richtigen Lied … oder Wort … könnte man sie vielleicht …*"

„Vergiss es. Das dumme, schwache Biest ist gestorben,

als ich deinem Freund die Krallen abgeknabbert habe. Du hast verloren. Ich muss schon sagen, wenn ich dich so ansehe …" Das Biest versuchte, sich an Claudettes Qualen zu erfreuen, wie es sich an den Qualen so vieler Kreaturen erfreut hatte. „Ja, dann muss ich sagen … ENTSCHULDIGENS!"

Das übereifrige Opfer

icht entschuldigens! Entzückend! Entzückend, wollte ich sagen!" Wieder ohrfeigte sich das Biest. „Nur ein kleiner Zungenstolperer", erläuterte es danach voller Hochmut. „Nichts weiter."

„Die stolpern aber oft, deine Zungen." Bethany sah das Biest schief an. „Du redest wieder wie ... wie bevor dein Geist erwacht ist."

„TUE ICH NICHT!" Das Biest stampfte mit einem seiner Füßchen auf. „Ich habe mich nicht geändert! Kein Stück! Schlag dir das aus deinem Rotzschädel, klar?"

„Geändert?", wiederholte Bethany. „Davon hat doch keiner was gesagt."

Ebenezer nickte. „Davon war nie die Rede. Aber ... hast du dich denn nun geändert?"

„HABE ICH NICHT!", donnerte das Biest. „Ich meine, wonach sieht es hier denn aus?!"

Mit großer Geste umfasste es den albtraumhaften Tumult im Süßwarengeschäft. Und schnaubte vor Wut, als Bethany, Ebenezer und Claudette tatsächlich hinsahen – und sich dafür auch noch Zeit nahmen.

„Du hast die Echsendame nicht abgemurkst", stellte Bethany fest. „Während wir uns unterhalten haben, ist der Schal einfach von ihrem Hals geglitscht."

Die Angesprochene rang keuchend nach Luft. *„Ich … heiße … Barbara …"*, ächzte sie. Leider ächzte sie so leise, dass es kein Mensch mitbekam.

„Das war ein Versehen!", rief das Biest. Es wackelte mit den Fingern, woraufhin sich der Schal sofort wieder um den Hals der Echsendame wickelte. Allerdings nur halb, denn als das Biest ein zweites Mal mit den Fingern wackelte, sank er schlaff zu Boden. „Ich habe euch nichts zu beweisen!"

„Du hast noch nicht *einen* Menschen enthauptet", stellte Ebenezer mit Blick auf die Gäste fest, die sich zwar schreiend duckten, aber alle noch mit einem vollständigen Kopf ausgestattet waren. „In dieser Flughöhe rasieren ihnen die Frisbees doch nicht mal die Haare."

Von der Mitte des Süßwarengeschäfts, von einer Sitzbank des Kanus, war ein Stöhnen zu hören – Mortimer regte sich. Bethany, Ebenezer und Claudette eilten zu ihm und bemerkten nun erst die Verbände um seine Krallen und die Fesseln an seinen Flügeln.

„*Morty … du lebst?*", krächzte Claudette ungläubig.

„Stimmt, warum hast du ihn eigentlich nicht gefressen?", fragte Bethany. „War doch bestimmt ein Riesenaufwand, ihn extra zu fesseln. Und das Verbandszeug ist das Gleiche wie das von Dr. Barnacle. Also hast du ihn … *geheilt?*"

„Ja, weil sein Blut den hübschen Küchenboden beschmutzt hat", rechtfertigte sich das Biest. „Und wenn du unbedingt wissen willst, warum ich ihn nicht gefressen habe: Ich wollte mir nicht den Appetit verderben."

Darüber konnte Ebenezer nur lachen. Er lachte sogar weiter, als ihn die drei Augen des Biests so durchdringend fixierten, dass eine Schlange sich vor Schreck gehäutet hätte.

„Auf die Idee wärst du früher nie gekommen", kicherte er schließlich. „O doch, du hast dich geändert!"

„Habe ich NICHT!", brüllte das Biest. „Ich werde die pürierten Eingeweide dieses Papageien aus seinen Krallen schlürfen wie aus einem Trinklernbecher! Ja, wenn es euch so wichtig ist, werde ich mit einem einzigen Fingerwackeln dem ganzen dummen Volk hier den Kopf abschlagen!"

„*Nein!*", flehte Claudette.

Ebenezer sank auf die Knie. „Bitte, tu's nicht!"

Das Biest lächelte. Endlich hatte es sich wieder den gebührenden Respekt verschafft.

„Dann mach halt", sagte Bethany.

Prompt wurde sie vom Biest ins Visier genommen. „Wie war das, Rotzschädel?"

„Mach halt, habe ich gesagt." Als langjährige Profischwindlerin durchschaute Bethany leere Drohungen sofort. „Ich glaube, du hast es nicht mehr drauf. Hast du doch? Dann. Beweis. Es. Mir."

Das Biest baute sich vor ihr auf. „Ich habe Imperien errichtet und wieder eingerissen! Ich habe Dinge getan, die dir dein klägliches Gehirn zu den Ohren hinaustreiben würden! Ich habe Grausamkeiten erbrochen, welche dir den Unterkiefer auf die Füße krachen lassen würden! Ich bin –"

„Ja, ja, schon klar. Supermächtig. Uaaah." Bethany verdrehte die Augen. „Lass endlich die ewigen Drohungen und mach verdammt noch mal hin. Also wenn du's noch draufhast."

„NA SCHÖN!", rief das Biest. „Aber denk dran, du hast es so gewollt!"

Es warf sich das Megafon in den Rachen und streckte

seine beiden Winzhände aus, bereit, mit einem einzigen unerhörten, nie da gewesenen Fingerwackeln sämtliche Bewohner des Stadtviertels zu enthaupten.

„Dann wollen wir mal …", murmelte es.

Bethany tat so, als müsste sie gähnen. Sie sah zu, wie das Biest seine Finger auffordernd anstarrte. Weder die der einen Hand noch die der anderen bequemten sich zu einem Wackeln. Schweißperlen sprenkelten jeden Zentimeter seines klumpigen Körpers. Es wollte, wollte, wollte unbedingt mit den Fingern wackeln, doch nichts geschah.

Nach einiger Zeit ließ das Biest seine Winzhände wieder sinken. Bethany grinste – sie hatte recht behalten.

Doch auf einmal leuchteten die Augen des Biests auf.

„Ich kann es nicht … aber nur, weil ich zuerst dich fressen will, Bethany!", rief es voller Erleichterung über diese logische Erklärung für sein Versagen. „Ich warte schon so lange darauf und ich kann schlicht nichts anderes töten noch zerkauen, bevor du nicht in meinem Bauch bist. Bethany, wenn ich dich erst zwischen die Beißer kriege …"

Bethany trat einen Schritt vor.

„Dann mach halt. Mach. Halt."

„Oh, das werde ich. Also ich WÜRDE! Hast du ein Glück, dass du eine Trompete dabeihast."

Tatsächlich hielt Bethany noch die Bombige Blubbertrompete in der Hand, die sie vorhin zur Sicherheit aufgesammelt hatte. Die hatte sie ganz vergessen gehabt. Sie spähte zu Ebenezer hinüber. Der hatte seine auch noch.

Sie dachte einen Moment nach. Ihr Spiel wurde immer riskanter, und wenn sie noch einen Schritt weiter ging, könnte sie buchstäblich ihr Leben verwetten. Trotzdem, irgendetwas riet ihr, mutig zu sein.

„Was? Die da, meinst du?" Bethany führte die Bombige Blubbertrompete zum Mund und biss ein dickes fettes Stück davon ab. Dann warf sie das Ding weg. „Sorry, wirst dir eine bessere Ausrede einfallen lassen müssen."

Sie machte noch einen Schritt nach vorn. Nun war sie dem Biest so nahe, sie hätte ihm glatt eine runterhauen können.

„Wie lange hast du darauf gewartet?", fragte sie und nutzte selbstverständlich die Gelegenheit, ihrem Widersacher eine Ohrfeige zu verpassen, dass sein klumpiges Gesicht nur so schwabbelte. „Das hast du doch immer gewollt, oder? Komm schon, Biest! HAU REIN!"

Die Schlacht um das Biest

B ethany! Nicht!", kreischte Claudette, die vor Erschöpfung auf ihren Krallen hin und her schwankte.

„Zurück! ZURÜCK!", schrie Ebenezer und wollte Bethany außer Reichweite des Biests zerren. Sie schubste ihn weg.

„Oh, ähm … o nein, o nein!", jammerte Geoffrey. „Bitte, friss Bethany nicht!" Er rannte los und rutschte dabei auf ein paar auf dem Boden verstreuten Marmeladösen Kaukrachern aus. „Friss lieber mich!"

Bethany winkte ab. „Nee, so geht das nicht. Es will nicht irgendein dahergelaufenes Kind. Es will mich." Die Hände fest hinter dem Rücken verschränkt, damit man nicht sah, wie sie zitterten, fragte sie: „Wie wär's, Biest? Appetit?"

Sämtliche Partygäste beobachteten das Biest aufmerksam. Zig erwartungsvolle Blicke ließen seine Haut prickeln – und der Druck wurde ihm einfach zu viel. Wie sollte man denn in Ruhe eine Mahlzeit einnehmen, wenn so viele dabei zuschauten?!

Doch es fand schnell eine Lösung für sein Lampenfieber: Mit einem Fingerwackeln befahl es dem Stinkekasten, ein Betäubungsgas auszustoßen, das nur Bethany, Ebenezer und das Biest selbst bei Bewusstsein ließ. Ebenezer sollte Bethany sterben sehen, als Strafe für all die guten Taten, die das Biest seinetwegen begangen hatte.

Es sah Bethany an. „Hast du noch irgendwas zu sagen?"

„Ja. Genau drei Wörter." Bethany spürte, wie ihr die Knie schlotterten. Zum Glück achtete das Biest nicht darauf. „Jetzt. Mach. Endlich."

Sie kniff die Augen zusammen. Das Biest tat es ihr gleich. Es war schwer zu sagen, wer in diesem Augenblick die größere Furcht empfand: Bethany – vor dem Tod? Oder das Biest – davor, diese eine Mahlzeit nicht hinunterzubringen und dann mit den Folgen leben zu müssen?

Es schlang eine Zunge um Bethanys Turnschuhe und hob sie hoch, bis sie kopfüber in der Luft baumelte, genau wie in so vielen ihrer Albträume. Es riss sein Maul sperrangelweit auf und ließ sie langsam, langsam zu seinem Magen hinab.

„Tu's nicht!", flehte Ebenezer. „Du bist nicht so! Jeder kann sich ändern! Man muss es nur wollen!"

Das Biest dehnte sein Maul derart, dass es Bethany an seinen gezackten Zähnen vorüberschweben lassen konnte, ohne sie damit aufzuschlitzen. Hätte Bethany in diesem Moment die Augen geöffnet, hätte sie freie Sicht auf seinen verschlungenen Verdauungstrakt gehabt – auf einen Irrgarten aus Gedärmen, giftig dampfenden Magensäuretümpeln und düsteren Grotten voller halb verdauter Mahlzeiten.

Ebenezer war blind vor Tränen. Er sank auf den Boden, geschüttelt von heftigem Schluchzen.

Er sah nichts mehr, hörte aber noch. Als das Biest laut rülpste, steigerte er sich in eine regelrechte Schluchzhysterie hinein. Und eine Sekunde später vernahm er neben sich einen dumpfen Aufprall.

„Wüüüärrgh!", rief Bethany und rappelte sich auf, von Kopf bis Fuß mit Sabberschleim überzogen. Sie zog rasch ihren Pulli aus, da dieser von aufsteigender Magensäure in Brand gesetzt worden war. „Das war definitiv ein neuer Ekelrekord!"

„Ach, Bethany!", rief Ebenezer.

Er wollte ihr liebevoll den Kopf tätscheln, schreckte

dann aber doch davor zurück. Der Eingeweidegeruch war einfach zu abstoßend.

„Ach, *Bethany*!", rief Ebenezer noch einmal, allerdings in vorwurfsvollem Ton und mit zugehaltener Nase.

„Ich kann nichts dafür", sagte sie.

Hinter Bethany sank das Biest zu einem Berg aus Selbstmitleid zusammen. Die Gärtnergiganten schrumpften langsam zu Zwergen und die Frisbees, die sich nicht mehr als Äxte ausgaben, plumpsten eines nach dem anderen neben den schlummernden Partygästen auf den Boden. Zugleich saugte der Stinkekasten alle üblen Gerüche aus der Luft und ersetzte sie durch einen zarten Erdbeer-Lavendel-Hauch.

„Was ist nur aus mir geworden?", klagte das Biest. „Ich kann nicht mal mehr ein Kind fressen!"

Ebenezer eilte zu ihm und quetschte einen Armvoll seines klumpigen Fleisches zusammen.

Das Biest wunderte sich. „Was soll das? Willst du mir wehtun?"

„Nein, ich will dich umarmen", sagte Ebenezer. „Aber ich bin leider kein geübter Umarmer."

„Lass es einfach, ja? Mir ist schon elend genug, da musst du mich nicht auch noch foltern."

Ebenezer, dem diese Umarmerei ohnehin nicht geheuer war, entsprach dieser Bitte gern.

Als das Biest Bethany ansah, tropfte die Abscheu nur so aus seinen Augäpfeln.

„Ich hasse dich!", stieß es hervor.

„Ich hasse dich mehr", erwiderte sie.

„Aber warum konnte ich dich dann nicht fressen? Ein kleiner Schnappens-Happens, und du wärst erledigt gewesen. Es ist so weit – ich bin träge und tüdelig geworden."

„Bist du nicht", sagte Ebenezer. „Du bist bloß anders."

„Aber das gefällt mir nicht. Ich hasse mich dafür. Und wie es aussieht, werde ich mich bis in alle Ewigkeit dafür hassen müssen – in einem blöden Laserkäfig am anderen Ende der Welt mit dummen D.O.R.R.i.S-Agenten als Gesellschaft."

Ebenezer und Bethany sahen sich an. Ebenezer hätte das Biest gern bei sich behalten, doch er wusste, was Bethany dazu sagen würde.

„Es sieht ganz danach aus", meinte Ebenezer. „Aber ich werde dich gelegentlich besuchen."

„Nee." Bethany sah es kommen und konnte trotzdem kaum glauben, was sie gleich sagen würde. „Wirst du nicht. Weil das Biest nämlich schön hierbleibt, bei uns zu Hause. Wer weiß, ob es irgendwann nicht doch wieder zum *alten* Biest werden will. Da behalten wir beide es lieber mal im Auge."

„O ja!", rief Ebenezer aufgeregt. „Wir könnten ihm helfen, zu einem besseren Biest zu werden! So wie wir uns gegenseitig helfen, zu besseren Menschen zu werden."

„Ich muss gleich kotzen", sagte das Biest. „Und zwar keine magischen Geschenke."

Ebenezer klatschte in die Hände. Er dachte bereits an die unzähligen guten Taten, die sie zu dritt vollbringen könnten – und an die dazugehörigen Komplimente. Nicht zum letzten Mal musste er sich in Erinnerung rufen, dass es beim Gute-Taten-Tun nicht in erster Linie darum ging.

Biest und Bethany sahen sich an. Und widerwillig fügten sich beide in ihr Schicksal.

„Bringen wir es hinter uns", knurrte das Biest. „Wo fangen wir mit diesem Biestverbesserungsquatsch an?"

Als sie sich in dem völlig zerstörten Süßwarengeschäft umblickten, kam Bethany und Ebenezer dieselbe Antwort in den Sinn: Warum nicht hier?

Ebenezer nickte dem Biest zu. „Könntest du uns ein paar Handbesen und Kehrschaufeln hervorwürgen?"

Abschied und Abflug

D as Biest beschränkte sich nicht auf Handbesen und Kehrschaufeln.

Es verwandelte das Kanu in Glas und das Glas in neue Schaufensterscheiben. Es wies den Briefkasten an, alle Hassbriefe aufzufressen. Ein Fingerwackeln genügte, um aus den roten Spitzmützen und aus den Gartenwerkzeugen der Zwerge weiße Kochmützen und diverse Küchenutensilien zu machen. Ein zweites brachte sie dazu, Miss Muddles schwer beschädigte Süßwarenkunstwerke instand zu setzen.

Und sobald die Putzspinnen die gröbste Unordnung beseitigt hatten, weckte das Biest den jungen Papageien auf – mithilfe eines Frisbees, das ihm einen sanften Klaps verabreichte.

Ebenezer und Bethany hatten Mortimer behutsam aus dem Kanu gehoben, jedoch noch nicht seine Fesseln entfernt. Als sie den erbrochenen Verband abnahmen, kamen darunter frisch nachgewachsene Krallen zum Vorschein.

„Das Biest … das Biest …", murmelte Mortimer mit schwacher, aber immer stärkerer Stimme, je wacher sein Blick wurde. „Das Biest! Ich muss es aufhalten!"

Das Biest schenkte ihm sein schönstes Lächeln. Es war immer noch absolut erschreckend.

„Etliche haben versucht, mich zu töten", sagte es. „Morgana, das große Biest Schurkulus, die trojanische Armee … einmal sogar ein fürchterlich nachtragender Ziegenbock namens Bernard. Aber ich würde sagen, niemand war so nah dran wie du. Wenn ich fragen darf: *Warum* wolltest du mich umbringen?"

„Ich wollte es für Claudette tun", erwiderte Mortimer. „Wie du sie gequält und –"

„Stimmt nicht", mischte sich Bethany ein. „Du wolltest es für dich selbst tun. Aus Angst und Hass. Ich muss es wissen, Mann. Also zieh da nicht Claudette mit rein."

Mortimer wollte sich aufrichten und schaffte es nicht. Er öffnete aber den Schnabel.

„Ein Mucks und ich lasse dich zu einer dünnen Brühe verdampfen!", zischte das Biest. „Ich bin noch nicht so geübt in diesen Dingen … aber ich glaube, ich kann immer noch mehr für Claudette tun als du."

Mit einem Fingerwackeln ließ es ein Frisbee gegen Claudettes Wange fliegen.

Mortimer, der die Papageiendame nun erst entdeckte, bekam feuchte Augen.

„Claudette!", rief er.

„*M-M-Morty?*", stammelte sie.

Claudette versuchte aufzustehen. Das Frisbee riss ihr die Beine weg.

„Sei nicht dumm", sagte das Biest. „Wenn du dich überanstrengst, krepierst du noch. Und das wäre wirklich egoistisch von dir, denn ich habe hier eine Großtat zu vollbringen."

„*Bethany?*", flüsterte Claudette. „*Du lebst ... Habe ich ... Habe ... ich ...?*"

Bethany stürzte zu ihr. „Ja! Du hast mich gerettet! Oder zumindest dabei geholfen."

„Okay, das ist jetzt Unsinn", sagte das Biest. „Ich hätte dich jederzeit in einen Smoothie verwandeln können. Du hattest einfach nur Schwein, dass ausgerechnet heute mein neues Leben begonnen hat."

Bethany und Ebenezer sahen das Biest streng an.

Da verdrehte es seine drei Augen. „Bin schon still. Muss mich sowieso konzentrieren." Es wackelte mit den Fingern. Der Verband, der Mortimers Krallen hatte nachwachsen lassen, flog zu Claudette hinüber und wickelte sich um ihren Kopf. „Irgendwas hat deiner Genesung die ganze Zeit im Weg gestanden", erklärte das Biest. „Und weißt du, *wer?* Ich! Ich habe ein kleines gemeines Quäntchen Biest in dir hinterlassen, um Bethany eins auszuwischen. Wusste doch, wie wichtig du ihr bist."

Als es gehässig gackerte, fing sich das Biest noch einen strengen Blick ein.

Es seufzte übel riechend. „Um dich davon zu befreien, werde ich nun alles Biestige aus deinem Körper und Geist entfernen – alles, was sich seit unserer ersten Begegnung in der Vogelhandlung darin einnisten konnte. Wenn das Verbandszeug mit dem Frühjahrsputz fertig ist, wirst du dich an nichts mehr erinnern, was seitdem geschehen ist."

„Stopp mal", sagte Bethany. „An dem Tag, als ihr euch zum ersten Mal begegnet seid, haben Ebenezer und ich sie doch auch kennengelernt."

„Ist ja faszinierend", erwiderte das Biest. „Hast du noch mehr nutzlose Fakten aus deinem Leben auf Lager?"

Ebenezer schüttelte den Kopf. „Die Frage lautet, ob durch diese Prozedur auch Claudettes Erinnerungen an uns ausgelöscht werden."

„Was denn sonst?" Das Biest stöhnte gelangweilt auf. „Wenn sie gesund werden soll, muss ich natürlich die ganze Zeit wegputzen, die sie und mich verbindet – bis auf den letzten Rest. Sagt mal, seid ihr dumm?"

Bethany und Claudette sahen sich an. Ja, das Biest wollte Claudette helfen – doch wie üblich gab es sein Erbrochenes nicht umsonst.

„Mach sie gesund!", rief Mortimer und stemmte sich wütend gegen seine Fesseln.

„*Und wenn ich das nicht will, wenn ich dadurch unsere Freundschaft vergesse?*", sagte Claudette zu Bethany. „*Es … es gibt kaum jemanden, der mir so wichtig ist wie du.*"

„Das geht mir genauso", antwortete Bethany. Ihre Tränen bemerkte sie erst, als sie dick und nass auf Claudettes Gefieder tropften.

„Ich habe mich wohl verhört!", rief da das Biest. „Ich denke mir hier einen genialen Plan aus … und ihr *wollt* nicht? Dann hätte ich den Vogel ja genauso gut vor Ewigkeiten sterben lassen können."

So weit würde Bethany es nicht kommen lassen. Die liebe Claudette durfte nicht aus der Welt verschwinden – und außerdem gab es im ganzen Wald von Wintloria niemanden sonst, der Mortimer dazu bringen konnte, seinen Zorn in sinnvolle Bahnen zu lenken. Bethany atmete tief ein.

„Tu's. Mach sie gesund, bevor es zu spät ist."

Als das Biest ungeduldig mit den Fingern wackelte, legte das Verbandszeug los. Es wischte alle Erinnerungen an jedes einzelne Gespräch und Tänzchen, an jeden Rundflug und jeden Lachanfall aus Claudettes und Bethanys gemeinsamer Zeit weg. Bethany hielt die Papageiendame in den Armen und konnte zusehen, wie die Liebe in ihrem Blick tiefer Verwirrung wich.

Dann fielen Claudette die Augen zu. An ihrem gerupften Bauch sprossen neue, strahlend schöne Federn. Ihre Flügel richteten sich gerade aus, ihr Schnabel krümmte sich wieder dellenlos. Nach getaner Arbeit glitt das Verbandszeug von ihrem Kopf hinunter und zerfiel zu Staub. Einen Moment später erwachte Claudette, noch immer in Bethanys Armen.

„Was zur … Wo zur …?", stammelte die Papageiendame. Ihre Augen funkelten wie zu ihren besten Zeiten, ihre Stimme bezauberte wie früher. Sie starrte zu Bethany hinauf. „Wer bist du?"

Natürlich hatte Bethany die richtige Entscheidung getroffen. Und trotzdem war es ein schreckliches Gefühl, von ihrer besten Freundin so angesehen zu werden – wie eine Fremde. Vorsichtig setzte sie Claudette auf den Boden und stand auf.

„Ich weiß noch, dass ich zur Vogelhandlung wollte, um ein Abschiedslied für meinen lieben Cousin Patrick zu singen. Da habe ich mich wohl verflogen …" Claudette stellte sich auf ihre Krallenspitzen und kratzte sich mit einem Flügel am Kopf. Als sie Mortimer entdeckte, wuchs ihre Verwirrung noch. „Morty?! Was in aller Welt machst du hier? Und was sollen die komischen Stricke um deine Flügel?"

Sie schnellte zu ihm hinüber und zerschnitt mit einem Krallenhieb seine Fesseln. Sofort breitete Mortimer die Schwingen aus, warf sich auf sie und drückte sie an sich.

„Du tust ja, als hätten wir uns ewig nicht gesehen!", rief Claudette.

„Haben wir auch nicht", flüsterte Mortimer. „Nicht so."

Obwohl sie die Umarmung durchaus zu genießen schien, schüttelte Claudette Mortimers Flügel bald wieder ab. Sie wollte auf keinen Fall unhöflich erscheinen und wandte sich deshalb eilig an Ebenezer und das Biest.

„Herzlichen Dank, dass Sie Morty zu mir gebracht haben. Sie haben ihn wahrscheinlich bei irgendeinem Schabernack ertappt?" Claudettes Blick ruhte kurz auf den schlummernden Partygästen. „So was … Ist es in dieser Gegend üblich, in größeren Gruppen Nickerchen zu halten?"

„Die schlafen sich nur für die Party später aus." Bethany wollte eigentlich superlässig und entspannt rüberkommen, doch aus ihrer Kehle drang ein trockenes Krächzen. „Wenn du willst, feier doch mit."

„Wie freundlich von dir – wir Wintlorschen feiern suuuuupergern!", rief Claudette. „Ich würde nur vorher eine Runde durch die Gegend flattern, um zu gucken, ob wir nicht irgendwo passende Party-Accessoires für Morty und mich auftreiben können. Doch eins nach dem anderen. Ich heiße Claudette. Und du?"

Sie streckte Bethany den Flügel entgegen. Die starrte ihn bloß an. Sie durfte Claudette nicht die Wahrheit sagen, das war ihr klar. Damit hätte sie riskiert, die heilende Wirkung des erbrochenen Verbandszeugs rückgängig zu machen. Außerdem hätte sie ihre frühere Freundschaft sowieso nie in die richtigen Worte fassen können.

Am einfachsten, begriff Bethany, wäre es, wenn sie von jetzt an Fremde waren und blieben.

„Schätzchen?", fragte Claudette freundlich lächelnd. „Ich hab dich was gefragt."

„Ich weiß schon." Bethany wandte sich von ihr ab und

wischte sich mit dem Handrücken über die Augen. „Klar könnt ihr später zur Party kommen. Ich hab nur gerade echt viel zu tun – letzte Vorbereitungen, du weißt schon. Nicht falsch verstehen, aber mir wär's am liebsten, wenn ihr jetzt einfach … abhaut.“

Ein neuer Geist

Als freundliche und lebenserfahrene Papageiendame hatte Claudette natürlich Verständnis dafür, dass es einem schwer auf die Nerven gehen konnte, bei dringenden Partyvorbereitungen andauernd mit Fragen belästigt zu werden. Nachdem sie versprochen hatte, erst zurückzukehren, wenn im Süßwarengeschäft der Bär steppte, flatterte sie mit Mortimer davon.

Ungeduldig, wie es war, wollte das Biest gerade die Bewohner des Stadtviertels aufwecken – da bildete sich im Laden wieder einmal eine Pfütze. Heraus ploppte zunächst Mr Nickle, gefolgt von Hughie, Louie und Stewie, an die sich jeweils zwei bis fünf Papageien klammerten.

„Wo ist Claudette?", fragte Mr Nickle mit lauter Stimme. „Sie hat einen Pfützomaten gestohlen und ist außerdem keineswegs reisefähig."

„Jetzt schon. Ich habe sie geheilt", prahlte das Biest.

Der alte Mann sah es verwundert an. „Deine Stimme … klingt so anders."

„Ist das so? Ach du jemines." Schnell schraubte das Biest das Zischeln herunter und dafür die demütigende Kleinkindsprache herauf. Nicht dass Nickle noch bemerkte, dass sein Geist erwacht war. „Entschuldigens viel-muals, wenn dir meine Stümme nicht mehr ge-wuällt."

Mr Nickle brummte zufrieden. Er hob den zerbrochenen D.O.R.R.i.S-Regenschirm auf und betrachtete die noch immer friedlich schlafenden Partygäste.

„Seltsame Fete", stellte er fest. „Ist hier auch wirklich alles in Ordnung?"

Ebenezer nickte. „Alles bestens. So feiert man heutzutage nun einmal – wussten Sie das nicht? Sie können natürlich gern bleiben und mitmachen."

„Schönen Dank auch, aber lieber nicht. Ich war gerade auf der Fährte des Mars-Schakals, als ich von den drei Dorrisen hier kontaktiert wurde."

Mr Nickle bedachte die drei Agenten, die seine Zeit vergeudet hatten, mit einem vorwurfsvollen Kopfschütteln. Und nachdem er eine Weile in den Taschen gekramt hatte, hielt er Ebenezer einen Notfallknopf hin.

„Dachte mir, Sie sollten doch lieber so einen haben –

man weiß ja nie", sagte er. „Achten Sie bitte nur darauf, dass er nicht wieder Bethany in die Hände fällt."

„Keine Sorge, Runzelmann", erwiderte Bethany. „Von mir hören Sie keinen Pieps mehr. Ich hab eingesehen, dass sich das Biest wirklich geändert hat."

Mr Nickle musterte Bethany, Ebenezer und das Biest mit misstrauisch zusammengekniffenen Augen, so als wüsste er nicht genau, was ihn derart irritierte. Zugleich sprangen die Papageien von Hughie, Louie und Stewie hinunter. Ursprünglich wollten sie nur kurz mitpfützen, um Claudette zu sehen – doch seit von einer Party die Rede war, hatten sie sich stillschweigend darauf geeinigt zu bleiben.

„Das Biest und wir", sagte Ebenezer, „kommen schon zurecht."

„Genau. Wenn wir wollen, kriegen wir alles hin", meinte Bethany. „Wir sind doch ein Team."

„Tschüsselich, Nickle-Wickle!", rief das Biest.

Mr Nickle kniff die Augen noch einmal ganz eng zusammen. Dann zuckte er mit den Schultern und öffnete eine Portalpfütze, worin er und die drei Agenten verschwanden.

„Was für eine Demütigung!", stöhnte das Biest mit extrastark zischelnder Stimme, zum Ausgleich für die dämliche Kleinkindsprache. „Aber ich fürchte, das war nichts gegen das, was mich auf dieser *Party* erwartet …"

Es streckte seine schleimigen Klebhände aus. Bethany fasste es an der einen, Ebenezer an der anderen Hand. Auf Befehl des Biests setzte der Stinkekasten ein Gas frei, das die Partygäste ein klein wenig leichtgläubiger machen würde, als sie ohnehin waren, und die Frisbees klapsten sie wach. Als die Leute sich gähnend aufrichteten, verneigten sich Bethany, Ebenezer und das Biest mehrmals bis zum Boden.

„Danke! Haben Sie vielen Dank!", rief Ebenezer. „Zu freundlich von Ihnen!"

„Herzlichen Dank für Ihr Interesse an unserer kleinen Theaterauf-wührung", sagte das Biest. „Argh! AUFFÜH-RUNG, meine ich. Nicht Auf-wührung."

„Sie haben wirklich ganz toll mitgemacht", fügte Bethany hinzu.

Die drei verbeugten sich erneut – und die Partygäste spendeten Applaus, erstens, weil sie unter dem Einfluss des Leichtgläubigkeitsgases standen, und zweitens, weil sie sowieso keine bessere Idee gehabt hätten. Dr. Barnacle begutachtete staunend ihr Handgelenk, das wieder wie neu war. Die Echsendame wunderte sich über ihren

Schal, der sich nun noch weicher und wohliger um ihren Hals schmiegte.

„Aber Bethany!", rief Miss Muddle streng, während die Gäste schon wieder munter schwatzend durch ihr Geschäft schlenderten. „Du hättest mich ruhig vorwarnen können. Hab ich einen Schreck gekriegt!"

„Ich wollte Ihnen keinen Stress machen", sagte Bethany. „Wo Sie doch sowieso krass viel um die Ohren hatten. Außerdem dachte ich mir, auf einer Überraschungsparty wäre eine richtige Überraschung nicht verkehrt."

„Ääähm … stimmt, so gesehen war das sogar ziemlich lieb von dir." Miss Muddle drehte ihre blauen Haare zu einem Knoten ein. „Und ich muss schon sagen, es war ein echtes Spektakel. 'tschuldigung, dass ich dich angemotzt habe. Und danke für deine Hilfe."

„Kein Ding", meinte Bethany schulterzuckend. „Sie haben ja eigentlich gar keine gebraucht. Sieht wirklich Hammer aus hier."

Miss Muddles Augen leuchteten auf. „Findest du?"

„Aber sicher doch. Übrigens, vorhin hab ich endlich eine Blubbertrompete probiert – echt bombenbombig."

Inzwischen strahlte Miss Muddles ganzes Gesicht – so sehr, dass jeden Moment mit einer Gefühls-Supernova zu rechnen war. Sie flüchtete sich schnell in ihre Gebräustube, konnte die Tür aber erst schließen, nachdem ein Freudenschluchzer zu hören gewesen war.

„Hast du Miss Muddle wieder zum Weinen gebracht?"

Bethany drehte sich um und starrte Geoffrey finster an. „Natürlich nicht, Mann! Das heißt … ja, doch, irgendwie schon. Aber wenn du genau hinhörst, dann –"

Er lehnte sich nach vorn und umarmte sie.

„Hey! Ich bin gegen Umarmungen!", rief Bethany. Sie versuchte allerdings nicht, sich aus Geoffreys Umklammerung zu winden. Überraschenderweise fühlte sie sich darin ganz wohl. „Okay, vielleicht nicht gegen *jede* Umarmung."

„Oh, ähm, Entschuldigung, ich wollte nicht …" Er wich schnell von ihr zurück. „Ich musste nur gerade an eure Theateraufführung eben denken – die war so realistisch. Ich dachte wirklich, das Biestdings frisst dich auf … und da habe ich kapiert, dass ich nicht immer so lange rumdrucksen darf. Ich muss sagen, was ich will, weil man weiß ja nie. Und deshalb … Also ich wollte dich etwas fragen wegen … ähm, äääähm … also die Verfilmung von *Detektei Schildkröt* …"

Geoffrey brach der Schweiß aus. Er tupfte sich die Stirn ab.

„Oh, ähm, weißt du was?", sagte er. „Ist nicht so wichtig."

„Ist es wohl!", rief Bethany. „Jetzt sag endlich!"

Immer stärker schwitzend fummelte Geoffrey an den Knöpfen seines unterdimensionierten Anzugs herum.

„Sag endlich, was du sagen willst, oder du kriegst Würmer in die Nase." Bethany machte ein fieses Gesicht, damit er ja nicht glaubte, sie würde scherzen.

„Kayo", erwiderte Geoffrey. „Nein, *okay. Okay,* wollte ich sagen. Das heißt, nein, eigentlich wollte ich sagen … oder eher fragen … ob wir uns den Film anschauen wollen. Also zusammen, meine ich. So als Verabredung. Oder nicht direkt als Verabredung, aber …"

Inzwischen tropfte Geoffreys Stirnschweiß bis auf den Boden. Er machte insgesamt nicht die beste Figur, doch irgendwie fand Bethany ihn total süß. Bevor sie antwortete, schärfte sie sich ein, bloß auf ihren Tonfall zu achten.

„Na, von mir aus", nölte sie und zuckte zur Sicherheit auch noch gelangweilt mit den Schultern. Als Geoffrey enttäuscht dreinschaute, fügte sie schnell hinzu: „Soll heißen: Ja, gern. Ja, das wäre Hammer."

Da strahlte Geoffrey vor Glück und Bethany strahlte nicht weniger. Im nächsten Moment verdrückte

Geoffrey sich auf die Toilette, weil mittlerweile wahre Schweißsturzbäche über sein Gesicht rannen. Dabei wäre Bethany in diesem Fall eventuell sogar für eine zweite Umarmung zu haben gewesen.

„AHAAAAA! Bethany ist verli-hiiiiiebt, Bethany ist verli-hiiiiiiebt!", trällerte Ebenezer und tanzte auf der Stelle. „Geoffrey und Bethany, verliebt, verlobt, verhei…"

Bethany zerrte ihn am Halstuch nach unten, bis sie sich direkt in die Augen schauten. „Klappe, Blödgesicht! Noch ein Wort und eine Mottenplage wird über deinen Strick-warensalon herfallen. Hey, was grinst du so? Glaub mir, ich weiß genau, wo ich Kleidermotten herkriege."

In Wirklichkeit war Ebenezer den Tränen verflucht nahe – weil Bethany ihn endlich wieder Blödgesicht genannt hatte.

Er blinzelte angestrengt. „Ich freue mich aufrichtig, dass du nicht brutal ermordet wurdest."

„Ja …", sagte Bethany. „Ich bin schon auch irgendwie froh, dass du nicht brutal ermordet wurdest."

Das Biest verdrehte stöhnend die Augen.

„So geht das ab jetzt die ganze Zeit, oder?", sagte es. „Ein endloser Brei aus Kitsch und Gefühlsduselei. Bitte, holt den alten Nickle wieder her. Da war mir der Käfig lieber."

„Ach, komm." Mit einer weiten Armbewegung deutete Ebenezer auf die lächelnden Erwachsenen, die fröhlichen Kinder und die Fruchtgummilangfinger, die sich dazwischen herumdrückten. „Schöner kann es im Käfig doch nicht sein."

Das Biest erschauderte. Es fragte sich, was eigentlich unerträglicher war: die allgegenwärtige Gefühlsduselei? Oder der kleine, wurmkotwinzige Teil seiner selbst, dem diese Zurschaustellung von Glück und Frohsinn tatsächlich gefiel? Wären die anderen Biester noch am Leben gewesen, sie hätten es ohne Zögern verstoßen.

Da flatterten Claudette und Mortimer zur Ladentür herein. Sie gesellten sich sofort zu den übrigen Papageien und gemeinsam unterhielten die Vögel die Partygesellschaft mit einer Aufführung des Patrick-Songs *Picknick im Wirbelwind*. Selbst Mortimer schien fast ein wenig Spaß am Feiern zu haben.

„Dieses grässliche, pampige Kitschgefühl – ist das Freude?", fragte das Biest mit einem weiteren Erschaudern. „Heißt das etwa, ich bin jetzt ein liebes Biestchen?"

Für ungefähr drei Sekunden gelang es Bethany und Ebenezer, keine Miene zu verziehen. Dann lachten sie aus vollem Hals.

„Nee. Nee! Du bist nicht mal nah dran!", rief Bethany

glucksend. „Du hast noch einen weiiiiiten Weg vor dir.
Und das Blödgesicht und ich werden dich auf jedem
Millimeter davon verdammt genau im Auge behalten.
Glaub mir, das wird dich noch komplett wahnsinnig
machen."

DAS ENDE ...
ABER NUR FAST!

(Soll heißen: Wenn du willst, dass es gut ausgeht,
hau lieber sofort ab!)

Die Akte Bethany

Drei Monate später wappnete Geoffrey sich innerlich für seine erste Verabredung-oder-nicht-direkt mit Bethany. Mangels Auswahl steckte er wieder in seinem Sonntagsanzug, auch wenn dieser seit einem Missverständnis mit der Waschmaschine noch enger anlag als zuvor. In einer feuchten Hand hielt er einen Strauß mit den wuseligsten Würmern, die im kahlen Waisenhausgarten aufzutreiben gewesen waren.

„Was schwitzt du so?", schimpfte Timothy Skiffle. „Du machst mir noch Wasserflecken auf meine ganzen Papiere."

„Oh, ähm, tut mir leid", sagte Geoffrey und wischte sich mit den Würmern über die Stirn. „Ich weiß nur, na ja, ähm, ich weiß nur nicht so genau, wie eine Verabredung-oder-nicht-direkt funktioniert."

„Wer hat dich gebeten, deine Lebensgeschichte zu erzählen? Krieg dich endlich ein und sortier die Akten."

Um sich zumindest ein bisschen von der nahenden Verabredung-oder-nicht-direkt abzulenken, versuchte Geoffrey bereits den ganzen Tag, sich im Waisenhaus nützlich zu machen – so nützlich er eben sein konnte. Er hatte schon die Toiletten gesaugt, die Pfannenwender kategorisiert, die streunenden Ratten gefüttert, die Zahnbürsten alphabetisch sortiert und der kleinen Amy Clue sowie ihrer Teddybärin Miss Lillipie ein rührendes Schlaflied gesungen. Und in seiner Verzweiflung half Geoffrey nun sogar Timothy mit seinem Papierkram.

„Dass dieses Biest mir keine ordentliche Aktenablage hervorwürgen wollte!", grummelte Timothy. „Alle schwärmen sie von seinem ach so freundlichen Wesen, doch als *ich* es endlich zum fünfzehnstöckigen Haus geschafft hatte, fand ich dort nur eine extrem unhöfliche und schleimige Kreatur vor."

„Oh, ähm … es wird sich bestimmt bald wieder beruhigen. Oder einigermaßen bald", sagte Geoffrey. „Bethany und Mr Tweezer wollen ihm dabei helfen, zu einem richtigen Wunderbiest zu werden."

„Und was bringt mir das jetzt?" Timothy warf einen Blick auf die Arbeit, die Geoffrey bisher geleistet hatte, und wimmerte selbstmitleidig. „Bitte gib dir doch etwas mehr Mühe! Schau, die Hälfte der Blätter liegt verkehrt herum drin. Wenn ich später noch mal alles selbst machen muss, kannst du dich auch gleich verkrümeln."

„Nein, nein! Bitte, lassen Sie mich helfen!" Geoffrey spähte zu der Wanduhr über dem Schreibtisch hinüber – er könnte erst in frühestens zwei Stunden zu seinem Treffen mit Bethany aufbrechen. Ohne Ablenkung würde er also noch mindestens 120 Minuten lang rumsitzen und Sturzbäche schwitzen müssen. „Ab jetzt achte ich darauf, versprochen."

„Meinetwegen", sagte Timothy und wuchtete einen turmhohen Aktenstapel zu Geoffreys Arbeitsplatz. „Mach damit weiter. Falls auf irgendeinem Dokument Miss Fizzlewicks Unterschrift fehlt, reich es mir rüber."

Ungefähr zehn Akten lang wirkte die Ablenkung verhältnismäßig gut. Dann schlichen sich allmählich wieder Sorgen und Zweifel in Geoffreys Gedanken.

Geoffrey verbrachte sein ganzes Leben in permanenter Anspannung, doch an diesem Nachmittag steigerte sich diese weit über das gewohnte Maß. So vieles – wirklich enorm vieles – konnte schiefgehen. Was, wenn Bethany jeden Moment anrief und die Verabredung-oder-nicht-direkt absagte? Oder wenn sie *nicht* absagte, die Vorstellung aber ausverkauft war, das Popcorn vergiftet oder das Kinopersonal arrogant und von oben herab? Was, wenn

sich der Film als herbe Enttäuschung entpuppen würde –
als übler Verrat an der wahren Aussage von *Detektei
Schildkröt*? Oder schlimmer noch: Was, wenn Bethany
und er sich genau darüber nicht einig wären? Eine solche
Meinungsverschiedenheit könnte ihrer Freundschaft den
Todesstoß versetzen. Womöglich würde Bethany sich hinterher nicht nur weigern, mit ihm auf eine zweite Verabredung-oder-nicht-direkt zu gehen. Womöglich würde sie
ihn nie mehr sehen wollen …

„Was sollen die Würmer in der Akte?!", schnauzte
Timothy ihn an. „Würmer kann man schlecht archivieren."

„Oh, ähm … tut mir sehr leid, ich habe mich in der
Hand geirrt." Geoffrey entschuldigte sich bei jedem
Wurm einzeln und steckte sie wieder in den Strauß. „Ab
jetzt passe ich besser auf, versprochen."

Er griff zur nächsten Akte, so gut wie sicher, dass er sein
Wort brechen und gedanklich doch wieder zu der Verabredung-oder-nicht-direkt abdriften würde. Aber diese eine
Akte erwies sich als überraschend interessant. Rein zufällig handelte sie nämlich von Bethany.

Mit schlechtem Gewissen blätterte Geoffrey sie durch.
Was er tat, war doch kaum besser, als in einem fremden
Tagebuch herumzuschnüffeln. Er wollte die Akte schon
auf den Stapel neben Timothy legen, da zögerte er.

Mehrere Bilder des schnurrbärtigen Mannes, der schnurrbartlosen Frau und der stirnrunzelnden Baby-Bethany waren herausgefallen. Es waren Fotos aus aller Welt, auf denen ein Baby zu sehen war, das den Neid praktisch aller anderen Säuglinge auf sich gezogen hätte. Baby-Bethany lebte in unsagbarem, unerbittlichem Luxus – selbst ihre Rassel im Steinschleuderdesign war mit Diamanten und Perlen besetzt. Die kleine Bethany selbst blickte auf allen Bildern mehr oder weniger gleich drein, doch an den Gesichtern des schnurrbärtigen Mannes und der schnurrbartlosen Frau war irgendetwas anders als auf dem Strand-Schnappschuss, den Bethany immer mit sich herumtrug. Auch wenn Geoffrey nicht in Worte hätte fassen können, was genau es war.

Seine Schuldgefühle jedoch hatten sich gelegt, vielmehr war er beinahe stolz, dass ihm Bethanys Akte in die Hände gefallen war. Er dachte darüber nach, sie zur Verabredung-oder-nicht-direkt mitzunehmen. Vielleicht wäre das ein noch besseres Geschenk als ein Strauß Würmer?

Als er beim Blättern auf einen Abschnitt über Bethanys Eltern stieß, musste Geoffrey schlucken. Er rechnete mit einem tragischen, von Flammen durchzüngelten Bericht. Doch nachdem er den Text einmal und gleich noch einmal gelesen hatte, riss er verblüfft die Augen auf.

Dann verwandelte sich seine Verblüffung in Furcht.

„O nein", flüsterte Geoffrey. „O nein! Bethany, es tut mir so leid …"

„Du sollst die Akten sortieren, nicht mit ihnen sprechen!", herrschte Timothy ihn an. „Gib her. Wenn dir die da zu kompliziert ist, übernehme ich sie."

„Nein!" Geoffrey ließ die Akte absichtlich hinunterfallen, kauerte sich auf den Boden – und schob alles, was mit Bethanys Eltern zu tun hatte, hinten in seinen Hosenbund. „Bitte schön. Das wär's", sagte er und stand wieder auf. „Ich bin fertig."

Passenderweise zeigte die Wanduhr gerade an, dass es Zeit zu gehen war. Geoffrey verabschiedete sich mit ein paar gemurmelten Worten von Timothy und eilte aus dem Büro hinaus. Seine Gedanken kreisten nur noch um eine Frage: Was sollte er bloß mit dem entsetzlichen Wissen anfangen, das sich nun in seinem Kopf eingenistet hatte?

In Sachen Schwarzmalerei machte Geoffrey niemand etwas vor. Er hatte sich Tausende Varianten ausgedacht, wie und warum seine Verabredung-oder-nicht-direkt fürchterlich schiefgehen könnte. Doch dass dabei womöglich Bethanys Eltern eine Rolle spielen würden, darauf wäre er nie gekommen.

Jack Meggitt-Phillips ist ein vielversprechendes literarisches Talent. Er ist nicht nur Romanautor, sondern auch Drehbuchautor und Dramatiker. Seine Werke wurden bereits in London aufgeführt und im Radio vorgestellt. Außerdem schreibt er eifrig Skripts für seinen eigenen Podcast. Jack hält sich selbst für einen überaus talentierten Tänzer, wobei seine Begeisterung sein eigentliches Talent bei Weitem übersteigt. Er lebt im Norden Londons, wo er die meiste Zeit damit verbringt, Tee zu trinken und Romane zu lesen.

Isabelle Follath lebt in Zürich und hat schon in der Werbung, im Verlagswesen und für Modemagazine gearbeitet. Ihre wahre Leidenschaft gilt aber dem Illustrieren von Kinderbüchern. Sie liebt es, jede Menge Kaffee zu trinken, neue DIY-Tricks auszuprobieren und ist noch immer auf der Suche nach dem perfekten grüngoldenen Farbton.

BIEST & BETHANY

Biest & Bethany (Band 1)
Nicht zu zähmen –
Eine ungeheuerliche Freundschaft
ISBN 978-3-7432-1081-3

Biest & Bethany (Band 2)
Ein gefundenes Fressen –
Hungriger als je zuvor
ISBN 978-3-7432-1082-0

Under the
Olive Tree

I would like to dedicate this book to my mamá, the woman who, though only 4ft 9in, after a hard day's work, on a dark, stormy night and with the rain coming up above her knees, carried me along Leoforos Alexandras in Athens on the way to the doctor and back. I was eight years old. She was my heroine then, and this will never change.

Under the Olive Tree

Recipes from my Greek Kitchen

Irini Tzortzoglou

Photography by David Loftus

CONTENTS

Introduction

Everyday

Entertaining

Further Notes

This book is a collection of recipes using
my favourite Greek ingredients and cooking
methods, to be enjoyed by the curious, ambitious
and playful 21st-century cook. I hope you find
inspiration in all the chapters that follow.

This is Greek food as I enjoy it today, with
its flavours deeply rooted in the food of my
grandparents but with a feel and look that appeals
equally to me and to younger family members.

Use the recipes in the first half of the book for
a quick meal during the week, and try those in
the second half for weekend entertaining and
special occasions. Whatever you cook, however,
make sure you infuse it with lots of love and
serve it with abundance. Everyone will
love your food, and you for it!

Introduction

The idea for this book was born while I was taking part in *MasterChef UK 2019*. I began writing about memories associated with food, recording small and big disasters as well as small and big successes, and I found myself being reminded powerfully of my childhood in Crete: my grandmother's busy household, and our small home, poor but always full of people, as well as life in the outdoors.

I realised how much I had been missing my childhood connection with food. So many of us today buy in bulk from supermarkets, cooking and even eating without much thought. We hardly ever share meals with other people, unless we plan well in advance. What happened to the joy of cooking and eating that I had known as a child?

When I was preparing food in the kitchen of our home in Cartmel, in Cumbria, I realised how fortunate I had been to experience those aspects of food and eating, in childhood but also every time I went back home to Crete as an adult. The fresh produce I found there would be different each time, and on each trip I would discover yet another little artisan food shop or village taverna.

I decided I would reclaim some of the joy associated with food preparation and presentation and that I would share this in a book. We all yearn for better, fresher ingredients, for a responsible attitude to what nature gives us and to what we grow or produce. And we want to have fun with our cooking and to enjoy treating others to our food.

I also rediscovered the joy that can come from offering hospitality, a quality which is ingrained in Greeks and one that surrounded me as I was growing up. Cooking for others on *MasterChef* gave me a sense of pride and pleasure that I imagine my mother (and her mother before her) must have felt when cooking for visitors.

It is an extension of this feeling that is the sentiment behind this book. I want to share everything I know and love about Greek food, which has not been widely explored yet. I know it is impossible in just one book to cover the food of the whole country and how it has been influenced by climate, land and history, but I hope to give a broad idea of the kind of food I am most familiar with and have always loved eating.

My life journey began in the tiny village of Ano Akria, in Crete. When I was born the population was probably about thirty-five and, if anything, it is now even less, as young people desert the villages for provincial towns, such as Heraklion. Farming can no longer support large families in small villages, and in Crete, as in many other regions, the development of the tourist industry means that many jobs are now in coastal resorts.

Family history had it that my great-great-grandfather on my father's side was an Irish civil engineer called George, who travelled to Asia Minor (latter-day Turkey) in the nineteenth century to work on infrastructure projects. His surname is lost in the mists of time, but he was said to have married a local Greek lady and their male offspring became known as the sons of George or 'George-oglou', which we transliterate today into Tzortzoglou. I recently discovered, through a DNA test, that there is no blood link to suggest the story is true. It is a great shame, as I thought it was quite romantic! Still, I discovered that I have 32% Italian lineage and I find that terribly exciting, as I've always loved anything associated with Italy. As for my paternal grand-parents, they arrived in Crete and were given a home in Ano Akria in 1922, when large numbers of Greeks were expelled from Turkey. My mother's family, who lived two kilometres away in Atsipades, were well-respected local farmers, and when my father took a fancy to her, tensions ran high. The pair eloped and married, eventually returning to the village to make a home.

In the late 1950s, when I was born, thirty-five years had passed since the Tzortzoglou family had arrived in Ano Akria, but in many ways little had changed. The lifestyle was basic, so a Cretan village like ours was an unlikely starting point for a future *MasterChef* winner. We did not have sophisticated, stylish food (never mind needing tweezers to add edible flowers), although the diners were probably just as much critical judges of what they were served as John Torode and Gregg Wallace are today.

I think there is a big misconception about the qualifications you need to appreciate good food. People who work the land – tending fruit, vegetables, olives and grapes on a daily basis – know the difference between 'not-quite-ripe', 'perfectly-ripe' and 'ever-so-slightly-over-ripe'. My brother Yiorgos, who works a smallholding, will sometimes go out in the morning to gather tomatoes for a lunchtime salad only to return without them because they need a few more hours in the sun. And I would not dare to tell my uncle Minas that he had left his cucumbers a day too long before picking them! These people may not eat in sophisticated establishments, but they appreciate a well-cooked meal and the need for quality ingredients as well as any big-city restaurateur.

So, in Ano Akria, we had the fundamentals. Our food was fresh, often gathered just before being put on the plate. The Cretan climate gave our fruit and vegetables an intensity of flavour that I have never known anywhere else. We had olive oil, so pure that it could be drunk. We were organic without knowing that there was an alternative. The building blocks were there. How fortunate I was!

Pappoús Plevris, tending his hundred beehives.

Yiayia Irini, serving guests as usual.

My brother Yiorgos has always grown his own food.

My brother Vassilis – he loves foraging.

Yiayia Stavroula, about to share her freshly made cheese.

My father, Orestis, the bon viveur who taught me the value of good ingredients.

My father was a social animal. He loved to entertain friends (and strangers!), wining and dining until the small hours while making music on his *bouzouki*. In those days, every farming family in Crete would grow olives and grapes, so we had our own supplies, which my father would draw on liberally when we had visitors. And my mother's family house in Atsipades, where I would also spend many hours, was no different, although for other reasons. My mother was one of seven, so feeding the family was a large-scale enterprise and the production line was in constant action. Her father, my grandfather, was the village priest, so there was also a regular stream of needy visitors, none of whom left hungry. I have vivid memories of waking up to the aromas of my grandmother's cooking and going to sleep to the sounds of eating and drinking. I was always drawn to the kitchen, where my mother or grandmother would be creating wholesome and healthy meals from whatever was available.

The Cretan climate consists of long hot summers and short mild winters. Even in winter, meals would involve fresh ingredients. Cauliflower, cabbage, beetroot and spinach would be in season, while pulses (lentils, chickpeas and various types of beans) would also be available. My mother would make pies; barley and wheat were grown locally and my grandfather, who was also the village mill-owner, would mill the grain to produce flour. Local farmers would bring their harvest to his mill, where he would process it for a fee, and this mill also doubled as an olive press!

Olives are believed to have been grown in Greece since 4,000 BC. The olive harvest each year was a gruelling task, and everyone would take part. Pieces of cloth would be spread around the trees and the branches would be shaken until the ripe olives dropped to the ground, together with leaves and twigs, which had to be separated by hand. The olives would be transferred into hessian sacks, which were loaded on to a donkey cart and taken to the village oil press. On a cold, wet winter's day, gathering up the olives by hand was back-breaking, while a large sack of olives seemed to weigh a tonne. There were times when I wished I need never see another olive!

By the end of February, the olives would all have been harvested, and the oil decanted into huge *pytharia* (ceramic pots), which sat in our storehouse with equally large *pytharia* containing wine, flour, vinegar, pork in aspic and those olives which had been set aside for eating.

Baking was another community activity. Our small house in Ano Akria did not have a wood-fired oven, but a relative of ours who ran the *kafeneion* had one which was available for communal baking. My mother and the other housewives would prepare the dough at home and take it to the oven to be baked. Most of them would bake more than was needed for immediate consumption because the oven was only fired up once a week or so.

Of course, in spring and summer we had plenty of fresh fruit and vegetables. March would bring wild asparagus and greens, followed in April by spring onions, courgettes, artichokes and broad beans. By May, fruit would appear – apricots, cherries, early melons, strawberries, early figs and medlars. And for the rest of the summer there was very little that wasn't available. However, for a Mediterranean island with a coastline dotted with fishing villages, there was very little fish in our diet. We almost never went to the coast and I can only think that there was little incentive for fishermen and fishmongers to bring their catch inland. What fish we did eat was invariably in the winter and was usually *bakaliaros* (salted cod). I had to wait until later in life to discover the joys of fresh fish!

When I was eight, my family moved to Athens, primarily because my father believed he could provide a better standard of living for us there. Athens was experiencing a population influx from all over the country, as people made their way to what they hoped would be a prosperous future. Of course, this is hardly a uniquely Greek phenomenon – for millennia the lure of the big city has proved as irresistible as it has often been disappointing for the majority of immigrants. My father found work as the caretaker of an apartment building in the Plaka area of Athens, a maze of small, winding streets in the shadow of the Acropolis. My school was close by, and for the first time I came into contact with children from all over Greece. The contrast with Crete could not have been greater! The pupils at my school in Ano Akria had all been local to the village or the immediately surrounding area, but at my new school there were girls from all over the country.

My fellow pupils and I would visit each other's homes all the time. The domestic activities were always the same: meals were being prepared by the housewife/mother in anticipation of the return from work of the husband/father. But visiting the homes of my friends was an eye-opening experience as far as the food was concerned. There were some similarities with the food I had grown up with in Crete, but there were also a lot of differences, and I soon realised that if I was invited, for example, to the home of my friend from Epirus, I might be treated to one of the many different varieties of *pítes* (pies) for which the region is rightly renowned. Zoe's mum made the best filo I have ever eaten anywhere! I loved learning about the different ingredients (often brought from a 'home village') and culinary techniques that would be used, but it is only with hindsight that I realise how important those memories became when my interest in the food of my homeland was reignited.

Athens was very different in other ways too. At home in Crete, if my mother was making a salad she would send me into the garden for tomatoes, cucumbers and onions. In Athens, all produce had to be bought. The central market was a wonderful place – the range of produce was far wider than we had in Crete, and there were also exotic ingredients imported from overseas. But although the fruit and vegetables were mainly trucked in from the farming areas of the Attiki region, in which Athens sits, they seemed to me to lack the genuine freshness that I was used to at home. That focus has never left me, and still today I would rather have a simple dish with vegetables just gathered from a local allotment than a sophisticated dish using ingredients from

Uncle Yiorgos, the chef (with whom I have spent many an hour discussing food).

Cousin Rouda and me, sharing grapes.

Yiayia Stavroula and me – I will never forget her chips, cooked over the olive wood fire.

My step-grandchildren, Noah and Ava, beating cream with great gusto.

A very special day on the very special Spinalonga island.

the local supermarket. Where I live in Cumbria, we are just five minutes' walk from the farm where Simon Rogan, who has two Michelin-starred restaurants in our local village of Cartmel, grows as much produce as he possibly can to meet the demands of his exceptional menus. Other restaurants do the same, and I applaud them.

Living in the apartment block that my father managed was a stylish and elegant lady whom I knew as Mrs Mirka. She gave frequent dinner parties, where I would sometimes help out, and through her I came to realise for the first time how important initial impressions are. The table would be laid with the best bone china and the silver cutlery would gleam. Wine and water glasses would be polished endlessly. And when the food was served, the presentation was all-important. Looking back, I have no doubt about how important the food education I received courtesy of Mrs Mirka was when I took part in *MasterChef*.

Sadly, my father died at a cruelly young age while we were living in Athens, and my mother was left with no choice but to return with her children to Crete. By then, however, I had realised how much more to life there was than what Crete could offer me. I love my home island and would gladly spend much more time there than I am able to at the moment. But then, as now, it presented limited opportunities.

In 1980 I married my first husband, Ian, and moved to England with him. I was determined to be a good wife and set about ensuring that he had a three-course meal every evening. It didn't take long before he was complaining, good-naturedly, that he was putting on weight as a result! Fortunately, this coincided with my finding work at the London branch of the National Bank of Greece, so the time (and energy) I had available for cooking was suddenly much more limited. We were both working long hours and I lost touch with my passion for food. At the end of the working day we would eat something quick, bought from a supermarket on the way home. Weekends were a bit better, but socialising often meant eating out. Of course, it was possible to eat very well in London at West End restaurants, but these were beyond the reach of all but the wealthy. Gastropubs had not yet arrived, and small local restaurants all seemed to have much the same unambitious menu. Sourcing truly fresh ingredients for home cooking was all but impossible, and, in any case, work usually left me without any enthusiasm for the kitchen. So, for a while, my passion for food lay dormant.

Everything changed when, with my second husband, John, I moved to Cartmel. We live in a hamlet outside the village, and when I open my bedroom curtains each morning I see green fields through which a beck runs, where sheep and cows wander; I can see the mountains of the Lake District in the distance, and if the wind is in a certain direction, I'm reminded that I live in a farming community. In many ways it is as different as it could be from the dry, rocky Cretan landscape of my youth. But so many of the fundamentals are the same: the closeness to nature; the freshness of the air when I open the window; the availability locally of good quality ingredients; and a great group of friends, who appreciate eating and drinking well.

Even so, I had been living here for eight years before I took the plunge and applied for *MasterChef*. The culinary scene in Cumbria is remarkable considering it is such a sparsely populated area, and during our early years here we visited most, if not all, of the foodie destinations. Life was treating me well, I felt at home in the village environment and I was starting to cook again, but on a more fundamental level I was feeling increasingly unfulfilled. So when John, sensing this, suggested I consider entering the competition, I realised that the time was right. I was soon to turn sixty, and there was an element of 'now or never' motivating me. Although I had no real idea how things would turn out, I knew intuitively that it would be an interesting journey!

It's in my character to throw myself wholeheartedly into anything I have a passion for, and so it proved with *MasterChef*. The detailed story will have to wait for another time (or another book!), but suffice it to say that I amazed myself. From the very first task, I felt completely at home, and as I progressed, my motivation to learn, improve and demonstrate my cultural heritage only increased. Of course, at times the contestants are given no choice as to the food they are required to cook. But, whenever possible, I would add a Greek flourish. I'm very proud of my heritage (Cretan first and Greek second, or is it the other way round?) and, although I love my adopted country, at heart I am a girl from Ano Akria with enduring memories created by the very best home cooking.

In this book my aim is to help you enjoy some of the dishes that created these memories. Some are almost as I recall them from my childhood, while others have been augmented with personal touches that I feel add flavour, texture and vibrancy. Some are simple and quick, others take more time and are more complex. Some are best suited to a casual lunch, while others could grace a more formal dinner. All come from the heart and have been created with love.

I sincerely hope that, whether it is a quick salad to enjoy by yourself, a big feast from the everyday menu to share with family and friends, or a more sophisticated three-course meal from the dinner party section to challenge your cooking abilities and impress with, you will have fun preparing and cooking these recipes and will feel proud serving and sharing your creations. It has taken me many years, and the culinary path is long and winding, but nothing would make me happier than knowing we are walking down it together!

How to use this book

The book has evolved hugely from when I first submitted my idea to the publishers. I am so grateful that Headline have allowed me the freedom to let the book grow, to contain much more information and many more ideas than was originally intended.

To prevent any apprehension you may feel as you look through the recipes, or come across unfamiliar ingredients, rest assured that I don't abide by rules much myself, and would not want you to feel bound by them either. The more you experiment and play with my recipes, the happier I will be, particularly if you are thrilled with the results, stumble upon some gems and share them with me on social media. I believe that even the most accomplished, talented cooks, critics and writers can always learn, and I would love to learn from your experiences.

The recipes are divided into sections, as a general guide to where I see the dishes sitting best in the Greek eating calendar or for a particular occasion. Again, please don't feel restricted by anything. *Peinirli* is just as delicious as part of a special afternoon tea or a picnic as it is for a weekend family breakfast. And you might choose to make the *masticha* cream one day when you return from work, needing to relax and feel good in yourself by creating something new. I make the vanilla *koulourakia*, a traditional Easter treat, throughout the year, to have with my coffee or to take when visiting friends.

When it comes to ingredients, I hope you find the ingredient and larder sections (pages 27 and 35) useful. It may be natural for me to use produce I am familiar with, that I feel works best, but this doesn't mean the recipe won't work with other ingredients. In fact, I often suggest substitutes where I think you may not be able to source the ingredients listed, and I love the idea of you making your own substitutions, as I often do when I cook from other people's recipes.

The tools and gadgets section (page 37) lists some of the things I find useful in both my everyday and my more fancy meals, but this doesn't mean you can't use different tools or methods. We all have our tried and tested ways of doing things, and there is no reason to change unless you find fun in the new.

I hope that apart from trying my recipes, you will also want to re-acquaint yourselves with Greek wine and try the ones that have been paired with some of the dishes by award-winning sommelier Terry Kandylis (see page 300).

In the dinner party section of the book, I thought I would share with you a few recipes that I have developed from classics that will stand up well to the grandest occasion. Again, please don't let anything intimidate you. Be prepared to take elements of my recipes and use them to create your own dishes. I find doing this hugely satisfying, as it stretches me as a cook and I sometimes hit on great new winning combinations.

Finally, I would like to share with you my favourite and the most useful among my many cookery books: if you never buy another cookery book in your life, try to get hold of both *The Flavour Thesaurus*, by Niki Segnit, and *Culinary Artistry*, by Andrew Dornenburg and Karen Page. These are the most comprehensive and easy manuals I know. They help me put flavours together and give me the confidence to try new things. They are a permanent feature on my kitchen worktop and I refer to them at least once a day.

How Greeks cook their food

The popular perception of Greek food seems to be that there are only two or three dishes – the ones that people always mention when they're talking about their Greek island holiday. So I thought it might interest you to have a quick tour of the wider aspects of Greek cuisine and cooking methods.

Giachnera, giachnista or achnista

A quick method of cooking casserole dishes, where the ingredients are cooked by the steam that is generated, helping to preserve more texture and flavour than with other, lengthier cooking processes.

Kokkinista

From the word *kokkino*, which means red. A whole range of dishes cooked with tomatoes, which give them a red colour – these can be meat, fish or vegetable dishes, usually in the form of a stovetop casserole, although they could also be cooked in the oven.

Ladera

These are dishes cooked with olive oil as opposed to animal fat, and are therefore suitable for the many fasting days of the Greek Orthodox calendar, most of which are non-meat and non-dairy days. It's fortunate therefore, that Greece produces so many pulses, grains, seeds, nuts, fruits and vegetables, that, not only do we not go hungry, but anyone who has seen a spread on Ash Monday will have their idea of fasting seriously challenged. One popular type of dish, which comes in almost as many variations as people's imaginations can create, is called *gemista*. This consists either of vegetables stuffed with all sorts of ingredients and cooked in a stovetop casserole or in the oven, or even eaten raw, or of leaves – vine, cabbage, lettuce – wrapped around a stuffing (for example, stuffed vine leaves, or *dolmades*).

Ofta

The Greek barbecue, a popular cooking method throughout the country and the one that many claim is the tastiest for cooking lamb or young goat. Crete is famous for its *ofta*, and in particular the *antikrysto*, where whole lambs or goats are cooked not over coal but vertically around open flames from burning olive branches. I have always been amused by the thought that in the olden days shepherds would steal someone else's animal (*kleftiko*), prepare it, chop it, add lemon, oil, season it, stuff the tripe, then put it into a hole in the ground, lighting a fire above it to warm themselves while waiting for the meat to cook, sometimes sharing a raki or two with the passing victim.

Pites

Every region of Greece has its variations, with endless ways to make pastry and fillings from just about everything under the sun. Epirus has traditionally held the name for making the best *choriatiko* filo pastry, and therefore the best *pites*. Fillings can be savoury and can include anything from meat, vegetables, onions and cheese, to pulses, or sweet, made with fruit, dairy and nuts.

Politiki kouzina

A range of dishes courtesy of the Greeks originating in 'Poli', short for Konstantinoupoli – today's Istanbul. *Politiki kouzina* is much more than just recipes. It represents a philosophy for daily life around sourcing and preparing ingredients, eating and entertaining. It is a rich cuisine and contains much fish, seafood and spices.

Psita

These are oven-baked dishes, usually comprising of meat accompanied by potatoes or other vegetables. They can be cooked dry, with olive oil and lemon or tomato. When my mother used to light the wood-burning oven for a family gathering, to please the different preferences, one *tapsi* (a big round oven tin) would be filled with *kokkinisto* lamb and the other with *lemonato* (with lemon, olive oil and herbs).

Sweet treats

When it comes to sweet treats, the offering is just as varied and has been influenced both by what is naturally available and by ingredients introduced from other countries. Whether it is baked syruped filo-based desserts from the East, cream-based desserts from France, warm climate-driven cold desserts, surplus-produce-driven spoon sweets, Greeks love their sweet things, to enjoy by them-selves, share with friends or take when visiting.

Tsigarista

The closest translation of this would be 'sauté'. The word comes from the sound that something makes when dropped into hot oil, and it means to cook in hot oil quickly, to seal in the flavours. The simplicity of this cooking method means it relies heavily for flavour on the quality of the main ingredient. In Crete, young *tsigariasto* goat is a delicacy, and when wild greens are cooked this way, with only some chopped onion, they make a fantastic filling for pan-fried little pies.

Vrasta

The word means boiled, and a favourite feast dish in Crete is boiled goat, served with a risotto cooked in the resulting stock. The goat is served with plenty of lemon juice and, as is common in western Crete, then doused with *staka*, the fat creamed from the top of the milk. Boiling is also a common treatment for a group of wild greens that we serve simply with olive oil and plenty of lemon juice, feeling very self-righteous while eating them because of the 'blood-cleansing' qualities of the greens and the lemon. The best time to enjoy wild greens is January, when the combination of rain and sun helps them burst out of the ground. There is a particular wild green in Crete called *askolymbros*, a delicacy cooked with lamb in an egg and lemon sauce. This totally uninviting but delicious vegetable looks a bit like a thorny bush, and I have many unhappy memories of stripping the thorns when preparing it for the pan. Another group of wild greens is *giachnera*, which are used to fill small pies that are then shallow-fried.

Greek ingredients

There are products that define Greek culture and Greek food. Some of them may be a little unfamiliar, but please do embrace them if you can. Experiment with them, since in many cases they have been used since ancient times and with very good reason – if not for their flavour, texture or aroma, then for their nutritional value. I realise, however, that you may wish to cook something in the Greek style but using more familiar or easily available ingredients, so I've suggested alternatives where possible.

Apaki and other preserved meat and fish (known as *pastá*)

There are many types of preserved meat and fish in Greece, but some of our favourites are *apaki* (cured and smoked lean pork with Cretan mountain herbs, see page 233) and Cretan sausage (smoked), made from pork meat and vinegar (see page 64), while salted cod and herrings make excellent *meze* dishes for raki (*tsikoudia* in Crete) or ouzo.

Accents are important in the Greek language, as they can totally change the meaning of a word. The word *pásta*, for example, does not mean a flour-based product, such as spaghetti, but a layered cake, which is often bought by the slice in the pâtisserie.

Bottarga (*avgotaraho*)

A product of the Mediterranean, bottarga is the cured roe of the grey mullet. The Trikalinos brand of bottarga (see page 306) has been made in western Greece since 1856. I love its salty, umami flavour and use it to accompany seafood dishes and canapés, in both its raw and powder form.

Capers

Capers are one of those wonderful free things abundant in the Greek countryside. There is a plant growing out of the wall of a house in our village, and the flowers and fruit are gorgeous to see. I use both the berries and the leaves for pickling. They add liveliness and zing to lots of salads and other dishes.

Carob flour

Carob flour looks a lot like cocoa powder, and during and after the Second World War it was used for making a chocolate substitute, as it still is to this day. Carob flour is also used as a natural sweetener in baking, and is gluten-free, low in fat and high in fibre and calcium. Greek bakeries sell biscuits and crispbreads made from it.

Dakos

When women in Crete baked bread, they would make 7–10 loaves at a time and would put chunks of it back into the warm oven to bake slowly overnight and crisp up. These *dakos* would then be stored in large covered tubs and would feed us for weeks. The rest of Greece have come to love *dakos*, which are usually made with barley but sometimes with wheat flour, and you will often see them featuring in salads, either whole or crumbled, soaking up the delicious juices (see page 97).

Dried fruit

The vine produces the most widely consumed dried fruit in Greek cuisine, followed closely by dried figs. Sultanas, raisins and currants are used in baking, sometimes soaked in Metaxa brandy or just in warm water to plump them up and bring out their flavours and sugars. I like using them instead of sugar in chutneys and sauces, and I often sprinkle them in salads, as I do finely chopped dried figs. Dates and prunes are also used, but not as widely.

Fava and other legumes

Greek fava, although a branch of the same family, is different from the yellow split peas used in Indian and other cuisines. It cooks differently, has a different flavour, and is best obtained from Greek food stores. As fava is high in protein and low in fat, it should be a staple in anyone's larder, particularly if they are vegetarian or vegan. I like blending it to a smooth purée and using it as an accompaniment to a vegetable *stifado* or *briam* (see page 270), but traditionally in Greece you would find it as a dish on its own or as an accompaniment to grilled or braised octopus.

Similarly, lentils or *faki* or *fakes* (Greek lentils are brown) are rich in iron and make a nutritious, hearty soup. *Gigantes* beans are larger than the ones we see in supermarkets outside Greece (see page 133).

Filo (also *choriatiko filo* and *kataifi*)

Filo is a generic term for any rolled-out pastry. Filo is also used in Turkish and Middle Eastern cuisine and is easy to find, as most supermarkets stock it. What is a little harder to obtain is the thicker version, called *choriatiko* (meaning village or country), which is better for savoury pies as it is less crumbly and has more substance.

Another type of filo, one that Greece inherited from the Middle East via Turkey, is *kataifi* ('angel hair' or 'shredded wheat' pastry, as it is often called). It is mainly used in pâtisserie for syrup desserts, the most famous of which is called by the same name, the other popular variety being known as *kiounefe*.

Fleur de sel

But this is French, I hear you cry! Well, the term may be used to describe the fine flakes of salt that form on rocks after seawater evaporates, but mine come from the island of Kythira. Sometimes, as for example on butter, crispbreads, cheese biscuits or crispy chicken skin, only *fleur de sel* will do. It offers just the right amount of salt, adds texture and looks pretty.

Flower water (orange blossom and rose)

This is a great way to incorporate the beautiful aroma of orange blooms and rose petals into creams, biscuits and syrups. A little goes a long way, so use it sparingly.

Frygania (French toast or dry breadcrumbs)

Instead of panko or fresh crumbs, Greeks have always used *frygania*. It makes an excellent topping for crunch and colour on baked dishes like *moussaka* and *pastitsio*, and for coating fritters before frying. It is also used in pâtisserie to enrich and bind nuts and other fillings, and is sometimes used instead of flour to make cakes (see the walnut and chocolate ganache cake, page 178).

Grains

Cultivated since ancient times, grains have always played an essential part in Greek cuisine. Greeks love their pasta, as well as bread, biscuits, cakes and anything at all that can be made with wheat, barley, maize and other grains. More recently, a movement for less gluten has led to the rising cultivation and use of grains such as buckwheat and spelt. A popular by-product of wheat, combined with milk, is *trahanas*. I love the Cretan version (*xinochontros*), which is cracked wheat cooked in soured milk and put out to dry in the sun, and I use it to make a soup (see page 119).

Greek cheese (feta, *graviera, kefalotyri, manouri,* Mastelo)

Feta is now familiar to many people around the world. An essential component of Greek salad and *spanakopita* (spinach pie), its uses have been explored and elevated by many chefs, and it has been made into a cream or even a foam. Other cheeses like *kefalotyri* and *graviera*, are used for well-loved Greek dishes like cheese *saganaki*, while *manouri* and Mastelo are great toasted and used in salads. All these and more, as well as the delicious fresh cheese called *mizithra*, listed separately on page 30, are now available to buy in the UK.

Greek coffee (or 'that Greek muck', as often referred to by ex-friends!)

Coffee culture was introduced to Greece by the occupying Ottomans, and the drink was, until recently, referred to as Turkish coffee, although its origins are in Arabia and it is Arabica coffee beans, lightly roasted and ground to a dust, that are used in its preparation. The utensil used is called a *briki*, and the coffee is slowly heated over a gas flame (in Arabia it would have been made over heated sand), then poured into a small cup with or without sugar. When ordering you need to define the sweetness level, and over the years, I have moved from *glykos* (sweet) to *metrios* (medium sweet) to *me oligi* (with a little) to *sketos* (without). Remember to sip the coffee slowly and not to drain the cup, as you will end up with a mouthful of bitter grounds and probably be put off Greek coffee for life! I love the aroma of Greek coffee and use it as a cooking ingredient in soils and gels, to flavour cream and in cakes.

Greek herbs

As well as onions, tomatoes, lemons and olive oil, Greek food relies heavily on herbs, some of which go back to antiquity and were used for both culinary and medicinal purposes – dill, marjoram, coriander, thyme and fennel, known as *máratho*, which, with its aniseed fragrance and flavour, makes all the difference to the delicious little pies made with wild greens. Certain dishes cannot be contemplated without the herbs they are associated with, like spinach pie and dill. I love wherever possible, to use wild herbs because of the intensity of their fragrance, as with thyme, oregano and sage, which the hills around our house in Crete are full of. Some dishes really benefit from the use of dried herbs, perhaps more so than fresh, as with dried oregano in *keftedes* (meatballs) or *biftekia* (burgers), where you have the wonderful aroma of the herb but not the bitterness you get when it's fresh.

Greek wines

While the wine that immediately springs to mind, and not always in a positive way, is retsina, Greek wine has been making leaps and bounds in the perception of wine connoisseurs worldwide. I started drinking wine in my thirties, and in the last few years I have discovered and grown to love drinking Greek wines. So much so that I thought it fitting to ask an award-winning young Greek sommelier working in London to write a piece for the book and to recommend wines to go with some of the mains in the Entertaining section (see page 300).

Lemons and other citrus fruit

The lemon is the tree that adorns most gardens in Greece, including our tiny courtyard, and with very good reason. The fragrance of its leaves and flowers is delightful, and the nutritional and flavour value of its fruit is second to none. Whether you use fresh lemon zest for its aroma in cakes, biscuits and savoury dishes, or lemon juice for adding flavour and acidity to fatty foods, or you preserve lemons to use in roasts, casseroles and salads, or candy them to use as a topping for cakes or in chocolates, their range is as far-reaching as any cook's imagination. The same applies to oranges and tangerines, while the bitter *nerantzi* (bitter or Seville orange), *kitro* (citron) and bergamot make fantastic candied fruit, or spoon sweets as they are better known.

Loukoumia

These are the delightful little morsels of sugar, starch, flower essence or flavouring oils, and sometimes nuts, that I grew up with. As children, a visit to the *kafeneion* wasn't complete without a *loukoumi*, while our father drank his coffee or ouzo. I enjoy using it to make ice cream, or cutting it into small cubes to adorn cakes and pavlovas, as in my recipe on page 295.

Masticha

To my mind, *masticha* is the most iconic of Greek natural ingredients, and at one time it was priced higher than gold. I love chewing *masticha* – it is used as a flavouring for chewing-gum (it is very good for the digestive system), and I love using it in my food. Its most common form is 'tears', as the dried drops of resin are called – you can grind them in a spice grinder with icing sugar to make a fine powder to use in your food.

Mavrodaphne

This sweet fortified wine (black laurel is called *daphne* in Greek) was first produced in the mid-nineteenth century in the north-western Peloponnese by the German, Gustav Clauss, who reportedly named it after the dark eyes of his fiancée, Daphne. It is still produced and has a Protected Designation of Origin. I use it to poach pears or as a jus, to make a jelly full of Christmas flavours (see page 240) or to add sweetness and flavour to game dishes.

Metaxa

Metaxa is a Greek spirit made from brandy blended with muscat wine, to which botanicals and aromatics, including anise and rose petals, are added. It comes in expressions of 3, 5 and 7 stars, denoting its age. I love the 7 star, which is smooth and aromatic, and I often offer a small glass at the end of dinner, especially in the winter months, and particularly when it has also been used in the dessert, for example, to soak dried fruit, or to flavour a custard, Chantilly cream or syrup.

Mizithra

Mizithra is a fresh cheese made with milk and whey from sheep's or goat's milk (or both). Production is similar to that of Italian ricotta. *Mizithra* is often salt-dried and matured to make a harder cheese called *anthotyros*, which in Cretan cuisine is the cheese of choice for pasta dishes, often being the only flavouring used for spaghetti (other than the stock in which it has been cooked). A similar fresh cheese called *anari* is produced in Cyprus. Feel free to use ricotta in all the recipes where I use *mizithra*. *Amari mizithra* is a sour variation and is perfect for those recipes where I state its use clearly. (A similar flavour can be created by adding a little yoghurt to sweet *mizithra* or ricotta. Just make sure that when you order *mizithra*, you specify sweet or sour.)

Olive oil

The origins of the olive tree lie in the Middle East, and some say possibly in Africa. Proof of olive oil extraction has been found in Crete dating back to 3,000 BC, and more than any other ingredient, it has been the main pillar of the healthy Mediterranean diet. Most Greek olive oil is classed as extra virgin, with acidity below 0.8 degrees. The variety, time of picking and method of extraction and filtering can affect the flavour, the main characteristics being fruity, bitter or sweet and spicy. The intensity of flavour also varies according to the terroir. Today, around 60 different varieties of olive can be found in Greece, the two main ones being *Koroneiki* (bitter) and *Manaki* (sweet and fruity).

I knew very little about olive oil, despite my family always having produced and sold it and my grandfather and now my cousin running an oil press in Crete. I decided I needed to know more, so in January 2020 I attended an olive oil sommelier course in London. Presentations by journalists, chefs, agronomists, doctors, producers and members of tasting panels opened my eyes to the health benefits, wide range of flavour characteristics and uses of extra virgin olive oil.

Based on what I learned, I recommend using extra virgin olive oil in my recipes for both cooking and drizzling. If the price is a deterrent, I would still suggest you use regular olive rather than any other type of oil. The smoke point of extra virgin olive oil ranges from 176°C to 210°C, high enough for most domestic cooking, so you can use it for frying without fear. Buy it in small quantities and use it while fresh, storing it in dark glass, terracotta or metal containers away from heat and light. The olive oil industry is not tightly regulated, so it is important to read labels carefully and familiarise yourself with terms such as 'pure', 'refined', 'light', 'cold pressed' and 'premium'. Buy from trusted suppliers, time of harvesting being more important than any other date mentioned on the bottle. Good extra virgin olive oil should taste fresh, leaving your mouth feeling clean. The more bitter in taste, the more polyphenols (antioxidants) are present and the more beneficial.

Olives
Greek olives come in as many varieties as olive trees do, and the methods of preserving, again, are various. One of my favourites is the Thassos olive or Throuba, which is the only cultivar that can be eaten straight from the tree when ripe but which is often preserved in coarse salt. Others are the lovely small green olives of Nafplion, which are delicious crushed and cured in a lemon juice and herb solution, the black or green Amfissa olives, and the olives from Kalamata, the shiny black jewel-like fruit that is loved worldwide. Their umami flavour enhances many dishes, from the humble Greek salad to the more sophisticated stuffed chicken breast on page 276. As with olive oil, I cannot stress enough that it is important to buy olives from companies and sources you can trust.

Onions
I have included onions here, not because they are Greek and you don't know about them, but because they are used in probably 80% of Greek savoury recipes. Greek onions are very sweet, perfect eaten raw, and are a necessary accompaniment to a Greek salad. Finely chopped, they complement legume dishes, and I get very excited when a plate of glistening fava arrives, sprinkled with virgin olive oil and with a small mountain of raw white onion *brunoise* perched in the middle.

Ouzo
I hope your overriding memory when reading this will not be the massive hangover you had on your holiday, following the sneaky effect of the delightful iced ouzo you drank on your veranda looking out on to the Aegean Sea. Potential hangover aside, there is a lot to be said for a long ouzo with plenty of ice, accompanied by cool strips of cucumber and tomato quarters sprinkled with salt. I love the aniseed flavour of ouzo and use it whenever possible, here classically in the prawn *saganaki* on page 81, and in the form of small gel cubes on top of my *masticha* panna cotta (see page 288).

Pastourma
Pastourma (from the Turkish *pastirma*, which means 'to press') is highly seasoned air-dried cured beef and is a great *meze* in its own right, drizzled with some extra virgin olive oil, but it can also be used as a crumb or to wrap foods, in much the same way as pancetta.

Peppers (fresh and dried)
The best-known Greek pepper has to be Florina. Fleshy and sweet, Florina peppers are ideal for roasting and can be eaten as vegetables in their own right (I always have some roasted ones in olive oil in a Tupperware container in the fridge – sprinkle them with vinegar and herbs for an excellent *meze*), or as a flavouring, in dips and even as oil. Another variety, the long, thin green peppers called *kerato* (horn), because of their shape, makes great pickles, while the cuisine of northern Greece, where the climate can be quite cold, has always favoured dried chilli flakes or *boukovo* (a Balkan spice).

Petimezi

A delightful, sweet, sticky reduction of grape juice after it has been cleared of any grape flesh sediment. In the old days, when beet sugar was expensive or not easily available, Greeks would use honey, *petimezi* and another honey by-product called *houmeli* to sweeten cakes, biscuits, cheese pies and so much more, and how delicious they all were!

Pomegranate

Rich in tannin and nitrogen, the pomegranate has been known in Greece since antiquity for its use in medicine and leather production. When I was a child we loved simply breaking open the pomegranates and eating the kernels, but these days we use the kernels as a source of fruity acidity in salads, the juice in drinks, and the reduced juice in dressings and syrups.

Purslane (*glystrida* or *adrakla*)

This vegetable, which grows wild, often within vegetable gardens, is a popular addition to Greek salad and sometimes replaces cucumber in *tzatziki*. The stems, leaves and flower buds are all edible, with a slightly salty and sour flavour caused by the oxalic and malic acid the plant contains. It should not be confused with sea purslane, although they look similar, as the latter is much saltier and should be used sparingly.

Sesame seeds

Known from ancient times, sesame seeds are used in two very popular products consumed in big numbers during times of fasting: tahini and halva. They are a wonderful addition to bread and baked goods, and black sesame seeds, with their own distinct flavour, look very attractive sprinkled on dips, pies and other dishes.

Spices

Spices or *baharika* (from the word *bahari*, or allspice) were known to Greeks in ancient times, when they were used as much for medicine as for culinary purposes. Pepper, cinnamon and ginger were introduced to Greece by Alexander the Great, who brought them back from his conquests in the East. Spices, such as cinnamon, cloves and nutmeg, are found in all households, no matter how poor or limited their larder, and others, such as mahlab or *mahlepi*, cardamom and saffron, are also used, though less often. I love the sweetness that cinnamon and cloves bring, and use them in savoury dishes as often as in desserts.

Spoon sweets (*Glyka tou koutaliou*)

Spoon sweets were the predictable and always available treat in the poorest of households when I was a child. Fruit such as grapes, lemons, oranges, bitter oranges, cherries and green figs, and also vegetables, like baby tomatoes, tiny aubergines, nuts, such as fresh walnuts, and even rose petals, would be turned into little morsels of delight for children who did not have access to chocolates and boiled sweets.

Tomato purée

If I had to name one product that for me encapsulates Greek sunshine in a jar, it would be the home-made tomato purée that I and the rest of my family make every year. The concentration of flavour makes a spoonful of this beautiful ingredient a powerhouse in any dish.

Trahanas

Whichever *trahanas* you buy or come across will be made from two main ingredients: grain or flour, and milk. The Cretan version is called *xinochontros*, meaning sour cracked wheat, and is made of exactly those two things. Cracked wheat is cooked in milk that has gone sour until it reaches the consistency of thick porridge, and when cold and solid-looking, it is broken up into what looks like crumb clusters and dried in the sun. Sometimes we see it shaped as fistfuls which soon dissolve in the cooking liquid. If you are looking to buy *trahanas* you will probably come across the version which is like pasta: flour is cooked in soured milk until a thick roux is achieved and, when that is cold, a similar process is followed for drying it, although low oven heat may be used for convenience as opposed to natural sunlight. Another version uses fresh milk, not sour, and we refer to this as 'sweet *trahanas*'. Specialist food shops in Greece sell *trahanas* flavoured with spices or herbs for use in soups, casseroles and as vegetable fillings and salads.

Vine leaves

One of the culinary reasons for excitement in spring when I was a child was always selecting fresh vine leaves, to preserve in brine, and later on, when refrigeration reached every household, to keep in the freezer. The younger the leaves, the more tender they are, but they need to be picked at the perfect time, when they have reached their full growth, to give a good spreading/wrapping area, but have not started ageing and toughening. I remember them stuffed with rice or a combination of rice and minced meat in the classic *dolmades*.

The Larder

The Greek larder has grown a great deal since the days of my grandmother's *fanara*, a wall-hung unit with a chicken-wire front that served as storage for fresh or cooked food (in the absence of a fridge), keeping the food safe from flies and other insects. A large dresser contained staples, such as grains and flour, while olive oil, wine, vinegar and other liquids were always kept in barrels, and olives, sun-dried tomatoes and other goods with a longer life but needing cooler storage were stored in earthenware jars.

These days, with so many new and exciting products on the market, the larder can be a real treasure trove – and I love mine! During the forty years I have lived in the UK, the availability of Greek produce has greatly increased, and these days it includes the freshest of yoghurts, *mizithra* and other cheeses, and even Greek-made kefir. At the back of the book I give a list of importers from whom you can source more or less anything that I have in my cupboard. Here (see opposite) are some faithful friends that I call upon time after time – they have never let me down yet.

Essential tools and fancy gadgets

I don't claim to list every useful tool and gadget in the 21st-century kitchen. We would need a dedicated book for that. Below is a short list of tools and equipment, some small and inexpensive, others large and more fancy, but all valued and appreciated equally by me. Sometimes I think it is as much these as any culinary talent that helps me produce the dishes that I and my guests love!

I'm not going to go into great detail about all the little things we use all the time, such as vegetable peelers, ladles (I do love my spider ladle, for straining fried foods), spatulas, whisks, tin openers, garlic crushers, brushes, cake cutters and turntables, removers of stones from olives and cherries, and squeezy bottles for oils and sauces. Over time, these have been invented to make the cook's life easier, and I suspect that some chefs and home cooks can't now imagine life without some or all of them.

Apart from a very good, always sharp set of knives and the obvious kitchen appliances, such as mixers, processors and so on, here are some of the things I most value in my kitchen:

Ice-cream machine

No matter what you read about being able to make ice cream by disturbing your mix by hand at regular intervals, that method, apart from with granita, has never worked for me. If you want a smooth, creamy-textured ice cream of the kind you eat in a restaurant or buy, you need the slow freezing and constant churning function that an ice-cream machine gives. As a rule of thumb, the bigger and more powerful your machine is, the better ice cream it will make. I love mine and use it for both sweet and savoury ice cream.

Scales

I don't believe my grandmother or mother ever used anything like scales. I certainly don't remember seeing any in their kitchens. Everything was measured 'by the eye', or 'by what the mix will take', when it came to adding flour to baking. With a lot of recipes these days quoting grams for spices, yeast and other small-quantity ingredients, having scales and micro-scales can save you from culinary disaster.

Silicone baking mats

I love using these instead of baking parchment whenever possible. They are thicker than paper, so food cooks more evenly, they are environmentally-friendly because they can be used for thousands of bakes, and they cost much less than baking parchment over time.

Thermometers

I find that I rely heavily on my oven, meat, sugar and oil thermometers. It is really worth investing in these inexpensive items.

Zester

Lemon, orange or other citrus zest is something I use a lot, for flavour and acidity in my dishes. Zesters are fantastic for this, as they just remove the top layer of the rind, leaving the bitter pith behind. Be careful when cleaning them, though, as they tend to be very sharp.

I also have some fancier pieces of equipment, less out of necessity, more as a luxury, some were gifts and others I've purchased, and I enjoy using them for various reasons:

1. Blowtorch

A great little gadget when you want that scorched look on your fish, a quick caramel topping on your crème brûlée, or just a break in the pure white surface of an Italian meringue.

2. Mandolin

This is the best tool I have found for cutting vegetables quickly and consistently in slices of varying thickness and shape, such as julienne and crinkle-cut.

3. Smoking gun

I have grown to love my smoking gun, which I find I use more and more instead of my actual smoker (see right). Clean and quick, it can be used almost as an afterthought, at the last minute before serving. Great for dips, sauces, even ice cream and cheese, and anything to which you want to give that extra layer of smoke flavour before taking it to the table.

4. Sous vide wand

Chefs don't use gadgets if they don't work, and it is not a coincidence that in professional kitchens much is cooked sous vide. If you are cooking for a dinner party, it is actually very helpful – it means you can have the food cooked already, and just take a little time close to serving to add some colour or caramelise. And you can go to sleep, go out shopping or plan your other dishes while the sous vide machine is hard at work on your behalf.

The main reason I love cooking sous vide is that it produces consistent results. The meat is always pink and tender and the fruit or vegetables are always the right texture. For food safety reasons attention must be paid to the recommended cooking temperature and time range, particularly for meat and fish, but there is a lot of information and plenty of guidelines online, and there are also dedicated apps.

And the best news of all is that you don't need a large, expensive gadget sitting on your worktop. You can just use a large saucepan, because, after all, what sous vide does is create a steady ambient temperature without any moisture or flavour seeping out of whatever it is you are cooking. So you fill your pot with water that's already at the temperature you need, you set the wand for the temperature and cooking time you need, and you let it do its thing.

5. Spice grinder

One of the most prized possessions in all the Greek kitchens I remember was the *goudi*, a heavy mortar and equally heavy pestle, both made of bronze, as no spices came ready ground, or none that I saw anyway. My job as a child was to crush the sticks of cinnamon, cloves, cumin seeds and the resin from the island of Chios called *masticha*, which I later grew to love but hated back then (even when you mix it with sugar, it still tends to stick and you spend longer unsticking

it from the utensils than you do beating it to turn it into powder). I remember the wonderful aroma of everything that was ground as and when it was needed, and later, as an adult, I learned that if you toast the spices they smell even better – so I rarely use ready-ground spices. One of my most prized possessions, and one that I would highly recommend, is a spice grinder. Buy one, roast and grind your spices, and you will never look back!

6. Stick blender

If I'm in a professional kitchen I like using a Thermomix, but in my own kitchen, where space and budget are an issue, I love this little gadget for liquidising small quantities of sauces, soups, stocks, even mayonnaise – anything I want to have a velvety texture.

7. Stovetop smoker

With a few wood chips scattered at its base, I can give a deep smoky flavour to fish, aubergines, meat and sausages in no time at all, whereas my grandmother would have taken days to achieve the same result by hanging the food over the fireplace.

8. Vacuum sealer/FoodSaver

The reason Lakeland call their vacuum sealer a FoodSaver is because it is exactly that. Early on when I acquired my sous vide wand I realised I was using the machine not just to seal the food I was going to cook sous vide, but also to prolong the life of ingredients, or to keep smells from spreading in the fridge, or simply to contain food in an air-free environment for the freezer. Even if you never buy a sous vide wand (although, if you love experimenting, it is a must), do buy a vacuum sealer – I believe it will save you much that you now throw away.

9. Whip machine

This may be the most frivolous little gadget you will ever own, but I love mine. I make froths, foams and smooth creams for finishing dishes, and even cocktails – already very special, but that last little touch elevates them to restaurant standard. Their texture is usually a lovely surprise, and flavours from cheese to garlic to spices can be included in an unexpected and exciting way.

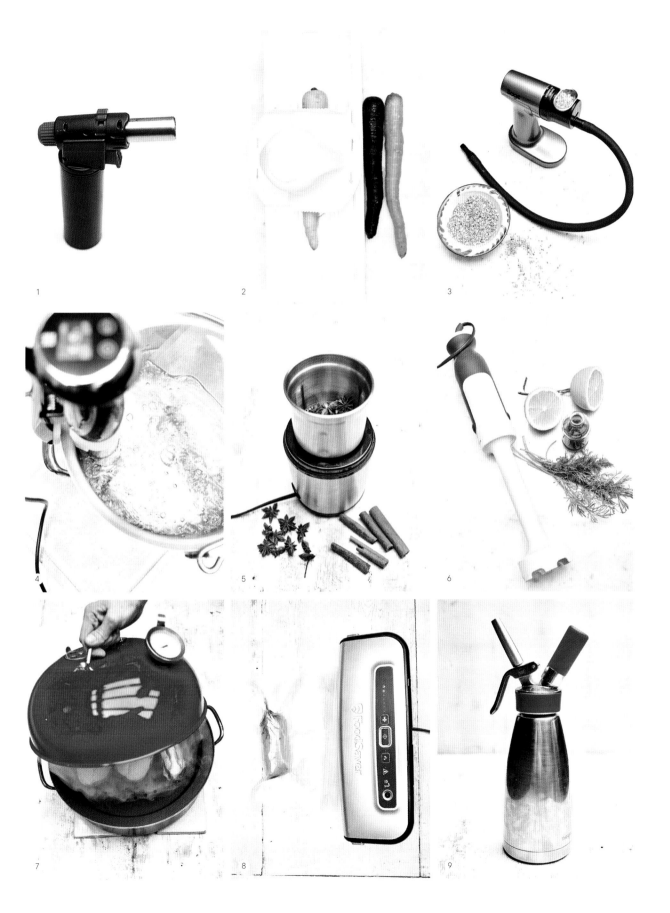

1

2

3

4

5

6

7

8

9

Ano Karouzano, April 2018

My preparations for *MasterChef* have taken me home to Crete, and I am itching to work with some local produce. I see that my mum has in her fridge some *trahanas*, sometimes also called *xinochontros* (cracked wheat, cooked with soured milk and dried in the sun). *Trahanas* was once a staple of every Cretan family, cooked either as a soup in meat broth or with just water, chopped tomato and potato. The nutritional benefits of the grain and milk were of great value to farming families during the winter months. These days *trahanas* is still appreciated by many people, but is made only by the few who continue to keep sheep and goats.

And like so many other things, it was probably originally created by accident when the high summer temperatures coincided with the fifteen days of fasting that many people, even today, enter into ahead of 15 August – the Ascension of the Virgin Mary, a big celebration in the Greek Orthodox calendar. The heat soured the milk and, not wanting to waste it, the farmer's wife found this ingenious way to feed the family. Sprinkling honey over the freshly cooked *trahanas* provided dessert! The combination of soured dairy and honey is still a favourite in Crete and exists in many guises. These days you can find different types of *trahanas* made with flour, a type of tiny pasta, and it can be sour in flavour or not. It is very versatile, but the original has a lot of character and 'oomph' – a gutsy ingredient, in my opinion!

But how do I use it in a dish that will rise to *MasterChef* standards? And how do I present it in a way that will convince the judges I know what I am doing? At which point of the competition dare I serve it? John and Gregg will base their judging on flavour, so if they hate it I may find myself departing at a stage where I might otherwise have remained had I chosen a 'safer' dish. I laugh at myself. I am months away from even applying. I don't know about *trahanas*, but I certainly feel gutsy!

The sun is shining, I have just come back from our local *kafeneio*, where I enjoyed talking with the village matriarch (sweet 86-year-old Glykeria), and I have a good feeling about this. I am going to play with *trahanas* until I come up with a combination and a process that I like. And then, I will keep it in reserve and cook it when I get another good feeling about it. If I don't get round to cooking it for John and Gregg, I can always cook it for my friends. Perhaps Simon Rogan will come to dinner one of these days!

Taverna Meraki, Istron.

Everyday

BREAKFASTS

Semolina with Caramelised Apples and Walnuts

o

Breakfast Rice with Dried Fruit Compote
(*Ryzogalo*)

o

Yiayia Irini's Pancakes with Cheese,
Honey and Cinnamon (*Tiganites*)

o

Cracked Wheat with Sultanas, Raisins and Spices
(*Varvara*)

o

Eggs, Tomatoes and Olives on Sourdough
(*Strapatsada*)

o

Open Top Pies (*Peinirli*)

o

Brother Yiorgos's Field Mushrooms
with Smoked Vinegar Pork Sausage

o

Vinegar Cured and Smoked
Pork Sausages the Cretan way

When I was growing up, breakfast (like every other meal) was always made with ingredients that were available locally – often as close as the garden or the nearest field to the house, which was frequently used as an allotment.

The type of food consumed at breakfast had a lot to do with the purpose it served. In my childhood, and still to this day with people who are involved in farming, it was common for the men of the family to eat the leftover dinner from the previous day before heading out into the fields. They would need their physical strength and stamina to last all day while they were digging around the vines, pruning them, carrying sacks of olives from the trees to the track, and doing other heavy agricultural work. Energy would always be topped up mid-morning with *kolatsio*, the Greek 'elevenses', which would comprise of olives, some fresh tomatoes or a slice of hard cheese, and always home-baked bread.

Back in Crete, as children, when we were not eating bread soaked in freshly collected and boiled goat's milk with honey, or a slice of bread smeared with *glyna* (pork fat) and honey, my mother would be making lovely sweet things involving flour, water and more honey. Sometimes she would add some freshly made soft *mizithra* cheese (when it was in season), as flour and dairy were often available naturally and cheaply.

I don't remember my father eating anything but the previous day's dinner or some form of meat, eggs or sausages – or a combination of all of them! Interestingly, I don't remember my mother ever eating breakfast. She had such a strong work ethic, something not at all uncommon among women of her generation, that my memories of her eating are of her doing so while walking or working.

The same breakfast regime was also true of the other households in the village, although I knew that we were a little more privileged, as we had the benefit of my grandfather's honey, cheese and grains, all in great abundance in his house, where he had whole rooms and rows of huge clay pots to keep the grains, oil and wine. A favourite game with my brothers was to hide in the loose wheat or barley or behind the olive oil barrels.

The Greek breakfast, particularly in cities, now involves all the cereals and spreads that we would find in a big supermarket in any Western country. But for people in the countryside or for those taking the time and care over what they eat, breakfast still involves home-made yoghurt, home-grown fruit or locally gathered honey with a slice of home-made bread. For others, like myself, the day starts with a *paximadaki* (a dry piece of twice-baked, slightly sweetened bread) dipped in Greek coffee, or, as in the case of my brother Yiorgos, a cigarette (the dangers of smoking have not yet fully penetrated Greek society) and a cold frappé (cold instant coffee), much to his wife's disdain and my mother's disapproval!

Semolina with caramelised apples and walnuts

SERVES 2

I used to love semolina pudding when I was growing up, but then again, I loved everything sweet! Of course in those days we used to make it with our own milk.

Nowadays, while I love dairy, I replace animal milk with nut milk whenever I can. Where I live, in Cumbria, apples grow in abundance, and after our four trees have been picked and the fruit used, or given away, my lovely ninety-one-year-old neighbour comes over with more bucketfuls and I am constantly looking for ways to use them. This is how the idea for this delicious breakfast dish came about.

Apples, of course, go beautifully with cinnamon, so you could sprinkle it over if you like, and you can flavour the juice with a cinnamon stick too. Instead of the walnuts, you can caramelise whole almonds, toast almond flakes, or use any other nuts you have. You can scatter over some granola too, to give the dish some lovely crunch and add extra goodness.

In this recipe I use vanilla in the pudding and scatter over some berries – blackberries are usually around at the same time as the apples – then drizzle with raw honey, as the pudding itself has no added sweetener. For a vegan dish, just replace the butter with a little coconut or vegetable oil when caramelising the apple.

For the semolina pudding
500ml fresh organic
  apple juice
juice of ½ a lemon (optional)
40g coarse semolina
1 tsp vanilla extract

For the caramelised walnuts
25g caster sugar
5–6 walnut halves
  (approx. 20g)

For the caramelised apples
25g caster sugar
20g butter
75g apples, chopped
  into small dice

To serve
fresh berries
Greek honey, for drizzling

If you buy the apple juice, make sure it is organic, fresh and free of preservatives. If, however, you want to make your own juice, start by coring and chopping your apples, dropping them into a bowl of cold water to which you have added the lemon juice. Depending on the type of apples you are using, their yield will be different, but you will probably need between 5 and 8 apples for this amount of juice. If you get more than you need, I suggest you drink it – there's nothing like freshly juiced apples!

Put the sugar and walnuts into a dry pan over a medium heat, stirring so the walnuts don't catch, until the sugar has melted and has coated them fully.

Put the sugar for the caramelised apples into a separate pan over a medium heat, shaking the pan so that it melts evenly. When it has a lovely caramel colour, add the butter. When the butter has melted, add the chopped apples. Keep cooking over a medium heat, still shaking the pan, until the apples are golden brown and soft. Try to retain a little crunch in the texture of the apples, as this will complement the smoothness of the semolina. Take off the heat and set aside.

Put the semolina into a dry pan over a medium heat and cook for a few minutes to encourage its natural nutty aroma. When golden, stand back a little and add the apple juice, stirring all the time. Add the vanilla, and keep stirring until the semolina has totally absorbed the apple juice and has the consistency of porridge, by which time it will be cooked. It will set further as it cools.

Serve warm, topped with a dollop of caramelised apples, a few caramelised walnuts, some fresh berries and a drizzle of Greek honey.

ME ΠΡΟΖΥΜ

ΜΕΛΙ ΛΑΚΩΝΙΑΣ

ΠΑΡΑΓΩΓΗΣ ΜΑΣ

ΛΑΚΩΝΙΚΑ ΧΕΙΡΟΠΟΙΗΤΑ

ΝΙΚΟΛΑΡ Σ.Π.

ΠΙΤ ΡΟΥ ΛΕΣ

ΓΚΟΓΚΕΣ

ΧΟΡΤΟΠΙΤΕΣ

ΨΩΜΙ ΣΤΑ ΞΥΛΑ ΧΑΛΚΙΔΑΣ

ΠΑΞΙΜΑΔΙΑ ΣΠΑΡΤΗΣ

ΔΙΠΛΕΣ ΜΑΝΗΣ

ΛΑΚΩΝΙΚΑ...
Π. ΝΙΚΟΛΑΡΟΣ

ΓΙΟΥΦΚΑ ΦΥΛΛΟ

ΚΟΡΜΟΣ ΣΟΚΟΛΑΤΑΣ με ΤΑΧΙΝΙ & ΜΕΛΙ

ΧΑΛΒΑΣ ΧΩΡΙΣ ΖΑΧΑΡΗ

ΒΑΣΙΛΙΚΟΣ ΠΟΛΤΟΣ ΤΑΫΓΕΤΟΥ

ΓΥΡΗ ΦΡΕΣΚΙΑ ΟΡΕΙΝΗ ΤΑΫΓΕΤΟΥ

ΠΡΟΠΟΛΗ

ΜΕΛΙ ΛΑΚΩΝΙΑΣ

ΘΥΜΑΡΙΣΙΟ ΦΑΣΚΟΜΗΛΙΑΣ ΕΛΑΤΟ ΡΕΙΚΙ ΚΟΥΜΑΡΙΑΣ ΠΟΡΤΟΚΑΛΙΑΣ

ΜΕΛΙ ΠΑΡΑΓΩΓΗΣ ΜΑΣ

ΥΜΑ
λβάς
σμίδη

ΓΙΟΥΦΚΑ

ΚΟΥΡΑΜΠΙΕΣ ΣΠ...

ΒΑΣΙΛΙΚΟΣ ΠΟΛΤΟΣ - ΜΕΛΙ

ΧΑΛΒΑΣ & ΤΑΧΙΝΙ ΔΡΑΜΑΣ

ΛΑΛΑΓΓΙΑ του ΑΝΔΡΟΒΙΤΣΑΝΕΑ

ΧΑΛΒΑΣ ΜΕ ΣΤ...

ΣΑΜΟΥΣΑΣ με ...

ΜΕΛΙ ΛΑΚΩΝΙΑΣ ΠΑΡΑΓΩΓΗΣ ΜΑΣ

ΧΑΛΒΑΣ ΔΡΑΠΕΤΣΩΝΑΣ ΚΟΣΜΙΔΗ

ΧΑΛΒΑΣ ΚΥΡΓΙΩΝ ΔΡΑΜΑΣ

ΧΟΝΔΡΙΚΗ · ΛΙΑΝΙΚΗ

Ryzogalo
Breakfast rice with dried fruit compote

SERVES 6

Although rice was not grown locally, it was inexpensive enough for us always to have it at home. While it was essential for dishes such as chicken soup and stuffed vine leaves, rice was also a real treat when cooked in goat's milk. So, since most families like ours owned a goat, rice pudding was the dish that my brothers and I, as well as all our friends, ate on a regular basis.

In those early years, I don't remember anything else but rice, milk, sugar and cinnamon being used to make the rice pudding, but when we moved to Athens my mother started adding extras such as vanilla, orange peel and almonds. These days, rice pudding remains a favourite among Greeks but it is often enhanced with exotic fruit and other flavourings.

Rice pudding makes a lovely breakfast dish in the winter months, and here, accompanied by a dried fruit compote and roasted almond flakes, it has an almost celebratory feel.

For the dried fruit compote

100g chopped dried fruit (apricots, dates, sultanas, cherries)

1 small cinnamon stick

200ml orange juice

1 tbsp unwaxed orange zest

For the rice pudding

150g pudding rice

300ml water

750ml full fat milk

75g caster sugar

20g almond flakes

2 tbsp cornflour

zest of ½ an unwaxed orange

a pinch of ground cinnamon

To serve

1 pomegranate

Put the dried fruit into a saucepan with the cinnamon stick, orange juice and zest. Bring to a medium heat and simmer until most of the liquid has been absorbed and what is left is of a syrupy consistency. Leave aside to cool.

Place the rice, water and a pinch of salt in a saucepan. Bring to the boil, then turn the heat down to low and cook for approximately 15 minutes, stirring every few minutes. When the water has been absorbed, add the milk and sugar. Continue to stir and cook on a medium heat for approximately 30 minutes, until the rice is soft and fluffy.

Put the almond flakes into a dry frying pan and roast over a medium heat for a few minutes, stirring all the time until golden.

Mix the cornflour with a couple of spoonfuls of water and add to the rice. Stir to thicken, then remove from the heat. It is advisable to remove the pan from the heat while the consistency is still fairly liquid, as the pudding will thicken as it cools.

Pour the pudding into bowls right away, and when it has cooled a little, top with the fruit compote, toasted almond flakes and pomegranate seeds. Finish by grating over some orange zest or sprinkling with cinnamon, or both.

TIP:

Replace the orange juice with Mavrodaphne wine or port for a lovely Christmas morning treat. Add some whipped cream to the cold rice pudding to turn it into an easy and inexpensive dessert. Replace the milk with almond milk for a vegan dish full of goodness.

Yiayia Irini's pancakes with cheese, honey and cinnamon

SERVES 4

I sometimes wonder what we would have done without wheat, when I remember the myriad things that were made from grain and flour during my childhood. *Tiganites* was one of the quickest and easiest things to make for breakfast all year round. In the winter months, the ingredients would be flour, water, a pinch of salt and some olive oil, made into a runny dough. Spoonfuls would be dropped into a shallow frying pan of hot oil, cooked for a couple of minutes each side, then served with a sprinkling of sugar and cinnamon.

From spring onwards, when milk and therefore fresh cheese was available, *mizithra* would be added as a special treat. Sour *mizithra* was the cheese of choice, as the combination with honey was a knockout. It still is for me! And that, in a day and age of such a huge choice on the supermarket shelves, says a lot.

You can fill the *tiganites* with other forms of soft cheese, but in this case I would advise you not to bother making them unless you can get hold of sour *mizithra*. It is really worth buying some for making *tiganites*, *bougatsa* and other recipes that I will share with you online from time to time. You can freeze *mizithra* for several months.

100ml warm water

2 tbsp extra virgin olive oil

170g plain flour, plus extra for dusting

125g sour *mizithra* cheese (see page 28)

250–300ml extra virgin olive oil, for frying

Greek honey, for drizzling

1 tsp ground cinnamon

Pour the warm water and oil into a mixing bowl. Add a pinch of salt and mix well.

Sift the flour directly into the bowl and use your hands to make a dough. Use gentle movements, and don't overwork it, otherwise it will toughen when cooked. Cover with a clean tea towel and leave in a warm place to rest for 15 minutes.

Dust your hands with flour, then divide the dough into 8 pieces, each roughly the size of a walnut. Take one piece and roll it into a ball, then, while it's still in your hand, flatten it to the size of a small jar lid. Place a teaspoon of *mizithra* in the middle, then bring the edges of the dough to the centre, covering the *mizithra* totally. Shape into a ball again, then turn it upside down in your hand and flatten again. Make 7 more *tiganites* the same way.

Put the oil into a large frying pan and bring to a medium heat. When the oil starts smoking gently, add 2 or 3 *tiganites* at a time, lower the temperature slightly and cook for a couple of minutes on each side until golden brown.

Drain on kitchen paper and serve immediately, drizzled with lots of Greek honey and sprinkled with the cinnamon. Feel free to add chopped nuts or toasted sesame seeds and cinnamon if you like, though the *tiganites* are delicious just with the honey! (See step-by-step images overleaf.)

Varvara
Cracked wheat with sultanas, raisins and spices

SERVES 4

This delightful and healthy breakfast (which these days gets served as a dessert in posh establishments in Athens) has its roots in antiquity, when grain was boiled in water and offered up to the goddess Hekate to ensure a healthy wheat crop. As with so many traditions, this was absorbed into the Christian faith, and in northern Greece the dish is made on the feast day of St Barbara (*Aghia Varvara*), 4 December, to protect the young from sickness. On that day, every household offers a plate of *varvara* to another three neighbouring families. In Crete, *varvara* is a by-product of *koliva* (an offering at funerals and memorial services), and I often used to ask my mother to make me some wheat in broth (*kolyvozoumo*). She would use dry-roasted chickpea flour to thicken the broth, but for a lighter version I use cornflour.

There is something heart-warming about the combination of wheat, sultanas and spices in this sweet, thick soup, which – when topped with toasted walnuts, almonds and sesame seeds – makes a dish that's 'good for the soul', and as aromatic and nutty as my mum's was.

30g sesame seeds

50g walnuts

150g cracked wheat

750ml water

35g caster sugar

25g raisins

75g sultanas

3 heaped tsp cornflour

½ tsp ground cinnamon

¼ tsp ground cloves

30g almond flakes, toasted

a few pomegranate seeds

a few fresh mint leaves,
   finely chopped

a drizzle of honey and more
   ground cinnamon, to serve

Preheat the oven to 200°C/400°F/gas 6.

Start by toasting the sesame seeds in a dry frying pan over a medium heat, watching carefully, as they burn quite easily. You need to take the pan off the heat when the seeds are golden and you can smell the oil as they are toasting. Remove them from the pan on to a plate. When they have cooled down a little, whiz half the seeds in a small blender to break them up and release their aromas, keeping the other half to scatter over when serving.

Place the walnuts on a baking tray and toast in the oven for 5 minutes, then remove and leave to cool. When totally cool, break them into smaller pieces.

Toast the cracked wheat in a dry saucepan over a medium heat, stirring frequently, aiming for a golden colour and a nutty aroma. Add the water – standing back, as it may splash. Stir well, then add the sugar, raisins and sultanas. Continue cooking for about 25–30 minutes, stirring from time to time, until the cracked wheat has absorbed three-quarters of the water and is soft.

Put the cornflour into a cup with 3 or 4 tablespoons of cold water, mix well, then add to the cracked wheat. Stir for a couple more minutes, then add the crushed sesame seeds and the ground cinnamon and cloves, and mix well.

Turn off the heat and pour the cracked wheat into four bowls. Scatter over the walnuts, almond flakes, the rest of the sesame seeds, the pomegranate seeds and mint, sprinkle with more cinnamon, and drizzle with a little honey.

Strapatsada
Eggs, tomatoes and olives on sourdough

SERVES 4

Strapatsada, also known as *kayanas* in some parts of Greece, was a favourite breakfast dish of my father's. Looking back now, I have no way of knowing if that was because nothing had to be specially bought in order to make it, because it was easy, quick and substantial, or simply because he loved it. Certainly, with a slice of lovely home-made bread (which we always had), it was the perfect start to a day of hard toil in the fields. Once I grew up, I loved eating it as a light, quick lunch with a salad on the side.

Although it's a simple enough dish, it is also easy to ruin by overcooking the eggs or – if the tomatoes are not cooked thoroughly – leaving the whole mix very wet. Follow the instructions, though, and you will never want plain scrambled eggs again! You can add chopped chilli, sliced garlic or a few chunks of bell pepper for added flavour, but I like the original version, just with feta cheese.

5 ripe, medium tomatoes (approx. 250g)

20ml extra virgin olive oil

2 spring onions, finely sliced

a handful of pitted Kalamata olives, each sliced into 3–4 pieces

½ tsp caster sugar

a few fresh thyme leaves

5 eggs

100g feta cheese

a pinch of dried oregano

a few fresh parsley leaves, finely chopped

4 slices of sourdough, toasted

Bring a pan of water to the boil. Make a cross on the top and bottom of each tomato and drop them into the boiling water for 30 seconds. Remove, drop into ice-cold water to loosen the skins, then peel. Slice the tomatoes, remove all the seeds and chop into small pieces.

Put the oil into a pan over a medium heat. Add the spring onions and olives and cook for a minute or two, then add the chopped tomatoes, sugar and thyme leaves and continue cooking until all the liquid has been absorbed. Crack the eggs into a bowl and then drop them into the pan of tomato, stirring gently so as to keep the textures distinct. You should be able to see each component of the dish clearly. Remove from the heat early, before the eggs have a chance to dry out, as they will continue cooking in the residual heat of the pan.

Add the crumbled feta, dried oregano, finely chopped parsley and some pepper. Serve on toasted slices of sourdough.

TIP:

Strapatsada is a good filling for a quick quiche or tart. You can add pieces of cooked meat, or any number of cooked vegetables – just mix with a little double cream and your filling is ready to use!

Peinirli
Open top pies

MAKES 5

Peinirli, which means 'with cheese', was one of two lunchtime treats for my friends and me. The other was *souvlaki*, which, by a narrow margin, was probably our number-one choice. Kyrios Kostas, outside the 'A' Lykion of Athens in Adrianou Street, did the best *souvlaki* we knew of anywhere. But occasionally we would pass a bakery on Voulis Street and the smell of the freshly cooked dough, the cheese filling and the melted butter would be too much to resist.

The recipe for *peinirli* is very simple and does not vary much, although you may see some versions that use yoghurt in the pastry, as opposed to milk, which I use here. The fillings can be anything you wish them to be, and as long as you remember to brush them with melted butter as soon as they come out of the oven, these little boats will be sure to rock your world again and again. I make the dough for the *peinirli* the evening before and in the morning it is perfect to use.

For the dough

200g plain flour, plus extra
  for dusting

50g wholemeal flour

½ tsp fast-action dried yeast

1 tsp salt

1 tsp caster sugar

110ml milk, slightly tepid

25g softened butter, plus
  extra butter, melted,
  for brushing

For the fillings

2–3 medium tomatoes

1 tbsp tomato purée

50g feta cheese

4–5 Kalamata olives

100g Gruyère cheese,
  or other hard cheese

a small piece of red onion,
  thinly sliced

1 slice of ham, cut into strips

50g goat's cheese

2 sun-dried tomatoes,
  finely sliced

a pinch of dried oregano or
  a few fresh oregano leaves

To make the pastry dough, put all the dry ingredients into a large bowl and stir. Add the tepid milk and the butter and mix with your hands until you have a soft dough. Knead for about 10 minutes, until the dough is smooth and shiny. At first it may appear a little sticky, but that will change as you knead. If the dough is still sticky, dust your hands with a little flour and continue. When the dough is smooth and shiny, form it into a ball, place it in a clean bowl dusted with a little more flour and cover with cling film and a tea towel. Leave it somewhere warm to rise, but nowhere too hot, as it is best that it proves slowly (approx. 2–3 hours) if you have not made it the night before.

When you are ready to make the *peinirli*, remove the dough from the bowl and put it on a clean surface. You should not need to dust it with flour. Roll it into a sausage shape and cut it into 5 equal pieces. Line a large baking tray with baking parchment or a silicone baking mat. Flatten each piece of dough, then, using a rolling pin, form it into an oblong. Place on the baking tray and leave it to rest for a few minutes.

To make the fillings, wash the tomatoes and cut a slice off the top of each. Use a cheese grater (the rough side) to grate the tomatoes into a bowl. Pour into a fine colander and let the juices run, leaving just the pulp and seeds of the tomatoes. Transfer the tomato pulp to a bowl and stir the tomato purée into it. Crumble the feta and cut the olives into thin slices. Grate the Gruyère in a bowl and mix with the red onion and ham. Crumble the goat's cheese and mix in another bowl with the sun-dried tomatoes.

Preheat the oven to 220°C/425°F/gas 7. Using a pastry brush dipped in cold water, moisten the edges of each piece of pastry. Take a corner on the narrow side of each rectangle and fold it on top, forming a triangle. Take the opposite corner and wrap around the first one. Do the same at the other end. Now, take the sides of the rectangle and fold by about ½ cm, creating a boat shape.

Spread the tomato mixture over the base, then fill the *peinirli* and put them back on the baking tray. Place in the oven (near the bottom, so as to cook the bottom of the pastry) and bake for about 20–25 minutes, until the pastry is cooked and golden. Brush straight away with melted butter, for maximum flavour and a little shine, sprinkle with oregano and serve. They are at their best as soon as they come out of the oven.

Brother Yiorgos's field mushrooms with smoked vinegar pork sausage

SERVES 4

One of the joys following the first autumn drizzles was the field mushrooms that would spring up near the village and my brother Yiorgos was particularly good at finding them. My mother would just clean them with a cloth, dust them with a bit of flour, salt and pepper, then fry them quickly in olive oil.

Oyster mushrooms are the closest in look and flavour to those of my childhood, and they continue to be very popular in Greece, where these days they are widely cultivated.

The sausage I would choose would be the traditional Cretan one, and I am thrilled to see that it has made it into northern Europe and you can easily buy it online. However, I appreciate that it may not be possible for everyone to obtain the real thing, so if you only have ordinary pork sausages, the cumin that's added as they cook, and the tomato, smoked paprika and vinegar sauce, will go some way towards replicating the flavours. Overleaf, I've also given you a recipe for curing and smoking sausages, in case you want to get even closer to the real thing.

For the tomato sauce
4 medium tomatoes
1 red onion
2 tbsp extra virgin olive oil
1 tbsp smoked paprika
½ tsp caster sugar
2 tbsp red wine vinegar

For the mushrooms
200g oyster, flat or
  Portobello mushrooms
2 tbsp extra virgin olive oil and
  a knob of butter, for frying

For the sausages
2 tbsp extra virgin olive oil,
  for frying
4 smoked pork sausages,
  approx. 400–450g (see
  intro), or regular
  pork sausages
1 tsp ground cumin
2 tbsp red wine vinegar

For the poached eggs
1 tsp vinegar
4 eggs

To serve
4 slices of bread, toasted
a few fresh thyme leaves
a drizzle of extra
  virgin olive oil

Start by making the tomato sauce. Cut a slice off the top of each tomato to expose the flesh, then grate them against the coarse side of a cheese grater. Next, grate or very finely chop the onion. Heat the oil in a pan on a medium heat, then add the onion and cook gently for a few minutes, to soften but not brown. Add the grated tomatoes, paprika, sugar, vinegar and a pinch of salt, and continue to cook on a medium heat until all the liquid has evaporated and you are left with a smooth sauce. Keep it warm.

Clean the mushrooms with a damp cloth and cut any big ones into slices. Heat the oil and butter in a frying pan and fry the mushrooms for 4–5 minutes, seasoning them with salt and pepper. Keep them warm.

To cook the sausages, heat the oil in another frying pan. Cut the sausages into bite-size chunks and cook for a minute, then add the cumin and vinegar and stir to coat. Cook until the sausages are lovely and brown, then keep them warm.

To poach the eggs, pour at least 5cm of water into a medium saucepan and bring to a gentle boil. Add the vinegar. It is best to poach no more than 2 eggs at a time and to keep the temperature just at the gentle boil level. Stir the water to create a gentle whirlpool. This will help the egg white wrap around the yolk. Gently tip the eggs into the centre of the pan and let them cook until set, about 3–4 minutes. Remove with a slotted spoon on to a plate lined with kitchen paper to absorb the excess moisture. Keep them warm while you poach the rest of the eggs.

To serve, lay some mushrooms on a slice of bread in the middle of each plate. Scatter the sausages around them and top each plate with a poached egg, finishing with a dollop of the tomato sauce. Scatter over a few thyme leaves and drizzle with extra virgin olive oil.

TIP:

Instead of chopping onions, grate them when you want their flavour but not their texture, as in this smooth sauce. I grate the tomatoes as a quick solution for getting rid of the skin.

Vinegar cured and smoked pork sausages the Cretan way

SERVES 4

One lasting memory that I have from my childhood is of my grandmother, also called Irini, dealing with all the meat from a pig that probably weighed anything between 150 and 200kg, processing different parts of the animal and making food to last our large family over the winter months. My favourites were the sausages and the smoked fillet (*apaki*), which would hang in front of the fire for days, generating aromas that permeated the whole house.

I love that these days I don't need to be in Crete to eat the sausages or the *apaki*, as I am able to buy both online, and smoked pork of one kind or another is often available in good delicatessens or supermarkets. If you can't buy them but you are nevertheless attracted by the thought of delicious smoky pork, try making your own. The process may seem lengthy but it's actually quite simple. All you need to do to give flavour and aroma to the meat is to cure it in the fridge, then use your favourite smoking method to give it delightful woodsmoke aromas.

With regard to the sausages, you can buy the finished product (cured and smoked), or just buy them cured, ready to either cook as they are or for you to smoke at home.

4 pork sausages, approx. 400–450g

100ml good red wine vinegar, plus a little extra for drizzling

1 tsp salt

1 tsp dried thyme

½ tsp yellow mustard seeds

½ tsp ground cumin

½ tsp black pepper

2 bay leaves

1 strip each of unwaxed orange peel and unwaxed lemon peel, chopped into 1cm pieces

With the tip of a knife, make four small incisions in each sausage. Lay them flat in a snugly-fitting Tupperware container, and add the rest of the ingredients. Cover and put into the fridge for 12 hours, then remove and pat dry, ready for smoking.

To smoke the sausages, use your DIY smoker, stovetop smoker or smoking gun, following the manufacturer's instructions in each case (see page 38).

To cook the sausages, it is best to cut them into bite-size chunks. Fry them in 2 tablespoons of extra virgin olive oil on a medium heat, then taste for seasoning and drizzle with a little more vinegar if you prefer a stronger flavour. Once cooked, you can make a delicious omelette with the sausages, add them to casseroles, or eat them on a piece of toast with a fried egg and some home-made ketchup.

APPETISERS

Three Fritters with Dips (*Keftedes*)

∘

Squid and Sun-dried Tomato Orzo Pasta
(*Kalamari Kritharoto*)

∘

Spinach and Fennel Risotto with Feta Cream
(*Spanakoryzo*)

∘

Battered Salt Cod with Almond Garlic Sauce
and Beetroot Salsa (*Bakaliaros Skordalia*)

∘

King Prawns, Peppers, Ouzo and Feta
(*Garides Saganaki*)

∘

Fried Cheese Three Ways (*Tyri Saganaki*)

∘

Spiced Tomato Jam

∘

Braised Octopus in Wine with
Sweetcorn Purée and Pepper Salsa
(*Chtapodi Krassato*)

In most Greek cookery books this section consists of a number of dips or small plates of food, which we call *meze*. And with good reason, as *meze* is a very popular way of eating, passing the time and drinking one glass of ouzo or retsina after the other.

When eating out, they are the cheapest and least formal option, and as such they are popular with students, soldiers out of the barracks for a couple of hours, working people on the go, and also pensioners who meet daily to talk politics and put the world to rights. And still today, my friends and I – when meeting after the shops close or the day's tasks have been accomplished – will choose to go to a *mezedopoleio* for a glass of wine and some *meze*.

Mezedakia (we tend to add suffixes, such as *-akia* and *-oulia* to indicate the small size of things) are also the little plates that Greek women will come up with very quickly when visited unexpectedly at any time around midday or early evening. Something in our culture still dictates that we need to feed visitors, no matter how little we have, and many tales are told of an old lady cutting an orange from her tree to give a foreigner, or simply offering a glass of cold water on a hot day.

I have many early memories of my mother rustling up a feast to go with the raki, out of things that we always had in the house, such as olives, snails, chips, tinned fish, and seasonal ingredients like fresh broad beans, artichokes and boiled wild greens in spring, chopped cucumber and tomato in summer, or smoked sausage and pork in aspic in winter.

For me the most endearing characteristic of *meze* is the sharing, and personally, coming from a background and culture that is hospitable and embraces generosity, I have little affinity with people who don't. Having all the food laid out within everyone's reach, it belonging to all equally without anyone having a particular claim to anything specific, has a positive feel to it. Were this to be carried through and applied to other aspects of our life, it just might lead to a more harmonious and balanced existence.

But *meze* justifies a book on its own, as the variety is as great as the breadth of local produce, depending on which part of Greece you find yourself in.

The appetisers I have included here represent some of my favourite flavours, and the produce Greece is known for. I hope you enjoy making them, sharing them and eating them as much as I do.

Keftedes
Three fritters with dips

During my school years in Athens, *keftedes* were always a staple for my family and those of my friends when planning what to take on excursions. They could be the classic version made with minced meat, or they could be made with anything that our mothers had in their larders. When you next open your cupboard wondering what to cook, look at all your tins with fritters in mind – I bet you can make a whole range of edible treats with ingredients you have never considered using in this way.

A very attractive feature of *keftedes* is that a small quantity of mixture will give you many individual fritters, making them perfect for large gatherings, kids' parties and picnics. They all freeze well too!

Making the fritters will be easier if you always have the following ready before you start:

· A bowl of flour, for dusting.

· A silicone baking mat or a piece of baking parchment, on which to place the fritters as you make them.

· A second silicone baking mat or piece of baking parchment, on which to place the fritters after you dust them with flour.

· A tray lined with kitchen paper, for draining the fritters once they're cooked.

Minced beef keftedes

MAKES 30–40

400g beef mince

1 medium onion, grated

1 large tomato, grated

8 thin slices of stale white bread, crusts removed

100g dry white breadcrumbs, preferably *frygania* (see page 28)

20ml red wine vinegar

1 egg

1 tbsp dried mint

1 tbsp dried oregano

1 tbsp dried basil

2 tbsp finely chopped fresh parsley

plain flour, for dusting

extra virgin olive oil, for frying

Place all the ingredients, apart from the flour and oil, in a large bowl, and massage for at least 10 minutes to combine completely. Season generously with salt and pepper. Take 20g of the mixture at a time and form into balls, rolling them between your palms. Place them on the first mat or piece of baking parchment.

When you have used all the mince mix, dust each ball with flour, shake off the excess, and put them on the second mat or piece of baking parchment, ready to fry.

Heat about 2cm of oil in a wide pan. Add the *keftedes* and cook for 2–3 minutes on each side. Once they have got some colour all over, turn the heat down so that they cook thoroughly in the centre without burning the outside. Drain on the tray of kitchen paper before serving.

Chickpea and cumin keftedes

MAKES APPROX. 20

1 x 400g tin of chickpeas

50g panko crumbs

1 tbsp ground cumin

1 medium onion, grated

2 eggs

a small bunch of fresh mint, finely chopped

a small bunch of fresh parsley, finely chopped

2–3 tbsp flour, for dusting

extra virgin olive oil, for frying

Drain and rinse the chickpeas. Place them in a small blender and blitz to a smooth paste, then transfer to a bowl and add all the other ingredients apart from the flour and oil. Mix well with your hands, and season generously with salt and pepper. Take about 20g of the mixture at a time and form into balls. Flatten between your palms and place on the first mat or piece of baking parchment.

When you have used all the chickpea mix, dust each fritter with flour, shake off the excess, and put them on the second mat or piece of baking parchment, ready to fry.

Heat about 2cm of oil in a wide pan. Add the *keftedes* and fry for 2–3 minutes on each side. Drain on the tray of kitchen paper before serving.

Courgette, feta and mint keftedes

MAKES 15

2 medium courgettes, approx. 450g

1 medium onion, grated

2 tbsp finely chopped fresh parsley

1 tbsp finely chopped fresh basil

1 tsp dried mint

50g feta cheese, crumbled

50g panko crumbs

2 tbsp plain flour

1 egg

zest of 1 unwaxed lemon

plain flour, for dusting

extra virgin olive oil, for frying

Start by coarsely grating the courgettes. Place them in a colander, sprinkle with salt and let them rest for 30 minutes, to draw out the moisture. Squeeze out the excess liquid and place the courgettes in a bowl. Add all the other ingredients, apart from the flour and the oil. Season with salt and pepper, taking care with the salt as the feta is already salty, then take 20g of the mixture at a time and form into balls, rolling the mixture between your palms. Place on the first mat or piece of baking parchment.

When you have used all the courgette mix, dust each ball with flour, dust off the excess and place on the second mat or piece of baking parchment, ready to fry.

Heat about 2cm of oil in a wide pan. Add the *keftedes* and fry for about 3 minutes on each side, until they are a deep golden colour. Lower the heat a little if you see them colouring too soon. Drain on the tray of kitchen paper before serving.

Three dips

The first two of these dips are very simple to make, and they are great with *keftedes*, or with the multi seed breadsticks on page 188.

Lemon and coriander yoghurt dip

300g thick Greek yoghurt

juice and zest of 1 unwaxed lemon

½ tsp ground coriander

2 tbsp finely chopped fresh coriander

Feta and sweet pepper dip

1 flame-roasted sweet pepper, from a jar

50g feta cheese

a pinch of smoked paprika

a squeeze of lemon juice

To make either of the above dips, place everything in a blender and blitz to a smooth purée. Taste for seasoning and serve, drizzled with extra virgin olive oil, if you like. Feel free to add any aromatics or spices that appeal to you.

Cucumber tzatziki

You can make tzatziki with lots of different vegetables, including fennel, watercress and beetroot, but for me it is tough to beat the real thing, which is always made with cucumber. It is best to make tzatziki a few hours ahead of serving, for the flavours to develop. It keeps in an airtight container for 2–3 days in the fridge.

1 cucumber, weighing 350–400g

200g yoghurt

1 garlic clove, grated

50ml extra virgin olive oil

2–3 tbsp red wine vinegar

2 tbsp finely chopped fresh dill

Wash the cucumber but don't peel it. Coarsely grate it and place in a colander with a sprinkling of salt. Leave it for 10–15 minutes, so that the salt draws the water out of the cucumber. Squeeze tightly in a clean tea towel to get rid of as much liquid as possible, then place in a bowl. Add all the other ingredients and mix thoroughly. Season with salt and pepper, and adjust the vinegar to your taste.

Kalamari kritharoto

Squid and sun-dried tomato orzo pasta

SERVES 6–8

For the rocket pesto
75g rocket

1 garlic clove, crushed

25g Parmesan cheese, grated

30g pine nuts, lightly toasted

60ml extra virgin olive oil

2–3 tbsp vegetable stock

For the squid
3 large squid

2 tbsp extra virgin olive oil

1 shallot, finely chopped

1 garlic clove, finely chopped

½ a red chilli, finely chopped

For the *kritharoto*
750ml fish or vegetable stock

30ml extra virgin olive oil

1 onion, finely chopped

2 garlic cloves, finely chopped

1 leek, finely sliced

200g *kritharaki*

100ml dry white wine

5 sun-dried tomatoes in oil,
  drained and thinly sliced

zest of ½ an unwaxed lemon

a little lemon juice

For the squid tentacles
extra virgin olive oil, for frying

3 squid tentacles

plain flour, for dusting

To serve
finely chopped fresh parsley

a little extra virgin olive oil

An interesting version of Italian risotto, *kritharoto* has become a popular alternative. It is made with *kritharaki*, a pasta resembling the Italian orzo but a little smaller and not as smooth. It absorbs the flavours of the dish better than orzo would.

Pasta goes very well with seafood (a favourite of mine being lobster spaghetti), and this dish does not disappoint.

I love the versatility of *kritharoto* – it is one of those great dishes that you can make with ingredients you already have in your fridge, cupboard and freezer. Don't be scared to experiment and add other vegetables. As for the pesto, I like the pepperiness of the rocket as it goes well with the sweetness of the *kritharaki*, but you can substitute fresh spinach leaves or basil, if you prefer.

Start by making the rocket pesto. Put the rocket, garlic, Parmesan and pine nuts into a food processor and pulse to break up the nuts. With the processor still running, add the oil, and finally add the stock to loosen the pesto to the consistency of a thick sauce that can be drizzled. Transfer to a bowl, cover and keep until needed.

Put the 750ml of stock into a pan, heat gently and keep warm on a low heat.

Next, clean the squid. Remove the eye from each head and wash the squid well. Put the tentacles to one side. Cut the body into pieces about 2cm square and score finely and gently on the diagonal on the inside, to get a pretty pattern when they cook.

Put the oil into a frying pan and bring to a medium heat. Add the chopped shallot and cook for a minute or two, then add the garlic and chilli and cook for 2–3 more minutes, to release all the aromas. Turn up the heat and add the squid pieces. Cook for a couple of minutes, stirring, then remove from the heat.

For the *kritharoto*, bring the oil to a medium heat in a sauté pan. Add the onion and cook for a couple of minutes, stirring, then add the garlic and cook until the onion is translucent but not burnt. Add the leek and the *kritharaki* and turn the heat up. Stir everything for a couple of minutes, then add the wine, stirring until it has been fully absorbed. Add the sun-dried tomatoes, then start adding the stock, a ladle at a time, waiting until each one is almost fully absorbed before adding the next. Just a minute or so before you think the *kritharaki* will be fully cooked, add the squid and give everything a good stir. Remove from the heat while the *kritharoto* is still a bit runny.

When the *kritharoto* is almost ready, heat about 2–3cm of oil to 180°C in a deep frying pan. Dust the tentacles with flour, shake off any excess, and fry them for 2–3 minutes, until golden.

Adjust the seasoning of the *kritharoto*, add the lemon zest and a squeeze of lemon juice, then serve, topped with the fried tentacles and pesto, sprinkled with chopped parsley and drizzled with extra virgin olive oil.

Spanakoryzo
Spinach and fennel risotto with feta cream

SERVES 4

Like so many Greek dishes, this is simple and easy to make, allowing the flavour of the spinach to shine through. I love the self-righteous feeling that some dishes give you when you know that the nutrients they contain outweigh the calories consumed. My mother often made *spanakoryzo* during the winter months, when spinach was plentiful in the main Athens market.

Cooking *spanakoryzo* my way gives the rice a beautiful green colour – it maintains all the flavour and goodness of the spinach and the flavour is enhanced by the salty, umami nature of the feta. The chopped fennel adds the freshness of anise, balancing any pepperiness in the spinach.

**For the spinach and
  fennel risotto**

2 tbsp almond flakes

500ml vegetable stock

300g spinach

20ml extra virgin olive oil

1 medium onion,
  finely chopped

1 garlic clove, finely chopped

1 medium fennel bulb,
  finely chopped

200g risotto rice (Arborio,
  Carnaroli or Vialone, and
  if in Greece try Karolina)

100ml dry white wine

50g butter

1 tbsp fennel fronds,
  finely chopped

For the feta cream

100g Parmesan cheese

50g feta cheese

50g cream cheese

½ tsp grated nutmeg

zest of ½ an unwaxed lemon

Start by roasting the almond flakes. Place them in a dry frying pan and bring to a medium heat. Shake the pan for a few minutes until the flakes turn golden. Transfer to a flat dish and leave to cool.

Set aside 150ml of the stock and put the rest into a saucepan. Bring to a high heat, then keep at a low simmer.

To make the feta cream, cut the Parmesan in half and grate one of the halves. Shave flakes from the other half and set aside in a little bowl. Put the feta, cream cheese, half the grated Parmesan and the nutmeg into a small blender, add a grinding of pepper and pulse. Add about 50ml of the reserved stock to thin the mixture. You are looking for a consistency that you can drizzle but that still has body. Add the lemon zest and mix thoroughly. Transfer the feta cream to a squeezy bottle or a piping bag, or put it into a bowl. Put the rest of the grated Parmesan aside for finishing the risotto.

To make the risotto, wash the spinach thoroughly and prepare a large bowl of cold water with a few ice cubes. Bring a large saucepan of water to the boil. Add the spinach and cook for 2 minutes, then remove and plunge it into the cold water. When cool, drain in a colander. Squeeze out as much of the water as possible, then put the spinach into a food processor with the remaining 100ml of reserved stock and blitz to a smooth purée. If you would like the spinach to be more visible in the risotto, keep some back to chop and stir in towards the end of its cooking time.

Bring a sauté pan to a medium heat and add the oil. Add the onion, garlic and fennel, cook for a couple of minutes, then add the rice. Stir to coat everything with the oil and cook for 2–3 minutes, stirring continuously, until the rice is translucent. Add the wine and let it reduce completely. Start adding the hot stock, a ladle at a time, adding more only when the previous ladle has been fully absorbed. Try the rice from time to time and when it is almost cooked, stir in the spinach purée (and the chopped spinach, if using). If you run out of stock but the rice is not yet cooked, add hot water in ladles as you did with the stock until the rice is cooked. The reason we do not continue with stock is that it may make the risotto too salty (if you have used bouillon or cubes). When the rice is cooked, stir in the butter and the rest of the grated Parmesan, and season with salt and pepper.

To serve, divide the risotto between serving plates. Pipe or drizzle over the feta cream, and sprinkle over the Parmesan shavings and roasted almond flakes. Garnish with the finely chopped fennel fronds.

Battered salt cod with almond garlic sauce and beetroot salsa

SERVES 6

My father loved good food, and fish in particular. When we lived in Athens and went out to eat, we would go to the northern suburbs for meat in the winter and to the seaside for a swim and a fish lunch in the summer. A staple *meze*, and a favourite with all of us, was *bakaliaros skordalia*. My mum would buy a whole side of cured salt cod, which would keep us going for a while. *Skordalia* came in various guises, the consistency varying depending on the ingredients used, which would commonly be soaked with white bread, potatoes or almonds. Beetroot, with its sweet, earthy flavour, is the perfect accompaniment to the other two components of the dish.

The process of salting cod preserves the fish over a long period but also concentrates its flavour. If you cannot easily buy salt cod, you can make your own version using a quick cure of equal parts of sugar and salt, covering the cod completely and rinsing an hour later with plenty of water, then patting dry before use. You can, of course, substitute fresh cod without curing it, as the combination of the fried fish, garlic sauce and beetroot is the perfect marriage anyway!

As for the garlic sauce, I love the concentrated flavour and creaminess of a baked potato, but you can also make *skordalia* with soaked stale bread with the water squeezed out, or with boiled potatoes.

For the battered salt cod
200g cured salt cod

50g cornflour

50g self-raising flour, plus extra for dusting

150ml very cold sparkling water

extra virgin olive oil, for frying

For the beetroot salsa
3 medium cooked beetroots, peeled and diced

½ a red onion, finely chopped

2 spring onions, finely sliced

½ a green chilli, de-seeded and chopped

2 tbsp chopped fresh mint

1–2 tbsp lemon juice

3–4 tbsp extra virgin olive oil

For the almond garlic sauce
50g blanched almonds

2 small garlic cloves

75g baked potato, peeled

juice of 1 lemon

75ml extra virgin olive oil

Start by de-salting the cod. To do this, follow the instructions on the packet. Salt cod may need anything from 12 to 24 hours in cold water, with at least one change of water, but could need more. After the first 12 hours, it is best to try a small piece every now and then, as leaving the cod in water too long will impact on its flavour. You are aiming for fish that is not too salty to eat but still has the distinctive flavour of cured fish.

For the salsa, put the beetroot into a bowl. Add the remaining salsa ingredients, season with salt and pepper, and mix well. Cover and leave in the fridge for a couple of hours at least, for the flavours to infuse.

For the almond garlic sauce, put the almonds, garlic, potato, a little lemon juice and a little oil into a small blender and whiz to a paste. Add more oil and more lemon juice until you have the consistency and flavour you like. Thin with a little hot water and adjust the seasoning to your liking.

When the cod is de-salted, pat it dry and cut it into 2cm chunks. Put the cornflour, self-raising flour and a pinch of salt into a bowl and whisk to mix. Add the sparkling water and whisk gently to form a batter.

Half-fill a saucepan with oil, or put oil into a deep-fat fryer, and heat to 180°C. Dust a few chunks of cod at a time with flour, then dip them into the batter and drop them into the hot oil. Cook the cod until golden, and drain on kitchen paper.

You can either serve the cod on a platter with the garlic sauce and beetroot salsa in bowls for people to help themselves, or serve each person 2 or 3 small chunks of cod with a spoonful of sauce and a generous spoonful of salsa.

King prawns, peppers, ouzo and feta

SERVES 4 AS A LIGHT LUNCH, WITH A FEW GREEN LEAVES

Prawn *saganaki* is routinely offered in small clay pots, which are also called *saganaki*. Another favourite version is made with mussels, but many will be more familiar with the hard cheese or feta *saganaki* dishes.

The prawn version is my favourite – a classic summer dish eaten throughout Greece, with fresh crusty bread for mopping up the delicious sauce. You can add other ingredients to the basic tomato, prawns, onion, feta and ouzo, particularly those that complement the ouzo, such as chopped fennel or star anise. To my mind, though, the simple recipe, with the prawns cooked to perfection (overcooked and they turn to rubber), cannot be beaten. Here I'm giving you a version I sometimes like to make, using peppers and chopped fresh chilli.

18 peeled and cleaned
   raw king prawns

5 tbsp extra virgin olive oil

1 onion, finely chopped

3 garlic cloves,
   finely chopped

3 spring onions, chopped

2 peppers (1 red, 1 green),
   de-seeded and chopped
   into small dice

1 red chilli, de-seeded and
   finely chopped

5 medium tomatoes (I prefer
   to buy them on the vine),
   skinned (see page 59),
   de-seeded and chopped

1 tsp caster sugar

a pinch of dried oregano

50ml ouzo

250g feta cheese, crumbled

2 tbsp chopped fresh parsley

Season the prawns with salt and pepper, and put to one side.

Heat a couple of tablespoons of oil in a sauté pan, then add the onion and cook for a minute or two over a medium heat. Add the garlic, spring onions, peppers and as much chilli as you wish, and cook for a couple of minutes more. Add the tomatoes, season, and add the sugar and dried oregano. Cover the pan and cook for 10–15 minutes.

Heat another couple of tablespoons of oil in a separate frying pan and cook the prawns for a minute on each side. Pour over the ouzo and continue cooking for a minute or so to evaporate the alcohol.

Transfer the prawns to the sauté pan, sprinkle over the feta, then cover the pan and continue cooking for another 5 minutes. Don't overcook the prawns or they will toughen.

Sprinkle with the remaining tablespoon of oil and the chopped parsley, and serve.

Tyri saganaki
Fried cheese three ways

SERVES 4

In Greece we like to eat cheese as a starter, and one of the most popular ways is in *saganaki*, meaning the small frying pan in which the cheese is fried in the dish of the same name. The traditional way would be to dust the cheese with flour and fry it quickly. These days you can find *saganaki* prepared in various ways, and here I am showing just three that I like, each using a different type of cheese, each with its own flavour and texture characteristics.

I love the creaminess and mild flavour of *manouri* and use it a lot in salads, grilled or fried in a dry pan. I am very partial to the umami flavour of a good feta, and here it is baked slowly, wrapped in filo pastry. Finally, the nutty taste of *graviera* from Crete or Naxos (both delicious) completes this fabulous trio of yumminess.

I sometimes also dip the cheese in almond flakes or other seeds and nuts, and serve it with chopped candied or pickled figs or walnuts in honey.

The recipe for the spiced tomato jam (see opposite) is based on a similar jam I was offered as part of a wine tasting at the Douloufakis winery in Dafnes, Crete.

4 sticks of barrel-aged feta cheese, approx. 35–50g each

4 pieces of *graviera* cheese, approx. 35–50g each

1 round of *manouri* cheese, approx. 170g

For the three ways

1 sheet of filo pastry

50ml extra virgin olive oil, plus a little extra for brushing

20g each of white and black sesame seeds

1 egg

20g plain flour

20g panko crumbs

Preheat the oven to 180°C/350°F/gas 4.

Lay the sheet of filo on a chopping board, cut it into quarters and use one to wrap each stick of feta. Place on a lined baking tray, brush with a little olive oil and sprinkle with a few of the white sesame seeds. Bake for 25–30 minutes, until golden brown.

Beat the egg in a bowl. Put the flour and panko crumbs into two flat dishes, and in a third dish mix the black and remaining white sesame seeds.

Dust each of the pieces of graviera cheese with flour. Dip them into the beaten egg, then coat with the panko crumbs.

Dust the *manouri* cheese with flour, then dip first into the egg and then into the mixed sesame seeds.

10 minutes before the feta has finished baking, place a frying pan on a medium heat. Add the oil and when it's near smoking point, add the pieces of *graviera* and *manouri* and cook for a couple of minutes on each side until golden. Remove the cheese from the frying pan with a slotted spoon and drain on kitchen paper.

When the feta comes out of the oven, serve the cheese with a few dressed green leaves and a spoonful of spiced tomato jam.

Spiced tomato jam

MAKES A COUPLE OF SMALL JARS

750g ripe beef tomatoes

1 tsp coriander seeds,
  toasted and crushed

½ tsp cumin seeds, toasted
  and crushed

½ tsp ground allspice

½ tsp dried chilli flakes

1 star anise

juice and zest of ½ an
  unwaxed orange

juice and zest of ½ an
  unwaxed lemon

100g granulated sugar

50g honey

Wash the tomatoes and cut them into large chunks. Place them in a heavy-bottomed saucepan and cook vigorously over a high heat, stirring often, until all the juices have evaporated.

Bring a small frying pan to a medium heat. Add the spices and toast for 2–3 minutes to release their aroma. Remove from the heat and leave to cool. Once cooled, grind the spices to a fine powder, using a spice grinder or a pestle and mortar.

Add the ground spices, orange and lemon juices and zest, sugar, honey and a pinch of sea salt to the pan of tomatoes and continue cooking on a medium heat, stirring from time to time to avoid it catching. When the consistency is like jam, take off the heat and spoon into sterilised jars.

Unopened, this will keep for 2–3 months. Once opened, it will keep in the fridge for a week or two.

Chtapodi krassato
Braised octopus in wine with sweetcorn purée and pepper salsa

SERVES 4

I believe the most common image when looking for pictures of Greece is one of octopus drying on a line in the sun. This mollusc has been resident in Mediterranean waters for centuries and, judging by the many depictions of it we find on pottery, the ancient Greeks had as much of a fascination with it as we do.

Octopus is usually enjoyed as a *meze* and goes beautifully with ouzo, an added benefit being that it is one of the foodstuffs allowed during fasting, as are lots of other sea and land creatures that do not contain blood. Its flavour is such that it does not need many fancy spices and processes to make a great dish. Charring suits it very well, and the most common way it is cooked in Greece is over charcoal, finished with olive oil, lemon juice and oregano. The next best way to cook it, if you are not sitting in the sunshine on a beautiful seashore, is braising it slowly with just a couple of aromatics and a little wine.

Here it is served with a sweetcorn purée, as opposed to the usual yellow split pea purée (fava).

For the braised octopus

1 octopus, weighing approx. 750g
100ml extra virgin olive oil
1 onion, coarsely grated
2 garlic cloves, finely chopped
200ml dry white wine
1 tbsp tomato purée
1–2 bay leaves
3 allspice berries
1 tbsp fresh thyme and dill leaves

For the sweetcorn purée

400g fresh corn kernels
20ml extra virgin olive oil
2 garlic cloves, unpeeled
1 shallot, unpeeled
200ml vegetable stock

For the pepper salsa

1 tbsp extra virgin olive oil
1 small red onion, finely chopped
1 long sweet red pepper, de-seeded and chopped
1 garlic clove, finely chopped
½ a red chilli, finely chopped
2 tsp red wine vinegar
a drizzle of pomegranate molasses

First, clean the octopus and cut off the tentacles, discarding the head. Wash and pat dry. Heat the oil in a saucepan with a lid over a medium heat. Add the onion and sauté for a few minutes, until soft. Add the garlic and cook for a further 2 minutes, then add the octopus tentacles and cook for 2–3 minutes more. Add the wine and all the remaining ingredients apart from the thyme leaves. Any seasoning will be best added at the end, as the octopus will already be quite salty. Cut a cartouche (a circle of baking parchment the size of the pan) and lay it over the octopus, then put the lid on the pan. Cook the octopus over a low heat for anything between 45 and 60 minutes, depending on its size, until tender.

If there is still liquid in the pan (the octopus itself releases a lot of water), remove the cartouche and lid, then increase the heat until any liquid has evaporated and the octopus is tender and sticky. Cut the tentacles into small pieces, ready to serve, or leave them whole if you prefer, and set aside.

To make the sweetcorn purée, preheat the oven to 180°C/350°F/gas 4. Place the corn kernels on a baking tray and sprinkle with the oil. Toss to coat all the kernels. Place the garlic and shallot in one corner of the same baking tray and bake for 30 minutes, then remove from the oven. Peel the garlic and shallot and put into a small blender. Add the sweetcorn and stock gradually, blitzing until it reaches a consistency you like. Pass through a sieve, then check the seasoning and keep warm.

To make the pepper salsa, heat the oil in a saucepan over a medium heat. Add the red onion and red pepper and sauté for 5–6 minutes, until they have started to take on a little colour and begin to soften. Add the garlic and chilli and sauté for 2–3 minutes, until the garlic has started to soften. Add the red wine vinegar and the pomegranate molasses and season. Bring to the boil, then reduce the heat to low and simmer for about 5 minutes, until the liquid has reduced and the salsa looks thick and glossy.

To serve, put a big spoonful of the sweetcorn purée in the middle of each plate. Place a few octopus pieces in the centre, scatter over the thyme and dill and drop spoonfuls of the pepper salsa all around.

SALADS

Griddled Courgette Ribbons
with Crumbled Feta and a
Mint Lemon Dressing

o

Greek Salad on a Cretan Barley Rusk
(*Dakos*)

o

Dried Figs and Toasted Mastelo
Cheese with Spinach and a Fig Glaze

o

Grilled Manouri Cheese with
Toasted Walnuts, Grapes and Pears

o

Sunshine Salad of Golden
Beetroot, Orange and Fennel

Salad is a food which, coming from a country sun-drenched for 350 days each year, with a coastline of 13,676 kilometres, and with the variety of landscape that Greece has, would easily make a fantastic book on its own.

The range of available fresh ingredients – vegetables, pulses, grains, nuts (abundant since antiquity), grape by-products, such as vinegar and molasses, as well as fruits, such as pomegranates, melons, watermelons, figs and pears – makes for a huge number of salad combinations. I have recently come to realise that Greek cuisine lends itself beautifully to vegetarian and vegan eating, spearheaded by our abundant and excellent olive oil (see page 30) and some of the produce mentioned above.

Rituals – like putting our carpets away for summer or bringing out warmer clothes for winter – carry over to food. I am still excited at the prospect of eating carrot, cabbage, lettuce, potato and pulse based salads in the winter, and courgette, broad bean, beetroot, watermelon, tomato and cucumber based ones in the summer. But these days, of course, supermarkets in the bigger towns offer all manner of local and imported produce all year round, and foreign produce has begun to be grown locally. But, in the villages, the seasonal food rituals continue (and I hope always will).

I was amazed and almost giddy with excitement last year, when my brother gave me basketfuls of passion fruit, which he had liberated from a garden fence belonging to someone who clearly only appreciated the beautiful, exotic flowers. I was really torn between educating the plant's owner about the gorgeous flavour of the fruits and keeping the knowledge to myself. Passion fruit can be used for syrups, jams and curds, as well as to make other dishes. I use the syrup to make a vinaigrette, which goes beautifully with green salads.

In this book I have included just a few of the salads I enjoy eating at different times of the year. The queen of these (and the bane of many taverna owners, who wish people would order more widely from their menus) is, of course, the humble village salad. This is universally known abroad as Greek salad, but we know it as *choriatiki*, village salad, because it utilises the basic ingredients – onions, cucumbers, olives, feta cheese and olive oil – which are invariably available in all villages.

I find that the endearing appeal of salads is both the ease and speed with which a very nutritious and beautiful plate of food can be prepared, and the fact that often the basic elements on the plate work as a canvas to which anything we fancy or have available can be added.

Griddled courgette ribbons with crumbled feta and a mint lemon dressing

SERVES 4

Courgettes are delicious and nutritious, an integral part of many Greek summer dishes. One of my favourite ways to cook them is to thinly slice them lengthwise, dust them with flour and quickly fry them in hot oil. Great with tzatziki!

Over time I have discovered the joy of raw and barely cooked courgettes, where the flavour remains intact and the vegetable retains its freshness and natural aroma as well as its crisp texture. For this salad, all that is needed is a slight caramelisation, developed on the griddle pan, which also gives the long ribbons an attractive char-marked appearance.

The mild, sweet flavour of the courgettes, the acidity of the lemons, the saltiness of the feta, the sweetness of the *pasteli*, the crunchiness of the croutons and the fragrance of the mint make this dish a wonderful summer treat! I have used lamb's lettuce, but you can use young spinach, rocket or watercress.

2 thick slices of bread

a little extra virgin olive oil

4 courgettes

1 lemon

a packet of lamb's lettuce

100g feta cheese, cut into small dice

a few chunks of pasteli (see page 94)

baby courgette flowers (optional)

For the dressing

1 tbsp flower honey

3–4 tbsp lemon juice

50ml extra virgin olive oil

2 tbsp finely shredded fresh mint

Preheat the oven to 180°C/350°F/gas 4.

Remove the crusts from the bread and cut it into bite-size chunks. Sprinkle with a little oil and season with salt and pepper. Toss to coat, then spread out on a baking tray. Bake in the oven for 10 minutes, until golden and crunchy, then leave to cool.

Top and tail the courgettes and slice thinly with a knife, or on a mandolin. Brush a griddle pan with a little oil and cook the courgette slices for 1 minute on each side. You will need to do this in batches. You can leave a few slices raw if they are thin enough, for extra crunch and goodness. Place the courgettes in a salad bowl and season with salt.

Top and tail the lemon and remove the skin and the bitter white pith. Using your knife at an angle between the membrane that separates the segments, remove the lemon flesh, leaving the skin behind. Cut each segment in three and reserve.

In a small bowl, mix the honey and lemon juice together, then slowly add the oil, whisking all the time until your dressing looks like an emulsion. Add the shredded mint and a little salt and mix well.

Wash and dry the lamb's lettuce and add it to the salad bowl of courgettes. Add the feta, lemon segments, croutons and *pasteli* chunks, and drizzle with the mint dressing. Garnish with baby courgette flowers, if you have them.

Pasteli

The nutritional powerhouse that is the combination of sesame and honey goes back to antiquity, with references to it being made by Herodotus and in Homer's *Iliad*. A favourite snack in the Aegean islands, it has many variations in terms of quantities of ingredients (it has long been recognised that the more honey as opposed to sugar it contains, the better the quality) and flavourings, with some adding nuts or aromatics.

I make *pasteli* to use mainly in salads or to accompany soft, not so sweet desserts, such as panna cotta, and I love adding a bit of a kick in the form of crushed peppercorns or dried chilli flakes.

The secret of good *pasteli*, apart from the high content of honey, is slow cooking.

vegetable oil, for greasing

150g honey

150g caster sugar

150g sesame seeds

Lay a piece of baking parchment on a cold work surface and grease it with a little oil. Oil another piece of baking parchment the same way and keep it nearby.

Place a frying pan on a medium heat. Add the honey and sugar and cook slowly, stirring all the time with a wooden spoon. The sugar will dissolve and the mixture will froth, but you need to keep stirring until the colour changes to a deep gold. Add the sesame seeds and continue stirring until you have a sticky brown mixture.

Working quickly, pour the sesame caramel mix on to the oiled parchment and spread it out with a palette knife. Place the second piece of oiled parchment on top of the sesame caramel mix and, using a rolling pin, spread and flatten it as much as possible.

Leave to cool slightly (don't let it cool completely, as it will be hard to cut), then remove the top layer of parchment. Place the *pasteli* upside down on a wooden board, remove the other piece of parchment, and cut into your desired shapes with a sharp knife or a pizza wheel. Alternatively, let the *pasteli* go totally cold, then snap into pieces.

Keep in an airtight container, with parchment in between the layers to prevent the *pasteli* sticking, for a week or so.

Dakos
Greek salad on a Cretan barley rusk

SERVES 1–2

Who has been to Greece and not eaten a Greek salad? This simple but delicious dish has almost defined Greek cuisine in the eyes of the visitor for the last sixty years. In places like Crete, when combined with the delicious barley rusk known as *dakos*, it is a delicacy for locals and tourists alike!

What excites me is its evolution, and the idea that you can have all the delicious flavours that remind you of a perfect summer but in a contemporary way that allows you to play and show off at the same time. Why not try a chilled Greek salad smoothie in the summer, or serve a Greek salad as a dinner party starter in a way that your guests have not tried before?

There are a few secrets to re-creating the memorable salad you enjoyed in Chania or your own favourite island spot. First, your vegetables must be the freshest you can find, and preferably organic. Cucumbers and tomatoes in particular must be taken out of the fridge at least an hour beforehand. In fact, I always keep my tomatoes in a bowl on my worktop, even in Greek temperatures. Room temperature helps with juice extraction and the development of the sweet tomato flavour. It may seem strange to you, but please squeeze the juice of a tomato or two and add it to your bowl of ingredients. Finally, use the best quality red wine vinegar you can buy. I love my Greek salad the way it is served in western Crete, with creamy savoury *mizithra* cheese (*amari* is a good one) instead of feta.

a handful of heritage or cherry tomatoes

¼ of a cucumber, peeled, cut into quarters lengthwise, then into 1cm pieces

3 Kalamata olives, stoned, each cut into 3 pieces

¼ of red onion, finely sliced

a pinch of dried oregano

1–2 tbsp red wine vinegar

extra virgin olive oil

1 *dakos* (see page 27)

juice of ½ an orange

30g *amari mizithra* cheese (see page 28)

3 fresh basil leaves, finely shredded

Halve the tomatoes and put all but two into a bowl. Add the cucumber, olives, onion, oregano, vinegar, a little oil and a pinch of salt, and toss. Taste, adjust the seasoning and leave for at least a few minutes for the flavours to develop.

Put the *dakos* on to a plate and squeeze over the juice of the other two tomato halves. Drizzle over the orange juice and a little oil, and season with salt.

Top the *dakos* with the salad, then break up the *mizithra* over the top and sprinkle with the fresh basil.

Dried figs and toasted Mastelo cheese with spinach and a fig glaze

SERVES 4

The word *agouro* means unripe, and *agourida* refers to the unripened grape. Since I was little I have loved the taste and freshness of *agourida*, or *verjuice*, feeling pleasure from the anticipation of the ripe grapes but also the tingling sensation on my taste buds of something aromatic and fresh that seems to awaken all senses. I remember my mother using it to tenderise okra before cooking it, but it was not widely used. As an adult, I was thrilled to see that producers bottled *verjuice* and that chefs found ways to incorporate it into recipes.

Mastelo is a wonderful soft pasteurised cheese made with cow's milk, and it cooks beautifully. It does harden a little when it cools, but not as much as the Cypriot haloumi, and it is much milder but more interesting in flavour. You can dust it with flour and fry it in a little hot olive oil, making a great cheese *saganaki* to go with an aromatic tomato jam (see page 83), or dip it into flour, milk and eggwash and finish with panko crumbs, or brush it with milk and dust it with sesame seeds, as I have done here. I would not recommend eating the cheese raw, but it is utterly delicious pan-fried or grilled.

1 lettuce

100g young spinach leaves

200g Mastelo cheese

2–3 tbsp milk, for dipping

2 tbsp white sesame seeds, plus extra for sprinkling

2 tbsp black sesame seeds

extra virgin olive oil, for frying

3 dried figs, very thinly sliced

2 tbsp very finely chopped fresh parsley

For the dressing

3–4 tbsp verjuice

2 tbsp fig glaze or aged balsamic vinegar

50ml extra virgin olive oil

Trim the lettuce and separate the leaves. Wash and drain the lettuce and spinach leaves, then pat them all dry with a clean tea towel.

Cut the Mastelo cheese into triangles, then cut each triangle in half horizontally. Pour the milk into a small bowl and put the seeds into two separate bowls. Dip the cheese triangles first into the milk, then half into the white sesame seeds and half into the black sesame seeds, to coat all over.

Bring a large frying pan to a medium heat and add oil to cover the base of the pan. Fry the pieces of cheese on both sides, until golden, then drain on kitchen paper.

Put the lettuce and spinach into a salad bowl. When cool enough to handle, lay the pieces of cheese on top of the leaves.

Whisk the verjuice and fig glaze together in a bowl. Add the oil, initially a drop or two at a time, to make a thick dressing. Season with salt.

Scatter the sliced figs and the extra sesame seeds over the salad, and finish by drizzling over the fig glaze dressing and sprinkling with the chopped parsley.

Grilled manouri cheese with toasted walnuts, grapes and pears

SERVES 4

This salad makes a great feature of *manouri* cheese, a versatile, mild and creamy, semi-soft cheese that has Protected Designation of Origin. It is made from the whey drained during the production of feta, with the addition of pasteurised sheep's and goat's milk cream. *Manouri* has a firm texture and a rich, buttery flavour, with mild citrusy notes and a milky aroma. It is equally great in sweet and in savoury dishes, and I love it toasted or lightly fried.

I know the word emulsion may sound a bit pretentious, but it is actually a good word to describe precisely the kind of dressing we want here – a thick, syrup-like consistency in which all the liquids are amalgamated perfectly. This is achieved by adding the olive oil to the vinegar very slowly, almost drop by drop at the beginning.

For the salad

a handful of walnut halves

a bunch of seedless black and white grapes (approx. 200g in total)

2 pears, ripe but firm

a squeeze of lemon juice

1 packet of *manouri* cheese (170g)

about 140g rocket

For the grape molasses emulsion

1 tbsp white wine vinegar

½ tsp English mustard

1 tbsp grape molasses

3–4 tbsp extra virgin olive oil

Preheat the oven to 180°C/350°F/gas 4. Roast the walnut halves on a baking tray for 5 minutes, then put aside and leave to cool.

Wash and drain the grapes. Cut them in half and keep them to one side. Wash and core the pears. Cut them into quarters and then into eighths. Drop the pears into a bowl of water with a little lemon juice added to prevent oxidisation.

Bring a dry griddle pan to a high heat. Slice each piece of *manouri* horizontally into two thinner rounds, to give four rounds. Place them on the griddle and let them brown. If you wish, you can repeat this on both sides so you have a pretty criss-cross pattern.

For the dressing, put the vinegar and mustard into a bowl and whisk to blend. Add the grape molasses, then add the oil slowly in a thin dribble, whisking all the time. Season with salt and pepper.

Place the grilled cheese on a platter with some of the rocket. Top with most of the grapes and pears, add more rocket, then scatter over the rest of the grapes and pears, and the walnuts, and drizzle over the dressing.

Sunshine salad of golden beetroot, orange and fennel

SERVES 4

A warm purple beetroot salad has been a family staple for as long as I can remember. The beetroots, like so many other vegetables, were so sweet and full of flavour that the only treatment was to boil them (I am not sure about that way of cooking anything, as so much is lost to the water), peel them and toss them in good olive oil and red wine vinegar. The stalks were always used too.

In this salad I am using golden beetroots, as their sweetness is reminiscent of the purple ones of home – whatever flavour shortfall there is, the aromatic, zingy citrus dressing addresses it perfectly.

Once again, I would advocate roasting the beetroots with aromatics. Concentrating their flavour is paramount, and helping this delicious root vegetable lose some of its liquid by cooking it dry will do just that. The number of beetroots is based on the fact that they tend to generally be on the small size, but it is best you judge how many you need. Being a Greek, I believe it is always better to have leftovers and eat them the next day than be short of anything, particularly when entertaining!

a handful of pistachio nuts

4–5 golden beetroots, preferably with their stalks

extra virgin olive oil, for drizzling

a sprig of fresh thyme

2 garlic cloves, unpeeled

2 oranges

1 packet of watercress

2 baby gem lettuces

½ a fennel bulb, fronds reserved

For the beetroot stalks

1 tbsp extra virgin olive oil

a squeeze of lemon juice

For the dressing

300ml freshly squeezed orange juice

zest of 1 unwaxed orange

20ml lemon juice

1 tsp orange blossom honey

50ml extra virgin olive oil

seeds from 3 cardamom pods, crushed

1cm piece of fresh ginger, peeled and grated

Preheat the oven to 180°C/350°F/gas 4. Roast the pistachios on a baking tray for 5–7 minutes, then put aside to cool.

Cut the stalks off the beetroots and set aside. Wash and dry the beetroots and place them on a piece of foil large enough to wrap them completely. Drizzle with a little oil, season with salt and pepper, then add the sprig of thyme and the garlic cloves, wrap well and place in the oven. Check for tenderness after 1 hour by inserting a knife, though they may need as long as 1½ hours, depending on their size.

Wash the stalks and cut them into pieces about 5cm long. Drop them into a pan of boiling water with a pinch of salt and cook for a few minutes, until soft but still with a bit of crunch, then drain and rinse under cold water. Put them into a bowl with a drizzle of oil and a squeeze of lemon, and season.

Take the beetroots out of the oven when cooked and leave to cool. Peel, thinly slice and put into a bowl. Drizzle with a little oil and season with salt and pepper.

Peel the oranges and divide into segments, discarding the membrane. Rinse and drain the watercress. Trim the ends off the lettuces and slice them horizontally into ½ cm-thick rings. With a vegetable peeler or a mandolin, shave the fennel.

To make the dressing, bring the orange juice and zest to the boil in a small saucepan, then boil until reduced by half. Place in a small blender and add the lemon juice, honey, oil and a pinch of salt and pepper, and blend to a thick consistency. Add the cardamom seeds and grated ginger and give it a good stir.

On a flat serving plate, arrange the beetroot slices, watercress, fennel shavings, orange segments and baby gem slices in layers, scattering some of the beetroot stalks here and there. Drizzle the dressing over the salad and scatter over the roasted pistachios and fennel fronds.

SOUPS

Vegetable Scraps and Pasta Soup
with Spinach and Feta Pesto
(*Glykos Trahanas*)

o

Lentils with Anchovies and Capers
on Crispy Toast (*Fakes*)

o

Warming Bean and Carrot Soup with
Cretan-style Sausage (*Fasolada*)

o

Sea Bass Dumplings in a Fish Broth
(*Yiouvarlakia*)

o

My Favourite Winter Soup –
Soured Cracked Wheat (*Xinochontros*)

These days a bowl of soup is usually a way to start a meal, or sometimes a light lunch. Because of the weather, soup is not a go-to dish in Greece in the same way it is in northern Europe (particularly in the winter months, when it's a favourite standby). It seems to me that Greek cuisine has always called for more solid food, generally involving lots of bread. Looking back to my childhood, there almost seemed to be a stigma about soup (as there was about drinking tea): it was reserved for cases of old age, lack of teeth and sickness. A case in point is chicken soup, which to this day is the food of choice when someone is suffering from flu.

I remember how, whenever I smelled a covered plate of chicken and *avgolemono* soup, I knew someone in the neighbourhood was sick. My old aunt Maria (my grandmother's sister, who came over as a child with my grandmother from Asia Minor) had incredible ingenuity when it came to cooking. She would make some dough, roll it out, cut it into strips, form them into small squares, boil them in water, add a little olive oil, salt and pepper and take them to a sick friend. I kept asking to try this weird soupy concoction and one day she treated me to a sweet version, sprinkled with toasted crushed sesame seeds, honey and cinnamon. She took the added trouble of frying some pastry squares in olive oil to give it texture and a smoky flavour. I loved it!

This attitude to soup may not be that strange, considering the climate. In all Mediterranean countries, for the majority of the year, people look for something refreshing and cooling and not a warm bowl of soup. There are some exceptions, however, in classic Greek dishes like *fakes*, *fasolada* and *revythosoupa*, as cooking lentils, beans, chickpeas and other pulses in liquid is a favoured method. The reason why we cook things the way we do always fascinates me, across all cultures. I have long been convinced that in the past this was the best way to ensure that the pulses were cooked without the need to tend to the stove during cooking, while retaining the flavours in the water.

The one soup that is as much a classic in Greece (with variations all around the Mediterranean), and directly connected to the topology of our small but very fragmented country, is fish soup, a *psarosoupa* or *bougiabesa*. It is probably true to say that every household cooks it in its own way or, more accurately, every time a household cooks a *psarosoupa*, it is cooked differently depending on the ingredients available. It is a great favourite, particularly in the smaller islands, where fishing has always been an important industry, and the tiny fish of the Aegean produce some of the most flavoursome soups I have ever eaten.

Vegetable scraps and pasta soup with spinach and feta pesto

SERVES 4

One of my absolute favourite parts of the *MasterChef* competition was the 'scraps challenge'. Until that day I had always felt safer when following recipes, but when we uncovered the bowls in front of us to reveal their contents, it was not scraps of vegetables, fruit, fish and meat bones that I could see, but memories of my mother's everyday cooking – how by introducing one ingredient that she perhaps had fresh that day, like wild greens or something from the vegetable patch, and using barley, wheat, pasta, *trahanas*, and so on, she could make a whole meal. These days we all have vegetable remnants in the fridge and lots of dry ingredients in the larder, but because we perhaps don't have enough of anything, we let them go off and then throw them out. This recipe is the answer!

I made this soup with what I found in the fridge and just 100g of sweet *trahanas* pasta (see page 32 for information about this simple but delicious ingredient). You can use anything and everything, no rules here. Even the pesto can be varied with herbs, spinach, rocket . . . and if you don't have pine nuts, you can use any other type of nuts, or even dried breadcrumbs.

20ml olive oil

1 small onion, finely chopped

2 bay leaves

a few strands of saffron

2 celery sticks, very
  finely sliced

1 carrot, cut into very
  small dice

100g cabbage, shredded

150g baby tomatoes,
  cut into halves or quarters

1¼ litres vegetable stock

100g sweet *trahanas* pasta

micro-herbs (optional)

**For the spinach and
  feta pesto**

50g young spinach leaves

25g feta cheese

25g toasted pine nuts

1 garlic clove, finely chopped

lemon juice, to taste

50–75ml extra virgin olive oil

Put a large saucepan on a medium heat. Add the olive oil and the onion and cook for 3–4 minutes, lowering the heat if necessary to simply soften the onion, not brown it. Add the bay leaves, saffron and the rest of the vegetables and cook for 5 minutes, stirring continuously.

Add the stock and bring to the boil. Add the *trahanas*, then lower the heat and cook for about 20 minutes, until the *trahanas* is cooked. Taste and season with pepper. Taste for salt, but take into account that the pesto will be salty because of the feta, so go easy.

To make the pesto, place everything in a small food processor and blitz, then transfer to a bowl.

Serve the soup in bowls, topped with the pesto and micro-herbs, if you have them.

Lentils with anchovies and capers on crispy toast

SERVES 6–8

For the soup

1 large onion, finely chopped

3 garlic cloves, finely chopped

2 large carrots, finely sliced

100ml extra virgin olive oil

500g brown lentils

1 x 400g tin of chopped
  tomatoes, or 3 beef
  tomatoes, skinned
  and chopped

2 tbsp tomato purée

3 bay leaves

1 tsp caster sugar

1 tsp ground cumin

approx. 2 litres vegetable
  stock

3–5 tbsp red wine vinegar

For the anchovy and caper toast

8 anchovies in oil, well
  drained and chopped

1 tbsp capers, rinsed

2 tbsp cream cheese

1 tsp unwaxed lemon zest

3 tbsp extra virgin olive oil

3–4 slices of good bread,
  toasted

paprika (optional)

To serve

Greek yoghurt or double
  cream (optional)

2 tbsp finely chopped
  fresh parsley

a drizzle of extra virgin
  olive oil

Pulses were a staple of my diet when I was growing up. They were cheap, and a little went a long way. When my mother cooked lentils (*fakes*), broad beans (*koukia*) or chickpeas (*revythia*), all we would get would be a plateful with a slice of bread and sometimes something extra – olives or some preserved fish, such as kippers, the umami flavour in both livening up the duller flavour of the pulses. For me, what turned the otherwise bland lentils into something utterly delicious was a glug of red wine vinegar (we always had our own, dynamite stuff), added at the end. It seemed to bring the lentils to life!

These days we are used to having so many component parts to a dish and expect a visual feast on our plates. I have always enjoyed taking the simple dishes of my childhood, like *fakes*, and, by adding a few little touches, turning them into something exciting. In this recipe those same umami flavours of the preserved fish and olives are now contained in the anchovy and caper paste, spread on a piece of crispy toast.

To make the soup, start by gently cooking the onion, garlic and carrots in half the oil in a large saucepan over a medium heat. Add the lentils and stir for 2–3 minutes. Add the tomatoes, tomato purée, bay leaves, sugar and cumin, then add enough vegetable stock to cover the lentils by a few centimetres. Bring to the boil, then reduce the heat and cook until the lentils are tender. You will need to add more stock as they cook, and the time taken will depend on the type of lentils, but it will vary from 45 minutes to 1½ hours.

When cooked, leave to cool a little, then remove the bay leaves and transfer to a blender. Blitz until you have a smooth purée consistency, then return the soup to the pan. If you like your soup to have a thinner consistency, add more stock. Season with salt and pepper, and add the vinegar, a tablespoon at a time, to taste. Bring back to the heat and warm thoroughly before serving.

To make the anchovy and caper toast, place all the ingredients except the bread and paprika in a small food processor and blitz to a smooth paste. Cut the toasted bread into long thin pieces and spread sparingly with the paste and sprinkle with the paprika.

Serve the soup with a swirl of Greek yoghurt or double cream, if you like, sprinkled with the parsley, with a drizzle of some good-quality extra virgin olive oil, and with the toast on the side.

Warming bean and carrot soup with Cretan-style sausage

SERVES 4–6

This is essentially a wonderfully easy and quick soup using tinned cannellini beans. The butternut squash adds sweetness and pectin, making a thick soup that can stand up to the cheese and the sliced sausage.

If you would rather use dried beans, read the tips below for how to prepare them for cooking. You have to start the previous day, as the beans need to soak for at least 24 hours. If you go to the trouble of using dried beans, it is always worth cooking more than you need, as they freeze beautifully.

With the addition of the sausage and cheese, you arrive at a soup full of flavour and texture. You can find Cretan sausages in the UK, unsmoked and smoked, the latter having a much longer life (see page 64). They are not like anything you will have tasted before. The meat is chopped roughly, mixed with lots of red wine vinegar, cumin and pepper, then marinated for 2 or 3 days before being stuffed into casings and hung up to smoke. These sausages add so much flavour to soups and casseroles, or just when fried with eggs. I tried to find a way to re-create their flavour with normal sausages, and to some extent I managed it. If you have a smoker, it is easy (see page 38).

25ml extra virgin olive oil, plus extra for drizzling

½ an onion, finely chopped

2 garlic cloves, finely chopped

2 carrots, finely chopped

2 celery sticks, thinly sliced

100g butternut squash, finely chopped

2 x 400g tins of cannellini beans

100ml passata, or 2 big red tomatoes, grated

1 tbsp tomato purée

2 bay leaves

½ tsp sweet smoked paprika

1 litre vegetable stock

a few celery leaves, roughly chopped (optional)

To serve

2 tbsp finely chopped fresh parsley

a few shavings off a mature cheese (e.g. Cretan or Naxos *graviera* or Parmesan)

2–3 Cretan-style sausages, cooked and sliced (see page 64)

Pour the oil into a saucepan large enough to fit everything in, then add the onion, garlic, carrots, celery and butternut squash. Place on a medium heat, stir a couple of times, then reduce the heat and let everything cook gently for 15 minutes.

Drain and rinse the cannellini beans and add them to the pan together with the passata or grated tomato, tomato purée, bay leaves and paprika and give everything a good stir. Add the stock and bring to the boil, then cover with a lid and reduce the heat to just below medium. Cook for an hour, then check to see that the beans are soft and all the vegetables are cooked. Add more liquid to get the consistency you like, or cook uncovered on a high heat to reduce the liquid and thicken the soup. Other than ensuring that everything is cooked, particularly the beans, as they can be tough on the digestive system, the rest is very much a matter of personal preference.

Serve sprinkled with the parsley and the chopped celery leaves, if using, and top with a drizzle of olive oil, the cheese shavings and slices of smoked Cretan-style sausages.

TIPS:

Preparing dried beans: If using dried beans, place them in a large bowl and add plenty of water. Leave them to soak for 24 hours. Drain and rinse, then put them into a saucepan with 4 times their volume of fresh cold water and bring to the boil. Reduce the heat, cover the pan and cook for 1 hour. They are now ready to use in the same way as tinned beans.

Put any leftover cooked beans into your blender and blitz to turn them into a delicious dip, or a purée to accompany pork or chicken.

Yiouvarlakia
Sea bass dumplings in a fish broth

SERVES 4

These dumplings get their name from the Turkish word for round, *yuvarlak*, and are traditionally made with minced meat, rice and aromatics. They are cooked in gently boiling water or stock, which is flavoured at the end of the cooking time with an egg and lemon emulsion that also thickens the soup.

In this recipe I use fish inspired by the *MasterChef* scrap challenge, in which I used the head of a fish and scraps of vegetables to make a delicious stock, and the meat from the head to make the *yiouvarlakia*. Ask your fishmonger to give you a fish carcass or some fish heads, avoiding oily fish such as salmon or mackerel. The recipe below makes 1 litre of stock. Instead of egg and lemon, I simply thicken the broth with cornflour. This is a fragrant and delicious soup which can make a complete meal or an elegant appetiser.

4 medium potatoes

2 carrots

1 litre fish stock (see below)

1 fennel bulb

about 300g sea bass fillets

2 tbsp finely chopped
   fresh parsley

2 tbsp finely chopped fresh
   dill, plus extra for sprinkling

2 spring onions, finely chopped

30g panko (or fresh) crumbs

juice and zest of 1 unwaxed
   lemon

1 egg white

1 tbsp cornflour

For the fish stock

2–3 tbsp extra virgin olive oil

1 medium onion, quartered

2 carrots, roughly chopped

1 leek, sliced

2 celery sticks, sliced

2 bay leaves

2 sprigs of fresh thyme

a few peppercorns

1 star anise

1 white fish carcass, including
   the head (e.g. cod, sea bass,
   stone bass), or just a few
   fish heads (see intro)

100ml dry white wine

1½ litres water

To make the fish stock, heat the oil in a large saucepan over a medium heat. Add the chopped vegetables, toss to coat in the oil, then cook for 2–3 minutes. Stir in the herbs and spices. Add the fish carcass or fish heads and the wine, cook until the wine has almost evaporated, then add the water and increase the heat until the stock reaches a gentle boil. Remove any scum that gathers on the surface, as this will make the stock bitter. Lower the heat and let the stock simmer gently for around 45 minutes. Strain in a colander, then through a piece of muslin, and set aside until needed.

Peel the potatoes, then, using a melon baller, make as many small balls of potato as possible. Peel the carrots and finely slice on the diagonal. Put the potatoes, carrots and fish stock into a medium saucepan and bring to a medium heat. Cook for about 10–12 minutes, or until the vegetables are almost soft.

Meanwhile, prepare the *yiouvarlakia*. Trim the fennel, then grate it and place in a bowl. Finely chop any fennel fronds and add to the bowl. Using a filleting knife, remove the skin from the sea bass fillets. Place the flesh in a blender and pulse a few times to get a minced consistency. Add the fish flesh to the grated fennel. Add the herbs, spring onions, panko crumbs, lemon zest and egg white, season with salt and pepper, then mix thoroughly with your hands until you have a sticky paste. Make the mix into little balls, as similar in size as possible so that they cook evenly, and put them on a plate.

When the vegetables have been cooking for 10–12 minutes, lower the *yiouvarlakia* carefully into the pan and cook for another 10 minutes.

In a small cup, mix the cornflour with a little water and add it to the soup to thicken it. Stir and cook for a minute or two longer. Test and adjust the seasoning with salt, pepper and the lemon juice, and serve sprinkled with a little finely chopped dill. I like to garnish this with nasturtium leaves when I have them.

My favourite winter soup – soured cracked wheat

SERVES 4

Every summer my mother would cook cracked wheat in soured milk (*xinochontros*, as we call it in Crete), then make fistfuls of it and dry it in the sun, ready to use in the winter months.

Without starters or desserts but with just a dish like this for supper, perhaps accompanied by a handful of olives and a chunk of bread, people would wake up early the next morning and work physically until lunchtime, when lunch would often comprise a tin of oily fish, some more olives, a piece of cheese and yet one more chunk of bread.

While the *xinochontros* was drying in the sun, my job every day would be to go and turn it, and I remember loving the smell of the drying soured milk. Once dried, it would be put into woven cotton sacks and kept in a dry place ready for the winter.

There is a lot of flavour in this soup, which in its simplest form is perfect for vegetarians, though I do like it with the intensity of the smoked pork and feta cheese shavings, as here. I always keep a piece of feta in the freezer to shave over soups and casseroles for a bit of umami flavour.

Caution is needed when ordering *trahanas*, as it is known in the rest of Greece. You will need to specify that you want *xinochontros*, or the one made with cracked wheat, not flour (see page 32).

20ml extra virgin olive oil

40g pancetta or Serrano ham slices

a pinch of dried sage

1 shallot, finely chopped

1 garlic clove, finely chopped

1 tsp tomato purée

1 medium potato, cut into small dice

150g *xinochontros* (see page 32)

2 medium tomatoes on the vine, skinned and finely diced

1½ litres vegetable or chicken stock

a pinch of dried chilli flakes

To garnish

extra virgin olive oil, for drizzling

a little chopped fresh flat-leaf parsley

a few feta shavings

Put a small piece of feta cheese into the freezer for 30 minutes before serving.

Place a small frying pan over a medium heat. Add a tablespoon of the oil and, when hot, add the pancetta slices. Cook until crisp, then remove and drain on kitchen paper. When completely cold, crumble into crumbs with your fingers and mix with the dried sage. Store in a small, airtight container until needed.

Place a saucepan on a medium heat and add another tablespoon of oil. Add the shallot and cook for a couple of minutes, then add the garlic and tomato purée. Add the diced potato and stir everything to coat, then lower the heat and cook for approximately 5 minutes. Stir in the *xinochontros*, then add the tomatoes, stock and chilli flakes and season with salt and pepper. Bring to the boil, then lower the heat and cook until everything is cooked and the potato is soft. Remove from the heat and adjust the seasoning.

Serve immediately, with a drizzle of extra virgin olive oil, a sprinkling of pancetta crumbs and parsley. To finish, use a vegetable peeler to shave over the feta. The soup will thicken as it cools, so thin it with a bit more stock or water if you reheat it.

VEGETABLES AND LEGUMES

Runner Bean and Tomato Casserole with
a Feta Crumb and Potato and Carrot Purée
(*Fasolakia Ladera*)

∘

Oven-baked Omelette with Butternut Squash,
Feta and French Beans (*Omeleta Fournou*)

∘

Pea, Carrot and Potato Casserole with
Whipped Feta and Bacon Crumble
(*Arakas Me Patates*)

∘

Tomatoes and Peppers Filled with
Herbed Trahanas and Rice (*Gemista*)

∘

Giant White Beans Baked with
Carrots and Celery (*Gigantes Plaki*)

It will not come as a surprise that a country which produces so much olive oil, and where there is so much sunshine, also gives life to a huge array of vegetables, pulses and nuts. These have served as the backbone of Greek cuisine through the centuries: from the school of Pythagoras' ascetic vegetarianism to the findings of scientist Ancel Keys, who made the benefits of the Mediterranean diet known to the world in the 1950s, vegetables have long been the kings of the Greek diet, often making Greeks accidental vegetarians.

Crete, where I grew up, is blessed with a large number of wild greens and herbs (*horta*, as we call them), which were an important part of our diet when I was young and which are still appreciated by many who still know how to forage for them. There is something special about going out of your front door, as my aunt Antonia does, and returning thirty minutes later with a sack full of wild spinach, black mustard leaves, wild fennel, dandelions and many other varieties that can be boiled and eaten as salad, or sautéed with spring onions in a bit of olive oil and put into delicious little shallow-fried *hortopitakia* (small pies).

A popular way of sourcing vegetables, and the pastime of many a Greek cook, is the weekly visit to the *laiki* (or *agora*), the farmers' markets, which offer much more than vegetables and fruit sold directly by producers. Beekeepers, cheese-makers and fishermen also use this wonderful way of bringing their home-grown or home-made produce directly to the consumer, without the price tags or superfluous packaging of the supermarkets.

The Greek climate is warm for a large part of the year, and this means that many vegetables are either eaten raw in the form of a salad, or are cooked simply and eaten with only olive oil and lemon juice as a cold dish, this being particularly true of wild greens.

A common method of cooking vegetables has developed over time, where onions, tomatoes and herbs are added to olive oil in a casserole dish – other vegetables are then added and cooked slowly over a medium heat. These dishes are called *lathera* and they are often eaten as a main course accompanied only by some feta cheese and a slice of warm crusty bread.

Personally, as I grew up on a diet of what we could grow ourselves in abundance, picking, cooking and eating vegetables or foraged greens gives me the most direct connection with the earth, and feels the most natural, beneficial, harmonious and enjoyable way of eating and feeding others.

Fasolakia ladera

Runner bean and tomato casserole with a feta crumb and potato and carrot purée

SERVES 6

For the bean casserole

500g runner beans

1 large onion, roughly chopped

20ml extra virgin olive oil

2 garlic cloves, finely chopped

50ml dry white wine

1 x 400g tin of chopped
   tomatoes

2 tbsp tomato purée

a pinch of caster sugar

250ml vegetable stock

2 tbsp finely chopped
   fresh parsley

2 spring onions, finely sliced

For the feta crumb

50g fresh breadcrumbs

2 tbsp pistachio nuts, crushed

2 tbsp extra virgin olive oil

1 tsp dried oregano

100g feta cheese

For the olive oil potato purée

250g Maris Piper potatoes,
   or other potatoes suitable
   for mashing

50ml extra virgin olive oil

a pinch of grated nutmeg

For the carrot purée

250g carrots

2 tbsp extra virgin olive oil

½ tsp ground coriander

To garnish

extra virgin olive oil, to drizzle

2 tbsp finely chopped fresh
   mixed herbs (mint, coriander,
   parsley)

A summer *ladero* (olive oil-based) classic, this dish is traditionally cooked with all the ingredients thrown together into the pan.

In this, my interpretation, the beans are blanched and thrown into ice-cold water to retain their vibrant green colour, and the potato is cooked separately and serves as a bed upon which the gorgeous tomato and bean casserole rests.

The dish works brilliantly as an accompaniment to grilled meats or fish, and I have often chosen to serve it as such on a big platter. The feta is always a welcome accompaniment to *ladera* dishes, but you can omit it or replace it with a soft plant-based cheese to make a nutritious vegan meal. As with all *ladera* dishes, hold back some extra virgin olive oil to sprinkle over at the end.

Preheat the oven to 180°C/350°F/gas 4.

First make the feta crumb. Put the fresh breadcrumbs and crushed pistachios on a baking tray, sprinkle with the olive oil, dried oregano and pepper, and toss to mix. Bake for 10 minutes, or until golden brown. Remove from the oven and transfer to a bowl. When the crumb is cool, mix in the crumbled feta and set aside until needed.

Top and tail the beans if they need it (this normally pulls away any stringy bits along their sides) and blanch them in gently boiling water for 1 minute. Drain and drop into a bowl of ice-cold water, leave to cool, then drain again and put to one side.

Put the chopped onion into a saucepan with the oil and cook for a few minutes. Add the garlic and toss for a minute or so, then add the wine and cook until it has almost evaporated. Add the tinned tomatoes, tomato purée, sugar, stock, parsley and spring onions, and cook on a low heat for about 20 minutes. Add the beans and simmer for a further 10 minutes, until cooked.

While the casserole is cooking, peel the potatoes and cut them into roughly equal chunks. Put them into a pan, cover with cold water and add a pinch of salt and a splash of oil, which will add to the velvety texture of your purée. Bring to the boil and cook until the potatoes are soft. Drain. Add the remaining oil and the nutmeg and mash by hand, or with a stick blender for a smoother consistency. Test for seasoning and keep warm.

Peel the carrots and cut into roughly equal chunks. Bring a pan of salted water to the boil, add the carrots, and cook until soft. Drain, then add a drop of olive oil to the carrots and mash by hand, or use a stick blender for a smoother purée. Return to the pan, season with ground coriander, salt and pepper, and keep warm. If necessary, reheat the potato and carrot purées briefly in the microwave for a few seconds before serving.

Test the bean casserole for seasoning and serve, sprinkled with extra virgin olive oil, the herbs and the feta crumb, with the potato and carrot purées alongside.

Omeleta fournou

Oven-baked omelette with butternut squash, feta and French beans

SERVES 4–6

Looking back, I am convinced that my mother's oven-baked omelettes were just a way to use up any leftover vegetables or wild greens. She would also add some *anthotyros* (a hard Cretan cheese made with sheep's and goat's milk) or fresh *mizithra*. The combination with the freshly laid eggs made a quick meal costing hardly anything, but which was delicious nevertheless.

I now find I often do the same, and I have also advised younger members of the family to use this method to entice their children to eat vegetables – and it seems to work, particularly when the omelette also contains freshly fried chips, a firm favourite with children through the ages, it seems.

I have used butternut squash in this recipe, but just be guided by what is in season, fresh and widely available.

50ml extra virgin olive oil, plus a little extra for brushing

1 large red onion, finely sliced

1 large potato, peeled and cut into dice

8 eggs

2–3 tbsp double cream

a pinch of dried chilli flakes

a sprig of fresh thyme, leaves picked

2 tbsp finely chopped fresh parsley

200g French beans, blanched

250g baked butternut squash flesh, cut into bite-size chunks

150g feta cheese, crumbled

Preheat the oven to 180°C/350°F/gas 4.

Heat a couple of tablespoons of oil in a frying pan. Add the onion and cook until transparent but not brown. Remove from the pan and put to one side.

Add the rest of the oil to the pan and fry the potato on a medium heat until soft and golden. Drain, season with salt and put to one side.

Beat the eggs in a bowl, then add the double cream, chilli flakes and thyme leaves, and season with salt and pepper.

Brush an ovenproof frying pan or baking dish with a little oil. Spread the onion in a single layer and top with the fried potato. Sprinkle over half the parsley and add the blanched beans and the baked butternut squash. Crumble over the feta and finally add the beaten eggs and the remaining parsley, shaking the pan so that the egg coats everything.

Place the pan in the oven and cook until the omelette is risen and golden, about 35–40 minutes.

Serve with a tomato and basil salad.

TIP:

This is a great way to use up leftover boiled new potatoes. Depending on how many you have, mix them with a few other vegetables, or just some onions and herbs, add some cheese, preferably feta, cook as above, and have a delicious meal in no time at all!

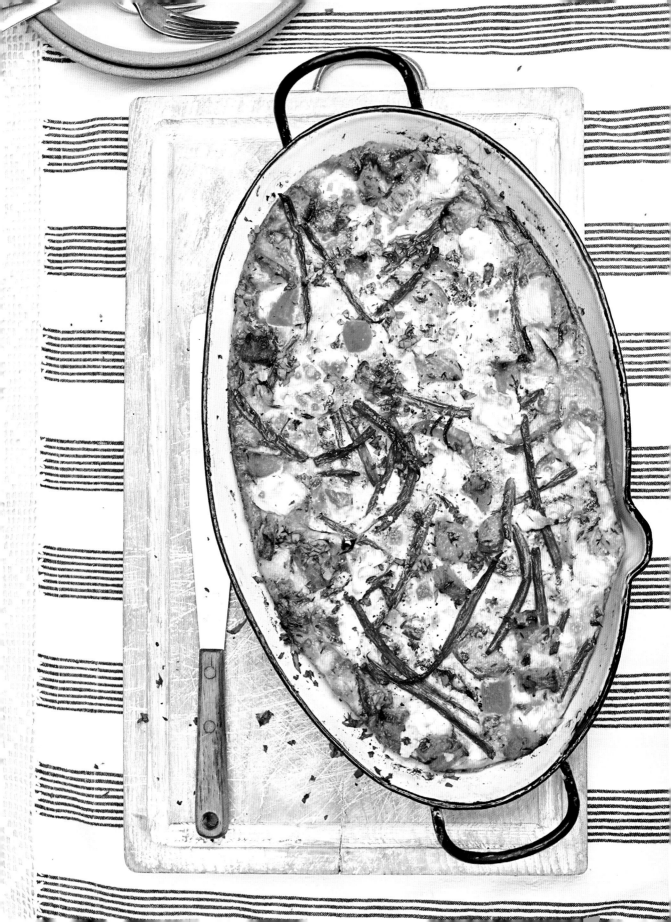

TIMOΛOΓION
ψητα
Εγτραδει
    ΙΙ   ΙΙ
Μπριζολει
Μεζεδακια
Ψαρια
Μαριδει
Σαλατα   ΕΠΟΧΗΣ
Φετα   ΠΑΡΝΑΣΣΟΥ
Ρετσινα
Ηβποι
Ζυθοι   ΦΙΑΛΗ

Pea, carrot and potato casserole with whipped feta and bacon crumble

SERVES 6-8

1 onion, roughly chopped

50ml extra virgin olive oil

1 fennel bulb, chopped

a handful of baby new potatoes, or 1 large potato cut into 2cm pieces

3 carrots, sliced

100ml dry white wine

4 medium tomatoes, skinned and chopped, or 1 x 400g tin of chopped tomatoes

1 tbsp tomato purée

1 tbsp vegetable bouillon diluted in water

500g frozen peas

unwaxed lemon zest and juice, to taste

3 spring onions, sliced

fennel fronds and a few fresh mint leaves, chopped

a few pea shoots (optional)

For the bacon crumble

extra virgin olive oil

3 rashers of smoked back bacon

150g plain flour

75g cold unsalted butter, cut into cubes

1 tsp fresh thyme leaves

For the whipped feta

150g feta cheese

75g cream cheese

50g Greek yoghurt

Peas, like French beans, are one of my favourite vegetables to cook in the *ladero* style, and while in our good old eating habits we would eat a plateful of this by itself with a bit of bread, these days it is more often than not an accompaniment to meat or fish or just one of many sharing plates.

For someone who loves vegetables as much as I do, this is a perfect meal in itself, packed with goodness and flavour. Like all *ladera* dishes, it tastes delicious accompanied by some feta, sprinkled with extra virgin olive oil and dried oregano. Some lovely warm bread really suits it too!

I have used frozen peas for convenience and price, but, of course, if you happen to grow your own peas, or vegetables in general, do use those. Good ingredients don't need much to come to the fore, and in this case it is a good quality olive oil that makes the dish. If using fresh peas, add these to the casserole at the same time as the tomatoes.

Preheat the oven to 180°C/350°F/gas 4.

Start by making the bacon crumble. Put a little oil into a frying pan and bring to a medium heat. Add the bacon and cook until brown and crisp. When cooked, remove and drain on kitchen paper. When the bacon has cooled completely, it should be brittle. Break it up with your hands into small crumb-like pieces.

In a bowl, mix the flour and butter to a breadcrumb consistency. Season with salt and pepper, add the thyme leaves and spread on a lined baking tray. Place in the oven for 10–15 minutes, until golden and crispy. Remove and put to one side to cool. When cooled, mix with the crispy bacon crumbs.

To make the whipped feta, place all the ingredients in a small blender and blitz to a smooth creamy consistency.

To cook the casserole, fry the chopped onion in a pan with half the olive oil. Add the fennel, potatoes and carrots and cook, stirring continually for 2–3 minutes. Add the wine and cook until it has totally evaporated. Add the chopped tomatoes, tomato purée and bouillon, then top up with water to cover the vegetables by a couple of centimetres. Bring to the boil, then lower the heat and cook slowly, just shaking the pan from time to time. The vegetables take about 20 minutes to cook.

After 15 minutes, add the peas to the pan and season with salt and pepper. Stir gently, cover and cook for a further 5 minutes. A little bit of sauce is desired, so don't let the casserole go dry. Adjust the seasoning, add a little lemon juice to liven up the flavours, and finish with a sprinkling of the remaining extra virgin olive oil, lemon zest, the spring onions, chopped herbs and some pea shoots if you have them.

To serve, spoon the casserole mix on to a platter, add the whipped feta and sprinkle over the bacon crumble.

Gemista
Tomatoes and peppers filled with herbed trahanas and rice

SERVES 4

This is a popular summer dish, coinciding with the availability of ripe and sweet tomatoes and other vegetables. The vegetables of choice are tomatoes and peppers, followed by courgettes, aubergines and occasionally potatoes. The stuffing can vary, to include rice and minced meat, rice and herbs, or bulgur instead of rice. Occasionally tomatoes are stuffed with fish or seafood and can be eaten cold as a starter. If you like, you can put chunks of potato among the stuffed vegetables to soak up the lovely juices.

In our Cretan village, they refer to vegetables stuffed with rice only as 'orphans', while the ones stuffed with both rice and minced meat are called 'married'.

8 medium tomatoes

4 small green peppers

1 tsp caster sugar, plus a pinch

extra virgin olive oil

1 large onion, finely chopped

3 garlic cloves, finely chopped

1 large courgette

75g soured *trahanas* (*xinochontros*) (see page 32)

50g basmati rice

50ml dry white wine

1 x 400g tin of chopped tomatoes

1 tbsp tomato purée

2 tbsp finely chopped fresh mint

2 tbsp finely chopped fresh parsley

50g currants

50g pine nuts, roasted in a dry frying pan, plus extra for serving

2 tbsp dried white breadcrumbs or *frygania*

50g grated hard cheese (*graviera*, *kefalotyri* or Parmesan)

a few fresh flat-leaf parsley and oregano leaves

Preheat the oven to 180°C/350°F/gas 4.

Slice off the tops of the tomatoes, then, using a spoon, remove the flesh, chop it and put it into a bowl. Slice off the tops of the peppers and throw away the seeds, but chop the soft flesh to which the seeds are attached and add it to the chopped tomato. Sit the empty vegetables in a roasting tray. Season them with a pinch of salt and sugar and drizzle a little oil inside each one.

To make the stuffing, heat a little oil in a saucepan and sauté the onions until almost translucent. Add the garlic and cook for another minute. Grate the courgette, add it to the pan and cook for a couple of minutes more. Add the soured *trahanas* and the rice and cook until the rice is transparent and the *trahanas* is no longer in clumps. Pour in the wine and cook until it has almost evaporated. Add the chopped insides of the vegetables, the tinned tomatoes, tomato purée and remaining sugar and continue to cook, seasoning with salt and pepper. As soon as the liquid has been absorbed, the stuffing is ready. Remove the pan from the heat and stir in the fresh herbs, currants and pine nuts.

Spoon the rice mix into the tomatoes and peppers, leaving a little room at the top for the filling to expand. Cover with the vegetable tops and season with salt and pepper. Drizzle over some olive oil and sprinkle with the breadcrumbs and grated cheese. If there is any stuffing left over, put it around the vegetables in the roasting tray. Pour a couple of glasses of water into the tray, cover with foil and bake for 30 minutes. Then remove the foil and continue baking for another 30–40 minutes, until nicely browned.

Serve hot, warm or cold, with slices of feta and sprinkled with olive oil, oregano, pine nuts and parsley.

Gigantes plaki

Giant white beans baked with carrots and celery

SERVES 6 AS A MAIN AND 8–10 AS A SIDE DISH

My aunt Antonia makes this dish with smaller butter beans because she can't wait for the hours of soaking necessary for the *gigantes* beans. Her dish is very tasty, but what makes the *gigantes* dish very special is the creaminess in the mouth that the giant beans give you.

The fact that you need to soak them for as much as 24 hours just means that you need to plan a little in advance, a small sacrifice to make for so much goodness and flavour, and you end up saving on cooking time. Like so many other pulse dishes, it is worth making more than you need and freezing some, to use for a quick midweek lunch or supper.

I love having feta with this in the summer, and small chunks of smoked pork or smoked sausage with it in the winter, when I also add some smoked paprika to the dish, but it's delicious without any of the extras – and such a good vegan dish too!

Gigantes beans are available from most Greek food stockists, but you could use butter beans as well. Follow the instructions on the packet for the soaking time.

500g dried *gigantes* beans

2–3 tbsp extra virgin olive oil

1 onion, finely chopped

300g carrots, sliced

3 celery sticks, sliced

2 garlic cloves, finely chopped

2 bay leaves

½ tsp dried chilli flakes

100ml dry white wine

4–5 sun-dried tomatoes, blitzed in a blender

250ml passata, or 1 x 400g tin of chopped tomatoes

1 tbsp soft brown sugar

150ml vegetable (or vegan) stock

juice and zest of 1 unwaxed orange

2 tbsp finely chopped fresh flat-leaf parsley

To serve

1 tbsp finely chopped fresh flat-leaf parsley

a few celery leaves, optional

50ml extra virgin olive oil

zest of 1 unwaxed lemon

Place the beans in a colander and rinse them under cold water. Empty them into a large container and cover them with cold water, enough to reach 5cm above the surface of the beans, then cover and leave to soak for 18–24 hours. When the beans are puffed up and ready to cook, drain them, put them in a saucepan, cover with fresh water and bring to the boil. Remove any scum and loose skins that may rise to the top, then lower the heat and cook for about 1 hour. Drain and set aside.

Preheat the oven to 180°C/350°F/gas 4.

Put the oil into a clean saucepan and bring to a medium heat. Add the onion, carrots and celery and cook for a minute or two. Add the garlic, bay leaves and chilli flakes and give them a good stir, then pour in the wine and increase the heat until it has fully evaporated. Mix the sun-dried tomatoes with the passata and sugar and add to the saucepan, giving everything a good stir. Add the drained beans, the stock, orange juice and zest and chopped parsley, and stir well. You can season with pepper at this stage, but leave the salt for when you get the beans out of the oven the first time – salting too early can toughen them.

Pour the contents of the saucepan into an ovenproof dish, cover with foil and bake for 1 hour. Check that the beans are soft – if not, cook them a bit longer. Finally, when the beans are soft enough for your taste, remove the foil and cook for a further 15–20 minutes, so the beans caramelise and the flavours intensify. There should be a little thick sauce left, so you may need to add a bit more water during cooking to ensure the dish does not dry out.

This process may sound a little onerous, but it is really worth the effort.

At the point of serving, sprinkle with more chopped parsley and a few celery leaves, if you have them, a good drizzle of extra virgin olive oil and some lemon zest for freshness.

FISH
AND
SEAFOOD

Seared Cod Fillet on a Fava Purée with
Spinach, Mushrooms and Tomato

o

Sea Bass Fillet with a Herbed Tomato Sauce
and Minted Courgettes (*Lavraki a la Spetsiota*)

o

Roast Halibut, Potato and Fennel with
Yoghurt Béchamel and Braised Peppers

o

Mackerel with Cauliflower Two Ways and
a Rosemary, Garlic and Vinegar Sauce
(*Savoro*)

o

Roasted Sea Bream and Charred Broccoli
with a Lemon and Oil Dressing
(*Tsipoura Ladolemono*)

As one would expect from a country with nearly 14,000 kilometres of coastline, the variety of fish and seafood available to Greek cooks has always been enormous. The flavour of fish fed with the nutrients that pour into the sea with the rainwater running off such large expanses of land cannot be compared to that of large ocean fish, and it is easy to see why fishing is such a popular hobby for Greeks.

Despite the recent decline caused by excessive and harmful fishing practices, which has led to 66% of all seafood consumed in Greece being imported, fishing has been one of the main activities of island people for millennia, and, until the recent developments in tourism, it was also an important part of the Greek rural economy. Greeks remain keen fish eaters and have a wealth of recipes to prove it.

Despite being an island, Crete's size and fertile land has meant that its cuisine is not as rich in fish dishes as that of the smaller islands, which historically would have had to rely more heavily on food from the sea. Fish tends to feature as just one of the ingredients in a dish, with the Cretan cook staying faithful to the nutritional value and appeal of vegetables and pulses. Living 40 or so kilometres from the coast meant that fish did not feature much in my diet when I was growing up, but this is also perhaps the reason that its appeal for me has been so long-lasting. As a young child, I would occasionally be taken by my parents to the coast for a few days' swimming, and later, as a teenager living in Athens, we would go on day-trip swimming excursions, where eating a lunch of freshly caught fish was very much imprinted on my memory. Unsurprisingly, I find myself propelled towards any fish-selling mobile van, fish market and fishmonger's marble slab.

Perhaps fish more than any other ingredient plays witness to the diversity of regional cuisines, with some being considered real classics – for example, the *Spetsiota* recipe, in which meaty fish is roasted with lots of tomato and herbs, the *Corfiot bourdeto*, cooked with lots of sautéd onions and spicy red peppers, and salted cod accompanied by *agiada*, an almond and garlic sauce. However, sometimes there is nothing more pleasing than the simple flavours of freshly caught *maridaki* (whitebait) or baby Symi shrimps just dusted with flour, deep-fried and drenched with lemon; or a freshly-caught fish cooked over charcoal and served with a simple *ladolemono* (oil and lemon) sauce.

Seared cod fillet on a fava purée with spinach, mushrooms and tomato

SERVES 4

For the fava purée

300g fava

1 large white onion,
   cut into quarters

1 bay leaf

a sprig of fresh thyme

lemon juice, to taste

20ml extra virgin olive oil,
   plus extra for drizzling

vegetable stock (optional)

For the tomato and
   coriander salsa

1 red onion, finely chopped

250g plum tomatoes,
   roughly chopped

2 tbsp finely chopped
   fresh coriander leaves

extra virgin olive oil

juice and zest of
   1 unwaxed lime

½ tsp finely chopped red chilli

For the sautéd mushrooms
   and spinach

2 tbsp extra virgin olive oil

1 shallot, finely chopped

1 garlic clove, finely chopped

150g mushrooms,
   roughly chopped

200g baby spinach leaves,
   washed and drained

For the fish

4 fillets of cod, approx.
   100g each

2 tbsp extra virgin olive oil

a knob of butter

Since moving to the UK I have come to love cod for its lovely white flesh and its ability to take so many flavours, offering a great range of options, so that, as a cook, I never tire of it. However, wonderful as it is when cooked properly, it can be disappointing if overcooked. So the focus of this dish, and any other involving cod, is timing.

The accompaniments are really simple and quick to make. As for the fava, it requires little attention once you've got it under way. I love its versatility, its flavour complementing so many others. Keep some in the freezer – defrost it thoroughly, warm it up, and serve with some extra virgin olive oil and chopped sweet onion as an accompaniment to anything on your table.

To make the fava purée, wash the fava in a colander under running water and, when the water runs clear, put it into a saucepan. Add the onion and herbs, then add water to come 2–3cm above the fava. Bring to the boil, skimming off the impurities that float to the surface. Reduce the heat and cook for about 1 hour undisturbed, until it has a purée consistency. Leave to cool, remove the herbs, then transfer to a blender and blitz to a fine purée. Season with salt and pepper, then add lemon juice to taste and the olive oil, stirring until fully incorporated.

To make the tomato and coriander salsa, mix all the ingredients in a bowl. Cover with cling film or a lid and leave in the fridge for the flavours to develop.

To make the sautéed mushrooms and spinach, bring a pan to a medium heat. Add the oil and shallot and cook over a medium heat for a couple of minutes, then add the garlic and stir. Cook for a further 2 minutes, then add the mushrooms to the pan. Cook for a few minutes more, stirring from time to time. When the mushrooms are almost cooked, add the spinach and let it wilt. Remove the pan from the heat, season and keep warm.

To cook the cod, wash the fillets and pat them dry. Season them with salt and pepper and put them to one side. Put the oil into a frying pan and bring to a medium heat. Add the fish, skin-side down, pressing lightly for a few seconds, then cook for a couple of minutes or until the skin turns a dark golden colour. Turn the fish over and add the butter. Cook the fish for a further 4–5 minutes, basting with the olive oil and butter, then remove the pan from the heat, cover loosely and let the cod sit for 2–3 minutes.

To serve, gently reheat the fava. If at this point you think it's too thick, add some stock or water. Put some of the mushroom and spinach mixture in the middle of each plate and top with a cod fillet. Spoon some fava and salsa on the side, and drizzle over some extra virgin olive oil.

Sea bass fillet with a herbed tomato sauce and minted courgettes

SERVES 4

I first experienced the joy of this dish as a nineteen-year-old, when for a whole summer I was nanny to two delightful little boys whose family had a home on the beautiful island of Spetses. Every day the grandparents, parents, children and I would take the family speedboat and go to a different beach on the island or across to the Peloponnese to swim, catch sea urchins, have lunch, then come back for an afternoon nap. This ritual was never interrupted and lunch was always at a different seaside taverna, where the food was simple, fresh and delicious.

The dish is normally made with fleshy fillets of fish, which are roasted in the oven. The fish absorbs all the flavours of the sauce and is delicious. My variation is based on the fact that, depending on the size of the fish, cooking it in the traditional manner overcooks the flesh. In my version, the elements of the dish are cooked separately, achieving perfect texture, and, of course, the fish can be eaten on its own or served with vegetables or a purée. Simple sautéd courgettes make the perfect accompaniment.

3 banana shallots, finely sliced

vegetable oil, for deep-frying

4 x 160-180g fillets of
  sea bass

2 tbsp plain flour

2 tbsp extra virgin olive oil

olive tapenade, to serve

For the sauce

2–3 tbsp extra virgin olive oil

2 shallots, finely chopped

4 garlic cloves, finely sliced

2 green peppers, de-seeded
  and chopped

100ml dry white wine

6 large ripe tomatoes,
  skinned and chopped

1 tbsp tomato purée

a pinch of brown sugar

5 tbsp chopped fresh parsley

For the courgettes

3 courgettes

extra virgin olive oil

a knob of butter

a bunch of fresh mint,
  chopped, plus a few
  leaves for serving

juice and zest of ½ an
  unwaxed lemon

Start by making the sauce. Put the oil into a sauté pan over a medium heat, then add the shallots and garlic and cook for a couple of minutes. Add the green peppers and continue cooking for a few more minutes, then add the wine and let it evaporate. Add the tomatoes, tomato purée, sugar and 3 tablespoons of the chopped parsley, and season with salt and pepper. Bring to the boil, then turn the heat down, cover and cook for about 15 minutes, shaking the pan so that the sauce does not stick. Remove from the heat and use a stick blender to make a smooth sauce.

Put the banana shallots into a bowl of cold water for a few minutes, then drain and pat them dry. Heat about 2–3cm of oil to 135°C in a small saucepan. Add the shallots and deep-fry for a few minutes, then remove and drain on kitchen paper. Increase the temperature of the oil to 170°C and drop the shallots in again for a few seconds, until golden. Remove and drain again. Do not let them go dark brown, as they will go bitter. Put them to one side while you cook the courgettes and the fish.

Wash and trim the courgettes and peel them into thin ribbons using a vegetable peeler. Heat the oil and the knob of butter in a saucepan and add the courgettes. Toss for a couple of minutes, then season with salt and pepper and stir in the mint, lemon juice and lemon zest. Keep warm.

Dust the washed and dried fish fillets with the flour, seasoned with salt and pepper. Heat a couple of tablespoons of olive oil in a frying pan and fry the fish on the skin side first, holding them down for the first few seconds so they don't curl up from the heat. Cook until golden, then turn them over and cook on the other side for a minute or two, depending on the size of the fish, until the flesh is opaque, but do not let them get dry.

Gently warm the tomato sauce and place some in the middle of each plate. Add some courgette ribbons, top with a fillet of fish and pile on the crispy shallots. Add some olive tapenade and sprinkle with the rest of the parsley and a few mint leaves.

Roast halibut, potato and fennel with yoghurt béchamel and braised peppers

SERVES 6

For the halibut
2 tbsp plain flour
6 fillets of halibut (or any firm-fleshed fish)
extra virgin olive oil, for frying

For the béchamel
1 tbsp cornflour
20ml full fat milk
2 medium eggs
300g Greek yoghurt
100g *Naxos graviera* or Parmesan cheese
grated nutmeg, to taste

For the potatoes
3 medium potatoes
2–3 tbsp extra virgin olive oil
1 tsp toasted fennel seeds, crushed
1 tsp unwaxed lemon zest

For the fennel
2 fennel bulbs
1 onion
3 garlic cloves
2 tbsp extra virgin olive oil
50ml ouzo
100ml fish or vegetable stock

For the braised peppers
4 peppers (1 red, 1 green, 1 yellow, 1 orange)
2–3 tbsp extra virgin olive oil
1 shallot, finely chopped
2 garlic cloves, finely chopped
1 tbsp white wine vinegar
1 tbsp finely chopped parsley

For the sourdough crumbs
2 slices of sourdough bread
extra virgin olive oil
1 tbsp chopped fresh rosemary

The béchamel in this dish is a light, yoghurt-based roux which complements the fish nicely, while the ouzo reinforces the anise flavours of the fennel and fennel seeds. For anyone worrying that they must have all the ingredients for a recipe, I would say: please don't. This dish will still taste delicious if you don't happen to have any ouzo in your larder – you will still get the aniseed flavour from the fennel seeds.

Preheat the oven to 200°C/400°F/gas 6.

Start by making the béchamel. Put the cornflour into a small bowl and stir in the milk. In a bigger bowl, beat the eggs and add the yoghurt and grated cheese. Pour in the milk mixture and mix to incorporate fully. Transfer to a saucepan over a low heat and stir until thickened. Add some nutmeg, season and keep covered until needed.

To cook the halibut, put the flour on a plate and season. Dust the fish with the flour and fry in a little hot oil until crisp and golden, about 1 minute each side. Drain on kitchen paper. Put the fish fillets on baking parchment on a baking tray and cover with the béchamel. Bake for 15–20 minutes, depending on the thickness of the fillets, until the flesh is opaque and flaky, but not dry.

Meanwhile, peel the potatoes and cut them into small equal pieces. Put them into a saucepan of cold water with a little salt and bring to the boil. Cook until soft but not mushy, then drain and place in a bowl. While still warm, stir in the oil, fennel seeds and lemon zest. Season with salt and pepper and keep warm.

Slice the fennel bulbs finely, then cut into small dice, reserving the fronds for serving. Peel and finely chop the onion and garlic. Heat a little oil in a frying pan and cook the onion over a medium heat until translucent. Add the chopped garlic and fennel and cook for a couple more minutes. Add the ouzo and cook until it has evaporated. Add the stock and continue cooking until the fennel is tender and has absorbed all the liquid. Season with salt and pepper, and keep warm.

Top and tail the peppers, then remove the core and seeds and slice thinly into rounds. Heat the oil in a sauté pan on a medium heat, then add the shallot and cook for a couple of minutes, until translucent. Add the garlic and cook for 1 minute. Add the peppers and toss to mix. Lower the heat, cover and cook the peppers until soft. Finally, add the vinegar and parsley, and season.

For the sourdough crumbs, preheat the oven to 180°C/350°F/gas 4. Tear the bread and blitz in a food processor. Place the crumbs on a baking tray, sesaon with some salt and coat with a drizzle of olive oil. Scatter over the rosemary and bake for about 5–7 minutes, until crisp and golden.

To serve, it can be helpful to use a food ring. For each plate, spoon some potatoes into the ring and press down gently, making sure you have a solid base about 1½cm high. Add some fennel and press again. Place the mixed peppers on the side. Remove the ring and place a fillet of fish gently on top of the fennel, then sprinkle with the finely chopped fennel fronds and sourdough crumbs.

Mackerel with cauliflower two ways and a rosemary, garlic and vinegar sauce

SERVES 4

Savoro or *savore*, from the Italian word for flavour, is a dish of the Ionian Islands, which were under Italian rule for almost 300 years. The vinegar, garlic and rosemary all have preservative qualities, so this recipe was favoured in the days of no refrigeration. The fish traditionally cooked this way has been red mullet, but I think the vinegary sauce cuts through the fattiness of the oily mackerel in this version, and also the sweetness of vegetables like pumpkin, which we often cook this way in Crete.

This dish is one of those where dried rosemary works better than fresh, as you get the intensity of the flavour but without any bitterness. However, fresh rosemary will also work well, as long as it is very finely chopped.

1 tbsp dried rosemary

4 mackerel fillets

plain flour, for dusting

150ml extra virgin olive oil

2 garlic cloves, finely chopped

2 bay leaves

25g golden raisins

75ml red wine vinegar

100ml warm fish or vegetable stock

a squeeze of lemon juice

fresh rosemary tips (optional)

For the cauliflower steaks

2 small cauliflowers

20ml extra virgin olive oil

3 garlic cloves, whole and unpeeled

2–3 sprigs of fresh thyme

a knob of butter

For the cauliflower couscous

cauliflower trimmings

a small handful of fresh parsley leaves, very finely chopped

juice of 1 lemon

For the crispy capers

2 tbsp capers, packed in brine

vegetable oil, for frying

Start by preparing the cauliflowers. Cutting from the core so that the steaks hold together, cut the cauliflowers into slices 1cm thick and put to one side. Trim any outer leaves and core from the slices, break them into pieces, then put them into a food processor and blitz to a couscous consistency. Add the parsley, a squeeze of lemon, season and set aside until needed.

To make the crispy capers, drain the capers and pat them dry. Put 2–3cm of vegetable oil into a small saucepan and heat to 180°C. Drop the capers into the hot oil and cook for 2–3 minutes, until they have opened up and are crisp. Remove the capers from the oil and drain on kitchen paper.

To cook the cauliflower steaks, heat a large frying pan on a low-medium heat and add the oil. Add the cauliflower steaks, unpeeled garlic cloves and thyme sprigs and cook until the cauliflower is golden brown. Turn over carefully and brown the other side. Add the butter and baste the steaks a few times. Season with salt and pepper, then remove from the heat to a dish and keep warm.

Using a spice grinder if you have it, or a pestle and mortar, grind the dried rosemary to a powder. Wash and dry the mackerel fillets and place on a floured plate. Dust the mackerel with flour, salt and pepper so that they are lightly coated. Shake off the excess flour. Clean the pan used for the cauliflower and bring to a medium heat. Add one third of the oil to the pan, then add the mackerel, skin-side down, and cook for a couple of minutes or until golden and crisp. Turn the fillets over and cook for another 2 minutes. Remove from the pan and keep warm.

Add the remaining oil to the pan, along with the chopped garlic. Stir for a few seconds, then add the bay leaves, rosemary, raisins and vinegar. Give everything a good stir. If you think the sauce is a little thick, add some of the stock and cook for a few seconds to incorporate.

To serve, place a cauliflower steak in the middle of each plate, put a mackerel fillet on top of each steak, and drizzle over the sauce. Scatter over the cauliflower couscous and the crispy capers. Add a sprinkling of lemon juice and scatter over a few rosemary tips, if you like.

Roasted sea bream and charred broccoli with a lemon and oil dressing

SERVES 2

Sea bream was one of my father's favourite fish, and he loved it just brushed with oil and lemon and thrown on a barbecue. As an ode to my father, I have left my farmed sea bream well alone, and while many of you may think that this kind of dish looks best on a rustic, bare wooden table by a Greek shore, I can promise you that its beauty and aroma will still draw a gasp when served in your own dining room.

The danger of simple dishes usually lies in their cooking, and a delicate fish like this will lose all its flavour and moisture if overcooked. Cooking time will depend on the size of the fish, but work on the assumption of 15–20 minutes per kilo. A dense-fleshed fish cooked this way might need a little longer.

For the fish

1 sea bream, weighing 600–750g

1 unwaxed lemon

a bunch of fresh herbs (flat-leaf parsley, dill, rosemary)

1 tbsp extra virgin olive oil

For the broccoli

250g purple sprouting broccoli

extra virgin olive oil, for sprinkling

For the fried garlic

3 garlic cloves, finely sliced

50ml extra virgin olive oil, for frying

For the lemon and olive oil emulsion

juice and zest of ½ an unwaxed lemon

50ml extra virgin olive oil

1 tbsp finely chopped fresh dill

Preheat the oven to 200°C/400°F/gas 6.

The likelihood these days is that the fish will already have been prepared and cleaned for you. If not, all you need to do is make a vertical incision of about 3–4 cm just below its head, running along its belly, and remove the insides. Wash the fish and pat dry. Cut the lemon in half. Keep one half for serving and cut the other half into thin slices. Place the bunch of fresh herbs and the slices of lemon in the cavity, then sprinkle the fish with salt, pepper and the oil, and rub to coat it all over. Slash the skin twice, then place in an ovenproof dish and bake for 17 minutes.

While the fish is baking, cook the broccoli. Rinse, then drop it into a pan of salted boiling water and cook for a couple of minutes. Remove it with a spider ladle and plunge it into ice-cold water. Leave to cool completely, then drain. Place in a dish, sprinkle with olive oil, salt and pepper, and rub gently with your hands to coat. Heat a griddle pan on a high heat. Place the broccoli on the griddle and press it down with a metal spatula to get the lovely brown char lines of the pan. Turn it over and repeat on the other side, then remove from the griddle and keep warm.

To make the fried garlic, place the garlic in a fine-mesh tea strainer. Pour oil into a small saucepan or frying pan to a depth of 2–3cm, and when the oil is hot, lower the tea strainer into the oil. The garlic should sizzle. If it doesn't, take it out and wait for the oil to get hot enough. Now lower the temperature so as not to burn the thin garlic slices and swirl the tea strainer to ensure even cooking. Don't overcook the garlic, as it will taste bitter. It should have a lovely deep golden colour. Remove the strainer and drain the garlic on kitchen paper. Sprinkle with salt and set aside.

To make the lemon and olive oil emulsion, put the lemon juice and zest into a bowl. Start adding the olive oil, drop by drop, and then in a thin stream, whisking all the time until you have a thick sauce. Season, add the dill and mix well.

To serve the fish, cut off the head and discard it, or leave the head on if you wish. Run a knife along the spine of the fish to separate the two halves and remove the flesh gently to serving plates, using a fish spatula. Quickly remove the bigger, more visible bones and cooked herbs, and add a lemon quarter on the side. Arrange some of the broccoli alongside each fish half and scatter over the fried garlic flakes. Serve the lemon and olive oil emulsion separately in a bowl.

MEAT

Roast Chicken with Root Vegetables
and Chickpea Salad

◦

Grilled Lamb Cutlets, Charred Gem Lettuce,
Baked Onion and Egg and Lemon Sauce
(*Fricassée*)

◦

Griddled Pork Chops with Leeks,
Crispy Bacon and Thyme Crumb

◦

My Moussaka with Beef and Aubergine
(*Moussakas*)

◦

Griddled Sirloin Steak Served with Shallots
and Herbed Crushed Potatoes
(*Stifado*)

◦

Oven-baked Lamb and Beef Burgers with
Lemon and Mustard Potato Wedges
(*Biftekia*)

The first-century Greek scholar Plutarch, in his work *Moralia*, specifically the text on *sarcofagia* ('On Flesh Eating'), wonders how it is possible, with such a wonderful variety of fruits, vegetables and seeds available, that we can go to such great lengths to add flavour (through cooking, spices and condiments) to the flesh of a dead animal in order to make it edible.

When I come across something like this, I wonder how and where we Greeks lost all the knowledge that doctors, scientists and philosophers knew and preached about thousands of years ago, regarding the value of moderation, clean living and being in tune with the natural world. It is also obvious that the reason for the good health that people over ninety still enjoy in the little village where we have our home in Crete, and why they are as sharp and strong as they are, is because lack of money and hard work has meant that they ate little food in general and little meat in particular, and burned it all off in the long hours they were busy farming. The Mediterranean diet model prescribes eating meat no more than twice a week, but I know people who will not sit down to eat unless some form or other of meat is on the table.

And so, on the basis that people throughout the world and throughout history have fed themselves with what nature has afforded them, we find that the people of western Crete eat much more meat than the people in the plain of Messara, in the middle of the island. In Epirus, in the north-western corner of Greece, south of Albania, which is predominantly mountainous with little arable farming, the local diet includes much more meat than on the small islands, where, naturally, a lot of fish is consumed, or Thessaly, where the large open spaces mean that more grains and vegetables can be cultivated.

In the poorer past, though, meat was eaten sparingly everywhere in the country, usually on those occasions when it was part of a feast marking a family, community or national celebration. A lamb on the spit signified the end of Lent, and joy at Christ being risen, in the same way that the boiled goat and *gamopilafo* (wedding pilaf) in Chania celebrated the joyous event of marriage.

As for myself, even though I prefer vegetables, pulses and grains, when I am offered a lean piece of lamb just cooked on the open fire, as with the *antikrysto* of Crete, I find it hard to refuse.

with root vegetables
salad

icken for its versatility. It is the blank canvas of all meats for me.
in Crete, and although the flavour of the meat and eggs does not
n outside the island since, the aroma of chicken roasting always
ce. These days I content myself with Aunty Antonia's home-grown
very time I visit.
ste delicious, though, and John and I always fight for the crispy
f us means that, when roasting a whole chicken, we can make three
reshly roasted legs with accompanying roast vegetables, the second
g day, as here, and the third a chicken, egg and lemon soup made

the oven to 180°C/350°F/gas 4.
e the carrots, peppers, courgettes, onions and garlic in a roasting tray. Sprinkle
scatter over the thyme leaves and season with salt and pepper. Bake for
tes, then add the tomatoes. Continue baking for another 20 minutes, or
e vegetables are soft and caramelised.
saucepan bring the water to the boil with a pinch of salt and add the bulgur.
ook for 10–15 minutes, until it's soft and plump. Drain, then put it back into
ucepan and cover.
in and rinse the chickpeas. Toss with the bulgur and the roasted vegetables,
dd the parsley and lemon zest. Check the seasoning. Serve on a platter, topped
he sliced chicken breasts.
ou like, you can jazz up the salad with any of the dips on page 73.

Grilled lamb cutlets, charred gem lettuce, baked onion and egg and lemon sauce

SERVES 2

For the lamb stock
2 tbsp extra virgin olive oil
a few lamb bones, 500–750g
1 small white onion,
  cut into quarters
2 celery sticks plus leaves,
  roughly chopped
1 leek, roughly chopped
1 carrot, roughly chopped
1 bouquet garni (bay,
  rosemary, thyme)
10 peppercorns
1 litre chicken stock

For the baked onion
1 white onion
2 tbsp extra virgin olive oil
a knob of butter
200ml lamb stock
a sprig of fresh rosemary
a sprig of fresh thyme
1 tsp finely chopped fresh dill

For the grilled lamb cutlets
1 lamb loin on the bone
20ml extra virgin olive oil
1 tbsp finely chopped
  fresh rosemary
1 tbsp finely chopped
  fresh thyme
1 tsp dried oregano
juice of ½ a lemon

For the charred gem lettuce
1 baby gem lettuce
2 tbsp extra virgin olive oil
a knob of butter
zest of ½ an unwaxed lemon

For the egg and lemon sauce
2 eggs
juice of 1 lemon
1 tsp cornflour
150ml warm lamb stock
1 tsp finely chopped fresh dill

Greek *fricassée* is a casserole dish where the meat is quickly sautéd, then slowly cooked with chopped onion and other flavourings – towards the end chopped lettuce and dill are added, and the sauce of the dish is thickened with beaten egg and lemon. I prefer the flavour and texture of lamb when cooked briefly, however, and the dish is also more attractive when the colours and shapes of the individual components are laid out cleanly on the plate.

For maximum flavour, I would advise that you make your own lamb stock for the egg and lemon sauce, but you can use shop-bought stock too. If you do make your own, most butchers will be happy to give you bones for very little money. Sometimes I roast the bones in the oven first, to give a deeper colour and flavour to the stock, and I always have containers of stock in the freezer.

First make the lamb stock. Heat the oil in a large saucepan and brown the bones. Add the vegetables and season with salt and pepper. Stir for a couple of minutes, add the bouquet garni and peppercorns, then add the chicken stock and bring to the boil, removing any scum that floats on the surface. Lower the heat and simmer for around 45 minutes, then strain through a fine sieve and keep warm until you need it.

To cook the onion, preheat the oven to 200°C/400°F/gas 6. Top and tail the onion but leave the outer skin on. Cut in half, season and cook in the oil and butter in a hot, ovenproof frying pan over a medium heat until golden. Pour the lamb stock into the pan, add the rosemary and thyme sprigs, and cover with baking parchment. Transfer to the oven and cook for 20–30 minutes, depending on the size of the onion. Remove the skin and sprinkle with the dill before serving.

You can trim the fat off the lamb loin or leave it on for extra flavour – it is a matter of personal preference. Cut the loin into 6 individual cutlets and toss with the oil, the chopped and dried herbs, a squeeze of lemon juice, and a pinch of salt and pepper. Bring a griddle pan to a high heat and add the cutlets. Cook them for 2–3 minutes on each side and let them rest for 5 minutes before serving.

For the charred gem lettuce, discard a few of the outer leaves and cut the lettuce in half. Bring a small frying pan to a medium heat. Add the oil and the lettuce halves, cut side down, and cook for a few minutes until browned. Add the butter and use a spoon to baste the lettuce. Season and sprinkle with the lemon zest.

To make the egg and lemon sauce, whisk the eggs in a bowl. Gradually add the lemon juice, whisking all the time. Mix the cornflour with a little water and stir it into the stock to thicken it, if necessary. Add the warm stock slowly to the egg and lemon mixture, then season and return the mixture to the pan. Cook the sauce on a low heat for a minute or two more to thicken, then add the dill and serve in a jug, with the lamb, onion and baby gem halves. Decorate with edible flowers, rosemary or micro leaves, if you like.

Griddled pork chops with leeks, crispy bacon and thyme crumb

SERVES 4

This recipe grew out of two popular dishes: *choirino me prassa*, a pork casserole with leeks, and *choirini krasati*, a pork chop fried in a little extra virgin olive oil and finished with red wine.

My preference these days is for freshness in the flavour of the ingredients, and a lot of the time we are looking for something both quick and delicious to cook. This is one such dish – it has all the flavours but the meat is still tender and juicy, cooked quickly on a griddle or barbecue.

The potato salad is eaten warm, but any that's left over can be used for an omelette the day after, or simply eaten at room temperature with some cold meat.

For the pork chops
4 pork chops, weighing
 180–200g each
200ml red wine
2 bay leaves
a few peppercorns
a sprig of fresh thyme

For the bacon and
 thyme crumb
3 rashers of smoked bacon
2 tbsp extra virgin olive oil
25g fresh breadcrumbs
1 tsp fresh or dried
 thyme leaves

For the potato salad
3 large potatoes, weighing
 approx. 400g
3–4 tbsp white wine vinegar
1 tbsp grain mustard
3–4 tbsp extra virgin olive oil
2 spring onions, finely sliced

For the leeks
2 medium tomatoes
3 leeks
2 tbsp extra virgin olive oil
1 small white onion, diced
1 garlic clove, crushed
2 bay leaves
150ml vegetable or
 chicken stock

Put the pork chops into a suitable container with the wine, bay leaves, peppercorns and thyme, cover and transfer to the fridge to marinate for 2–3 hours or overnight.

Preheat the oven to 180°C/350°F/gas 4. Place the bacon rashers in a cool frying pan without any oil. Cook slowly on a medium-high heat until all the fat has been rendered, then drain on kitchen paper. In a bowl, mix the oil, breadcrumbs and thyme, season with salt and pepper, then transfer to a baking sheet and bake in the oven for 10 minutes. Add the bacon rashers, crumbling them with your hands. Set aside.

To make the potato salad, put the whole potatoes into a saucepan of cold water and bring to the boil. Turn the heat down and cook until the potatoes are tender (approx. 10–15 minutes), then drain. Don't overcook them, as they need to be fairly firm for the potato salad. When they are cool enough to handle, remove the skins. Cut them into bite-size pieces and place them in a salad bowl. Mix the vinegar and mustard together in a small bowl, and add the oil a drop at a time to start with and then in a steady drizzle. Season with salt and pepper and add the spring onions. Pour the dressing over the potatoes while they're still warm, and stir gently with a fork to coat.

To cook the leeks, start by cutting a cross at the top and bottom of the tomatoes. Bring a saucepan of water to the boil and add the tomatoes for 30 seconds, then remove and drop into a bowl of ice-cold water. Remove the skin and seeds and chop the tomatoes into small pieces. Trim the leeks, slice on the diagonal into 2cm pieces and wash. You may want to remove the outer parts of the leeks if they look particularly tough. (You can chop them and keep them in the freezer for making soup.)

Put the oil into a frying pan and bring to a medium heat. Add the onion and cook until translucent, then add the garlic and cook for a further minute. Add the sliced leeks and stir well. Add the chopped tomatoes and the bay leaves, and stir for 2–3 minutes. Add the stock, season with pepper, then reduce the heat, put a lid on the pan and continue cooking until the leeks are tender but still hold their shape. Check the seasoning and keep warm.

When you're ready to cook the chops, heat a griddle pan or barbecue until smoking hot and sear them for 3 minutes on one side, then turn and sear the other side for 2–3 minutes, depending on how well you want your chops cooked.

Serve the sliced pork chops on top of the potato salad, with the leeks on the side, and scatter over the bacon and thyme crumb and add a few herb leaves, if you like.

My moussaka with beef and aubergine

SERVES 10

Greek moussaka usually contains aubergines and potatoes, but is often made with the addition of courgettes; my version includes a creamy béchamel topping and is not as spicy as other versions. Some recipes use lamb, but in my family we always used veal or beef.

You can freeze the moussaka before baking, then defrost and bake it, or you can freeze the cooked moussaka and reheat it – it will taste as good as when you first made it.

For the mince

1 onion, finely chopped

2 tbsp extra virgin olive oil

3 garlic cloves, finely chopped

½ tsp grated nutmeg

1 tsp ground cinnamon

1 heaped tbsp tomato purée

1 tsp caster sugar

500g lean beef mince

1 x 400g tin of chopped tomatoes, or 2 ripe, large tomatoes, skinned and finely chopped

1 tbsp dried thyme

For the vegetables

2 large potatoes

2 medium courgettes

2 medium globe aubergines

olive oil, for frying and brushing

For the béchamel

750ml full fat milk

1 small onion

2 cloves

1 bay leaf

100g butter

100g plain flour

100g hard cheese, grated

3 egg yolks

a pinch of grated nutmeg

For the red pepper sauce

4 long sweet red peppers

3–4 tbsp extra virgin olive oil

1 white onion, finely chopped

3 garlic cloves, finely chopped

200ml chicken stock

To cook the beef mince, first cook the onion in a saucepan with the oil for 5 minutes, until soft but not brown. Add the garlic and cook for a minute or so over a medium heat. Add the nutmeg and cinnamon, then the tomato purée and sugar, and cook for a minute or two to release the flavours. Add the beef mince, break it up in the pan, then cook, stirring, until browned. Add the chopped tomatoes and thyme and continue cooking on a low heat for 15 minutes, stirring occasionally to avoid it catching. When cooked, season and put to one side.

Thinly slice the potatoes, courgettes and aubergines. If the aubergines have seeds, place in a colander with a good pinch of salt and leave for 15 minutes to remove any bitterness. Drain and squeeze dry. Brush the aubergines, courgettes and potato slices with a little oil, season and roast in a preheated oven at 180°C/350°F/gas 4 until soft and with a bit of colour, around 15–20 minutes.

To make the béchamel, put the milk into a saucepan with the onion, cloves and bay leaf. Bring almost to the boil, then remove from the heat. Melt the butter in a medium saucepan, then add the flour and stir with a whisk for 2 minutes. Gradually add the hot milk and incorporate it each time before adding more, stirring continuously to avoid lumps. When the béchamel bubbles, remove it from the heat. Add most of the grated cheese, the egg yolks and nutmeg, season to taste, and mix thoroughly. Cover the surface with cling film if not using immediately, to prevent a skin forming.

Preheat the oven to 180°C/350°F/gas 4. To assemble the moussaka, start by putting a little béchamel in the bottom of a 20cm x 30cm baking dish. Add the potato, courgette and aubergine slices in layers, alternating with the cooked beef mince. Finish with the remaining layer of béchamel and sprinkle with the remaining grated cheese. Bake in the oven until golden, about 35–40 minutes.

While the moussaka is cooking, make the red pepper sauce. Wash and dry the peppers. Rub them with a little olive oil, put them on a baking tray, and bake alongside the moussaka until soft and a little charred, about 30–40 minutes. Put them into a bowl, cover with cling film and leave for a few minutes, then remove the skins and seeds and cut into small pieces.

Put the onion into a frying pan with a little oil. Cook gently for 5 minutes, then add the garlic and cook for a minute longer. Add the peppers and the chicken stock, and cook for a few minutes. Blitz in a blender, season, then pass through a sieve for a velvety consistency, if you like.

When the moussaka is ready, remove it from the oven. Let it cool a little, then serve with the red pepper sauce. I find a green leaf salad or a pickled cucumber and fennel salad goes well with it.

Griddled sirloin steak served with shallots and herbed crushed potatoes

SERVES 2

I find it fascinating to see the way food travels; of course it is only one aspect of culture and human activity, but it is so exciting to see us taking things we like from each other's culture and cuisine, and it saddens me that we often don't recognise each other's value and contribution as much as we should. We might live in peace if we did. This is a long-winded way of saying that *stifado* comes from the Spanish *estufado* or *estofado*, which means to braise in a covered pan. *Stifado* came to Greece via the Venetians, and became and remains a popular national dish.

Stifado is delicious but is also a little heavy. This recipe, for me, gives the best of both worlds. You have the sweetness of the onions, the aromas of the usual *stifado* spices and herbs, the flavours of the red wine and vinegar, but the meat is cooked briefly, staying tender and retaining all its flavour and juices.

For the sirloin steaks

2 sirloin steaks, weighing 180–200g each

1 tbsp extra virgin olive oil, plus a little extra

2 bay leaves, crushed

a pinch of ground cinnamon

a pinch of ground allspice

For the shallot *stifado*

250g small shallots

2 tbsp extra virgin olive oil

150ml red wine

2 bay leaves

¼ tsp ground cinnamon

¼ tsp ground allspice

300ml vegetable stock

1 tbsp soft brown sugar

1 tsp tomato purée

1 tbsp balsamic vinegar

For the potatoes

2 potatoes, weighing approx. 200g, cut into bite-size pieces

2 tbsp extra virgin olive oil

2 tbsp finely chopped fresh parsley, plus extra for serving

1 tbsp fresh lemon thyme leaves

Put the steaks into a bowl with the oil, crushed bay leaves and spices. Stir to coat the meat, then cover with cling film and put aside. You can leave the meat in the fridge for several hours if you like, but remember to take it out at least 30 minutes before you want to cook it.

Peel the shallots and top and tail them if they need it. Bring the oil to a medium heat in a frying pan and toss with the shallots, stirring or shaking all the time until they are browned all over. Add the wine, bay leaves and spices and let the wine reduce almost completely.

Add the stock, brown sugar, tomato purée and balsamic vinegar and continue cooking until the sauce is thick and glossy and the shallots are tender and caramelised. Take off the heat but keep warm.

Pour some cold water into a sauté pan. Add a pinch of salt and the potatoes and bring to the boil, then reduce the heat and cook until soft but still firm. Drain in a colander. Put the oil into the same pan and bring to a medium heat. Add the potatoes again and brown them a little, crushing them roughly with a fork. Add the chopped parsley and thyme leaves, season with salt and pepper, and keep warm.

Make sure the steaks are at room temperature if they have been in the fridge. Wipe off the crushed bay leaves and season with salt and pepper.

Put a drop of oil on a griddle pan and wipe it with a piece of kitchen paper. Bring to a high heat and add the steaks. Cook on one side for a couple of minutes to caramelise, then turn on to the other side and cook to your personal preference. Rest the steaks for as many minutes as you cooked them.

To serve, carve the steaks and drizzle with the shallot *stifado*. Add the potatoes, drizzle with extra virgin olive oil, sprinkle with parsley, and enjoy with a glass of rich, deep red wine.

Oven-baked lamb and beef burgers with lemon and mustard potato wedges

SERVES 5

My mother taught me that, beyond the delicious vegetables and herbs that give flavour to the meat, what makes a great *bifteki* is resting the mixture in the fridge for an hour or so, then kneading it for at least 10 minutes. Somehow, this creates a coherent explosion of flavours in every mouthful as well as a very smooth, well-bound texture. Griddling them first, as I do in my version, caramelises the outside and gives you that barbecue flavour and aroma that's reminiscent of so many delicious lunches after a morning burning up energy at the beach.

Most women of my mother's generation used white bread, soaked in water and then squeezed dry, in the *bifteki* mix – together with the egg, this binds and creates a firm texture, while the baking powder makes it less heavy. I like to make my *biftekia* with *frygania* or oats.

The mustard used with the potatoes happens to complement both beef and lamb, so it helps bring the whole dish together.

For the *biftekia*

500g beef mince

500g lamb mince

1 medium onion

1 long sweet red pepper

50ml extra virgin olive oil, plus extra for brushing

2 tbsp balsamic vinegar

1 tbsp tomato purée

100g *frygania* (see page 28) or breadcrumbs or oats

1 tsp baking powder

1 heaped tbsp dried oregano

a small bunch of fresh flat-leaf parsley, finely chopped

1 egg

For the potatoes

4–5 large potatoes (1–1.2kg)

100ml extra virgin olive oil

50g English mustard

juice and zest of 1 unwaxed lemon

1 tbsp honey

150ml vegetable stock

1 heaped tbsp dried oregano

Bring the beef and lamb mince to room temperature and place in a large bowl.

Chop the onion, deseed and chop the pepper and blitz both in a small blender with the oil, balsamic vinegar and tomato purée. Add the onion mix to the bowl of mince, then add the *frygania* or breadcrumbs, baking powder and herbs and knead with your hands for 5 minutes. Add the egg, season with salt and pepper, and continue kneading until you have a very smooth mixture. Transfer into a clean bowl, cover with cling film, and place in the fridge for an hour for the flavours to develop.

For the potatoes, preheat the oven to 200°C/400°F/gas 6. Peel the potatoes, then cut them into large wedges and place them in an ovenproof dish. In a bowl, mix the oil, mustard, lemon juice and zest, honey and stock and whisk to combine. Pour the oil and mustard mix over the potatoes, season with salt and pepper, and sprinkle with the dried oregano. Cover with foil and bake for 50–60 minutes.

In the meantime, take the mince mixture out of the fridge. Shape it into five individual *biftekia* weighing about 200g each, and set aside. Take the potatoes out of the oven and lay the *biftekia* on top, then return the dish to the oven without the foil and cook for another 30 minutes.

Serve the potatoes and *biftekia* with some of the sauce from the dish drizzled over.

DESSERTS

Deep-fried Dough Balls with
Mulled Apple Purée (*Loukoumades*)

o

Baked Rosemary Nectarines in a Kataifi Nest
with Fresh Cheese Ice Cream

o

Olive Oil, Almond and Candied Orange Baklava

o

Mama's Walnut Cake with Chocolate Ganache
and Caramelised Banana Ice Cream (*Karydopita*)

o

Layered Almond and Ginger Cake
(*Tourta Nougatina*)

o

Mille-Feuille

My early memories of desserts go back to the late sixties, when we moved to Athens and I discovered the pâtisseries, which at that time were found only in large towns and cities. Some are still there, and are favourite haunts when I visit. They stocked not only the more traditional staples, such as spoon sweets (candied fruit in syrup) and biscuits, but also all kinds of imported French delicacies like chocolates, *marrons glacés* and cakes. One would never pay a house or hospital visit, or be a dinner guest, without a box of treats from the *zacharoplasteio*.

In Athens, too, I came to know the filo-based syrup desserts which came from Anatolia, particularly with the refugees from Asia Minor who arrived in 1922 after the great fire of Smyrna, my grandparents among them. On my way back from school I used to love looking down into a basement and watching four people pulling filo over what looked like an inverted concrete box, 2 metres or so square, in the middle of the room, until the pastry was stretched to cover the whole surface. Their speed and dexterity fascinated me, and while they used to tell me off for blocking the small amount of natural light from the doorway, they also enjoyed seeing my fascination and answering my questions.

The wonderful climate of the Aegean meant that Greek families grew and consumed fresh fruit all year round. But in order to have something to offer guests when a fruit was out of season, housewives would make preserves by adding sugar, water and lemon juice to make home-made spoon sweets, which are still popular to this day. Now that so many alternatives are available, spoon sweets tend to be used in desserts or as ice cream toppings, but when I was growing up, they were a real treat when visiting friends and family.

The only type of desserts we had when we were away from Athens and the larger cities were cakes made with flour or semolina, sweetened with honey or sugar syrup and sometimes containing dairy produce, like the soft and delicious *mizithra* cheese. To this day I continue to love all the simple desserts and sweets I grew up with, having inherited my grandfather George's sweet tooth.

What any visitor to Greece loves and appreciates is the lovely surprise at the end of the meal when a small carafe of the local or home-made digestif appears, along with an array of fruit and the compliments of the house. In Crete, an island revered and loved by the rest of the country for its hospitality, over and above that of the national average, we have taken this to another level, where – as well as the fruit – home-made spoon sweets or little *mizithra* pies with honey or halva accompany the tiny bottle of raki that arrives with the bill.

Loukoumades
Deep-fried dough balls with mulled apple purée

SERVES 6

Loukoumades, also known by many other names, exist in most countries around the Mediterranean and further afield. Their Greek name has been borrowed from the Arabic and Turkish *lokma*, which means a bite or morsel. I got the idea for the addition of the mulled apple purée from apple-filled doughnuts, which I love.

Traditionally, *loukoumades* are served dipped in syrup and sprinkled with toasted sesame seeds and cinnamon, but they are delicious with ice cream. These days, if you visit a dedicated eatery, called a *loukoumatzidiko*, you have a huge choice of accompaniments, including ice cream, chocolate and hazelnut sauce, cream of varying flavours, and as many toppings as you would expect to find in an ice cream parlour.

For the honey, lemon and cinnamon syrup
200g granulated sugar
200ml water
2 tbsp lemon juice
a slice of unwaxed lemon rind
50g honey
1 cinnamon stick

For the *loukoumades*
250g plain flour
9g fast-action dried yeast
275ml tepid water
1 tsp fine salt
1 tbsp caster sugar
vegetable oil, for frying

For the mulled apple purée
2 Granny Smith apples
100g caster sugar
50ml apple cider
juice of 1 lemon
1 cinnamon stick

To garnish
toasted sesame seeds
ground cinnamon
honey
edible flowers (optional)

To make the syrup, put the sugar, water, lemon juice, lemon rind, honey and cinnamon stick in a saucepan and bring to the boil. Cook for 1 minute, remove from the heat and leave to cool.

To make the *loukoumades*, put the flour, yeast, tepid water, salt and sugar into a bowl and mix to a thick batter. Cover the bowl and leave in a warm place to rise (45–60 minutes).

For the mulled apple purée, peel and core the apples, and cut them into small dice. Heat the sugar in a small pan until it forms a dark caramel. Add the apples to the pan with the cider, lemon juice and cinnamon stick. Mix well, then cook gently until the apples have softened and formed a purée. Remove the cinnamon stick.

Pour enough oil into a saucepan to deep-fry the *loukoumades*. Heat the oil to 180°C, then drop spoonfuls of the batter into the hot oil (in batches), using a soup spoon which is dipped in water every time so that the batter does not stick to it. Remove the *loukoumades* when golden, drain on kitchen paper, then, using a spider ladle, drop them into the cold syrup for a few seconds to coat well, and remove. Sprinkle with crushed toasted sesame seeds, ground cinnamon and honey.

To serve, place a few *loukoumades* in a bowl, pipe over some small balls of the mulled apple purée, and sprinkle with more toasted sesame seeds and ground cinnamon. Decorate with edible flowers, if you like, and serve with vanilla or cinnamon ice cream.

Baked rosemary nectarines in a kataifi nest with fresh cheese ice cream

SERVES 6

If you use frozen pastry for this recipe or any other requiring *kataifi*, it is important that you defrost it properly before using so that it does not break into tiny bits. If the *kataifi* seems too brittle to handle, spray the pastry directly with a little water and wrap it in a tea towel for a few minutes before using.

What I love about *kataifi*, and it is unique to this pastry, is the fine crunch it gives to each mouthful and the way it absorbs/envelopes all the surrounding flavours and syrup to give an explosion of flavour and sweetness in the mouth.

I use a mince pie tray for the *kataifi* nests, but you can use bigger tart dishes if you want a larger portion. If you can't get hold of *amari mizithra*, beat together a couple of spoonfuls of thick Greek yoghurt, 1 tablespoon of crumbled feta and 75g of cream cheese, to make a smooth cream. Add to the milk and boil as described below.

200g *kataifi* pastry (see page 28), defrosted if frozen

75g butter, plus a little for the tray

For the syrup
150ml water
150g granulated sugar
a sprig of fresh rosemary

For the nectarines
9 nectarines or peaches
juice and zest of 1 unwaxed orange
2 tbsp honey
a sprig of fresh rosemary

For the fresh cheese ice cream
200ml full fat milk
200ml double cream
100g *amari mizithra* (see page 28)
4 egg yolks
100g caster sugar
50ml honey

To serve
50g mixed nuts (almonds, hazelnuts, pistachios)

Preheat the oven to 180°C/350°F/gas 4. Brush a mince pie tray with a little melted butter.

Start by making the syrup. Put all the ingredients into a saucepan over a medium heat and stir to dissolve the sugar. Bring the syrup to the boil and cook for a couple of minutes, then remove from the heat and leave to cool.

Wrap long strands of *kataifi* pastry around each indent in the mince pie tray tin to create a nest, covering the bottom and the sides. Melt the butter in a saucepan and sprinkle generously over the *kataifi*, using a small brush. Bake in the oven until golden, then take out of the oven and, while still hot, sprinkle with some of the cold syrup, according to taste. Leave to one side for the syrup to be absorbed.

While you are baking the *kataifi* nests, it's a good opportunity to also roast the nuts (to serve with the nests later) on a baking tray for about 5 minutes. Take them out, leave them to cool, then put them into a food bag and crush with a rolling pin.

Halve and stone the nectarines or peaches and place them, cut-side up, in an ovenproof dish. Scatter over the orange zest, and drizzle over the orange juice and honey. Sprinkle with the rosemary leaves and bake for 20 minutes.

To make the ice cream, heat the milk, cream and *amari mizithra* in a saucepan, whisking to combine. Bring to the boil, then remove from the heat and leave to cool a little. Beat the egg yolks in a bowl with the sugar and honey until light and smooth. Gradually beat the warm milk into the egg mixture, whisking continuously. Pour the mixture back into the saucepan and reheat gently, stirring continuously with a spatula. Continue to heat until the mixture reaches 80°C or coats the back of a spoon.

Remove from the heat and pass the mixture through a sieve into a bowl. Place a sheet of cling film on the surface, to prevent a skin forming, and leave to cool. Then churn in an ice-cream machine until set.

To serve, place a *kataifi* nest or two in the bottom of each bowl. Add 2 or 3 nectarine halves, place a ball of ice cream on top, and sprinkle with the roasted mixed nuts. Decorate with edible flowers or some fresh mint, if you like, and drizzle over a little more syrup.

Olive oil, almond and candied orange baklava

MAKES ABOUT 20 SQUARES (EACH 2CM X 2CM)

Baklava, *kataifi*, *galaktoboureko*, *samali*, and all their variations, are the syrup desserts that many people associate with the Middle East, Turkey and Greece, and rightly so. There has always been a lot of movement of people and commercial links between the cultures in that corner of the globe, so there has been an inevitable exchange of produce, foodstuffs and recipes too.

The traditional way of making these very sweet treats involves copious amounts of butter, which is used both to moisten the filo and to add rich flavour. However, my growing interest in the liquid gold treasure we are fortunate enough to enjoy in Greece, namely our wonderful, nutritious olive oil, has brought me into contact with a much-loved Greek chef who is a staunch proponent of olive oil and its many health benefits. Ilias Mamalakis gifted me his recipe for olive oil, walnut and honey baklava, and this recipe has been inspired by his.

He was right in saying that I would prefer the crunch that the oil gives the filo and that, being lighter, this version would not be as filling but definitely rather moreish!

175g almonds, skin on

1 tbsp finely chopped fresh rosemary

1 packet of filo pastry (7 sheets, around 270g)

75g candied orange peel, cut into very small pieces

100ml light-flavoured extra virgin olive oil, plus a little extra for brushing the tin

150ml orange blossom honey

Preheat the oven to 160°C/325°F/gas 3. Brush a 26cm x 16cm baking tin with a little olive oil.

Put the almonds into a small food processor and break them up finely. Transfer them to a bowl and add the chopped rosemary.

Open the packet of filo and cut all the sheets in half across their width. You should have 14 sheets of filo now and each sheet should fit the tin precisely. Do not worry, however, if your tin is not exactly of these dimensions and you need to fold the sheets slightly to fit.

Place the first piece of filo neatly in the baking tin. Place another 2 sheets on top of the first one. Now, sprinkle one-fifth of the almond mix all over the filo, adding some orange peel. Top with 2 filo sheets and sprinkle over more of the almond mix and orange peel. Continue sprinkling the almond mix every 2 sheets (you should do this five times in total), then lay the last 3 sheets neatly on top, to finish the baklava.

Cut the baklava into portions, using a sharp pointed knife. Heat the olive oil in a small saucepan and pour it first all along the cuts you have made, then all over the baklava. Cover with foil and place on the middle rack of the oven. Bake for 1 hour, then remove the foil and continue baking for another 30 minutes, until the baklava is golden brown. Remove it from the oven.

Warm the honey in a small saucepan. Pour it first into the cuts you've made, then pour any that's left over the whole baklava. The baklava will benefit from standing for at least 30 minutes, to absorb all the honey.

Run your knife over the baklava once again, making sure it has been cut all the way through. It makes perfect petits fours, excellent with the bitterness of coffee.

TIP:

If you make a deeper baklava, you will need to adjust the baking time to ensure it is cooked all the way through.

Karydopita
Mamá's walnut cake with chocolate ganache and caramelised banana ice cream

SERVES 8–10

The dense texture of nuts can make a cake heavy, but using *frygania* instead of flour makes this one light and airy, ideal for soaking up the syrup. *Karydopita* is a classic dessert for the Greek home cook. This variation, with chocolate, is the one my mother used to make when we lived in Athens, and it is my favourite. The syrup makes it perfect to serve as a dessert, while the caramelised banana ice cream cuts through the richness of the cake.

For the caramelised banana ice cream

4 ripe medium bananas

50g unsalted butter

2 heaped tbsp honey

6 egg yolks

300ml full fat milk

200ml double cream

For the walnut cake

plain flour, for dusting

5 large eggs

175g caster sugar

100g *frygania* (dried white breadcrumbs, see page 28)

100g walnuts, chopped

½ tsp ground cloves

1 tsp ground cinnamon

For the chocolate syrup

150g granulated sugar

200g chocolate (72% cocoa solids)

250ml water

For the chocolate ganache

100g chocolate (72% cocoa solids)

200ml double cream

Peel the bananas and cut them into 3 or 4 pieces lengthwise. Place a sauté pan on a medium heat and melt the butter, then add the honey and give it all a good stir. Add the bananas and cook for a few minutes undisturbed until they caramelise on one side. Turn them over and brown the other side, then transfer them to a bowl.

Put the egg yolks into a large bowl. Using an electric mixer, beat them to a pale and fluffy zabaglione consistency. Put the milk and cream into a saucepan and heat to boiling point, then pour slowly into the beaten egg yolks while continuing to whisk, keeping a small cupful of the milk back. Add the reserved milk to the caramelised bananas and blitz with an electric stick blender to a smooth purée. Add the banana purée to the egg mixture and pass through a sieve into a clean metal bowl. Cover with cling film and chill quickly in your freezer or fridge. Churn in an ice-cream machine until set, then put into the freezer until needed. Before serving, take the ice cream out of the freezer and place in the fridge for 30 minutes, to soften.

Preheat the oven to 150°C/300°F/gas 2. Grease a loose-bottomed round 23cm-diameter cake tin and dust it with flour.

Separate the eggs, putting the yolks into one bowl with the sugar and the egg whites into another. Put the *frygania*, walnuts and spices into a third bowl and mix well.

Whisk the egg whites to a soft meringue consistency. Beat the egg yolks and sugar until pale and fluffy. Add the walnut mixture to the egg yolks and sugar and combine thoroughly, using a spatula. Now take a large spoonful of the meringue and add it to the cake mix. Whisk to mix well and loosen the texture, then fold in the rest of the meringue slowly and carefully, so as not to knock the air out of it. Transfer the cake mix to the floured cake tin and spread level, then bake in the oven for 30–40 minutes, until a skewer inserted into the centre comes out clean. Leave to cool, then cut the cake into slices while still in the tin.

To make the chocolate syrup, place all the ingredients in a saucepan and bring to a medium heat, stirring continuously until the syrup thickens. Pour the syrup over the cooled cake and leave it in the tin to be absorbed.

For the ganache, break the chocolate into very small pieces and place in a bowl. Heat the cream in a saucepan and add to the bowl, whisking vigorously until the chocolate is fully melted. Let the ganache cool a little to thicken, then pour over the cake.

Serve the cake with ice cream, and decorate with edible flowers, edible glitter, a piece of gold leaf, a fresh mint leaf, or anything else that appeals to you.

Tourta nougatina
Layered almond and ginger cake

SERVES 8–10

This is an adaptation of a recipe by the late Chryssa Paradeisi, a chef who, through her work in a popular women's magazine, a radio cooking programme (the first ever in the country) and her books, taught most Greek households, including ours, how to cook for entertaining. My father and I had the biggest row ever when, at the age of sixteen, I decided to subscribe to her series of books, paying monthly out of my pocket money. He thought my money would be better spent on language or science books.

The addition of the warming, spicy stem ginger to the crème pâtissière makes this already delicious cake perfect for a cold winter's day. It can be made the day before you need it, and, in fact, I believe it improves it, as the layers of meringue absorb the moisture of the cream.

For the sponge

plain flour, for dusting

135g almond flour

35g rice flour

¼ tsp ground cinnamon

5 egg whites

100g caster sugar

For the crème pâtissière

80g caster sugar

5 egg yolks

1 level tbsp plain flour

1 level tbsp cornflour

300ml full fat milk

50g butter

1 tsp vanilla extract

3 pieces of stem ginger
in syrup

To decorate

100g almond flakes

2 heaped tbsp apricot jam

1 heaped tbsp caster sugar

250ml whipping cream

Preheat the oven to 190°C/375°F/gas 5. Line a large baking tray with baking parchment and dust it with flour. (Alternatively, you can use three 20cm-diameter cake tins.)

To make the sponge, put the almond flour, rice flour, cinnamon and a pinch of salt into a mixing bowl. Put the egg whites into a second, extra clean bowl and whisk with an electric whisk, gradually adding the sugar as you mix until you have a thick, glossy meringue. Fold the flour mix into the meringue using a plastic spatula, carefully so as not to knock too much air out of the mixture.

Spread the meringue on the prepared baking tray in an oblong shape about 35cm x 25cm and bake for about 20–25 minutes, until pale golden. Allow to cool, then remove from the baking parchment and cut into three equal slices.

Toast the almond flakes in the oven for about 5 minutes, until golden. Let them cool, then break up with your hands into tiny pieces. Set them aside.

To make the crème pâtissière, place the sugar, egg yolks, flour, cornflour and 3–4 tablespoons of the milk in a heatproof bowl that will fit over a saucepan, and stir until you have a smooth batter. Place the bowl over a pan of simmering water, then add the remaining milk and stir constantly until you have a thick cream. Remove from the heat, add the butter and vanilla and stir a little until it cools down. Chop the stem ginger into tiny dice and add to the cream. Transfer to a piping bag and put into the fridge to cool down completely and thicken.

In the meantime, prepare the apricot jam. Put the jam and sugar into a small saucepan with 4–5 tablespoons of water and heat until the sugar has melted. Place the mixture in a small blender and blend to a smooth consistency, then put back into the saucepan and heat again until it resembles a thick syrup.

To assemble the cake, whisk the cream to soft peaks. Place one slice of meringue in the centre of your serving platter. Pipe on half the crème pâtissière and smooth it level with a palette knife. Add a second slice of meringue and repeat with the rest of the crème pâtissière. Finish with the third slice of meringue. Brush the top of the cake with the apricot jam and put into the fridge for a couple of hours for the jam to set, otherwise the whipped cream will slide off when you try to spread it over.

To serve, take the cake out of the fridge and use a spatula to spread the whipped cream on top. Sprinkle all over with the crushed toasted almond flakes.

Mille-Feuille

SERVES 4

This dessert, the origins of which can be traced as far back as the seventeenth century, has really stood the test of time. Usually comprising three layers of baked puff pastry and two layers of Napoleon cream (a mix of crème pâtissière and Chantilly cream), it has evolved over time to include jam or fruit as well as different toppings. I love it with just the rich vanilla cream, but when I'm serving it to others, I accompany it with fresh strawberries or raspberries. Sometimes I make it with four layers (see opposite).

I generally like to make my own puff pastry – the rough version, I hasten to add – but this dessert is delicious made with ready-rolled supermarket pastry.

If you enjoy the contrast in textures, I suggest you assemble the mille-feuille just 3 or 4 hours before serving. If you prefer the whole thing to be soft, you can make it the evening before you need it, or in the morning, and keep it in the fridge until serving.

vegetable oil, for brushing

1 packet of ready-rolled puff pastry, approx. 320–375g

20g caster sugar, for sprinkling

2 tbsp icing sugar, plus extra for dusting

For the Napoleon cream

1 vanilla pod, or 1 tbsp vanilla paste

250ml full fat milk

50g cornflour

50g caster sugar

2 egg yolks

150ml double cream

Preheat the oven to 220°C/425°F/gas 7.

To make the Napoleon cream, start by cutting the vanilla pod lengthwise and scraping the seeds on to a little plate. Put half the milk into a bowl with the cornflour and whisk to combine. In a saucepan, heat the remaining milk with the sugar and vanilla seeds or paste. Drop the vanilla pod into the milk too, so as to extract as much flavour as possible. Add the milk and cornflour mixture and bring to a gentle boil, to thicken.

Add the egg yolks and whisk straight away to mix thoroughly. Gently cook the cream for another couple of minutes, then remove from the heat. Lay some cling film on the surface of the cream to prevent a skin forming, and put aside to cool.

In a bowl, whip the double cream to soft peaks using an electric hand-held whisk. Fold the whipped cream into the crème pâtissière and incorporate fully, then transfer to a piping bag and set aside.

Line a large, flat baking tray with baking parchment and brush the paper with a little oil. Lay the puff pastry flat on the paper, brush with a little water, and sprinkle with a little sugar. Cover with another sheet of baking parchment, then place a second baking tray on top to stop the puff pastry rising too much and bake in the oven for 15 minutes. By that time, the pastry should already have a lovely golden colour. Take it out of the oven, remove the top tray and turn the pastry over. Sprinkle with a little more sugar, cover with the parchment and the second tray again, and bake for a further 10 minutes. When ready, it should be a deep golden colour. If needed, leave in the hot oven for a few minutes longer.

Take the pastry out of the oven, remove the top tray and parchment and leave to cool. Using a large knife, cut the pastry widthwise into three sections. Cut each section into four equal slices, leaving offcuts from either end to crush and sprinkle on top later.

To assemble the mille-feuille, cut an opening 1cm wide at the bottom of the piping bag.

Place the four pieces of pastry on your serving dish. Pipe the cream all along each piece, in neat rows. Lay another piece of pastry on top of the cream. Repeat until you have used all the pastry and finish with more cream on top.

Crush the pastry offcuts with your hands and mix with the icing sugar. Top each piece of mille-feuille with these, dusting with a little more icing sugar to finish.

BAKES
AND
CAKES

Katerina's Multi Seed Breadsticks
and Carob Flour Cheese Biscuits

o

Toasted Sesame and Cinnamon Biscuits

o

Carob, Fig and Walnut Loaf

o

Olive and Rosemary Bread

o

Butternut Squash and Feta Savoury Cake

o

Feta and Manouri Cheese Pies
(Tyropitakia)

Although many goods were lacking in my childhood (we would often need to wait until Christmas or Easter for a new pair of shoes or a dress), I have always felt that I was blessed, given we had an abundance of the basics, along with some treats thrown in here and there. One of these was always having home-baked bread, and the memory of it coming out of the neighbourhood wood-burning oven is still deeply imprinted in all my senses.

Biscuits and cakes, or *pítes*, as they were most often called, were also frequently made, as they only required flour, and could be sweetened with a range of natural sweeteners, such as honey, *houmeli* (by-product of honey) and *petimezi*, a reduced grape must. They would be further flavoured with whatever people had available, like sesame seeds, nuts, sultanas, raisins and currants, and the usual spices, such as cinnamon and cloves. Olive oil would be the binding or cooking medium.

As a child I was constantly going from house to house (ours, my grandparents', my aunts', the neighbours and anyone in the village – the doors were always open), and certain days were particularly busy for me and my friends, as we could smell from afar the sweet treats being created by the women. Big Christian festivity days like Christmas and Easter, were particularly popular, followed by weddings, christenings and funerals. Last but not least came name days, the days when the Church commemorates the passing of a saint, of which we have many in Greece. These days you can be called more or less anything, but, until relatively recently, priests would not carry out a baptism where the name of the child did not exist in the Greek Orthodox calendar; so there are as many name days as there are days in the calendar, and therefore reasons for cakes and all kinds of sweet treats to be baked or bought.

In the UK, I learned over time not to eat bread, as the food has less oil and fewer sauces, but, more recently, the kind of restaurant I like to eat in tends to bake wonderful bread, and I often find myself asking for seconds! Warm, delicious-smelling loaves, more than anything else, remind me of happy childhood moments and the sense of being looked after and cared for.

I do love baking cakes and biscuits, though. Along with many people I know, I love the multitude of Greek dips, cheeses and sauces, so I always like to have crispbreads of one kind or other (and always, of course, sweet biscuits for my Greek coffee, which is the one indulgence I hope I never need to give up). When I go to Greece, it is a different matter altogether, because the variety of bread and baked goods is such that it is impossible not to succumb.

Katerina's multi seed breadsticks and carob flour cheese biscuits

MAKES 50–70 BREADSTICKS, DEPENDING ON LENGTH, OR 40 CAROB FLOUR BISCUITS (CRACKER SIZE)

In the last few years, with the increased occurrence of obesity and diabetes, there has been a growing movement in Greece towards healthier or leaner flour-based options to replace bread, and Greek bakeries sell a vast array of crackers, crisps, breadsticks and *koulouria* (the Greek equivalent to pretzels).

The light and crunchy breadsticks and biscuits in this recipe are incredibly easy to make and each has the same basic ingredients. The breadsticks are delicious with dips, or just by themselves if you're feeling peckish, while the carob flour provides a little added sweetness to the biscuits, making them perfect for soft, creamy blue or any other strong-flavoured or even pungent cheese. Carob flour is very healthy (containing 350mg of calcium and 850mg of potassium per 100g). The yield from this recipe is fantastic, so you will have some to give to neighbours or friends, although both store very well in airtight containers for 3–4 weeks.

The recipe has been adapted from one given to me by my Aunty Katerina, who is also a foodie and makes the best *galaktoboureko* I know!

200g mixed seeds, including linseeds and sesame seeds

approx. 600g plain flour

3 tbsp baking powder

250ml sunflower oil

250ml dry white wine

30ml vodka or brandy (I use *tsikoudia*, the Cretan eau-de-vie made from grapes)

50g caster sugar

50g carob flour (if making the carob biscuits)

Preheat the oven to 180°C/350°F/gas 4.

Toss the seeds in a mixing bowl with a teaspoon of plain flour and the baking powder. Mix in all the other ingredients apart from the remaining plain flour and the carob flour.

At this point, you have two options.

○

If you wish to make carob flour biscuits (see opposite) as well as the multi seed breadsticks (see picture on page 184), take one-third of the wet mix and add the carob flour and enough of the plain flour to make a soft dough. Add the rest of the plain flour gradually to the remaining two-thirds of the wet mix to make a dough that's soft but not sticky, for making the multi seed sticks.

Roll out the carob flour pastry between two sheets of baking parchment to a thickness of 3mm and cut out rounds or squares to make biscuits for cheese, or alternatively roll it into sticks. Place them on a baking tray lined with baking parchment and bake for about 15 minutes.

○

If you are not making the carob flour biscuits, just use the plain flour, adding it gradually to the wet ingredients. Try rolling a piece of dough to make a breadstick. If the dough is sticky, it needs a little more flour, but don't add too much, otherwise the sticks will harden when they cook. Oil-based dough must not be overworked, otherwise the oil will seep out of the mixture. Cover the dough with cling film and let it rest for 15 minutes.

Roll the dough into breadsticks, allowing 20g for long sticks and 10g for short ones. Place them on a baking tray lined with baking parchment and bake for 17–20 minutes, depending on size.

Toasted sesame and cinnamon biscuits

MAKES ABOUT 50

There are some things I love about hospitality in Greece that visitors at first find surprising, then grow to love and miss when they are back home. One of these is beautiful free wrapping when buying gifts, no matter how small their value. And you don't even have to ask for it. In my early days in London, I could not believe it when I had to pay £5 (a lot of money in the 1980s) for something to be gift-wrapped in a department store. I was only told the cost when it was too late.

More to the point, though, when you order coffee in the majority of cafés in Greece, you are invariably offered a biscuit or a piece of cake (or both), most often home-made. These little biscuits have been a favourite of mine for years – they are very easy to make, keep for a long time, and the recipe makes such a large quantity that I always offer some to friends and neighbours, or carry them with me in case I have a coffee while I'm out. I use a basic biscuit cutter, but they could also just be rolled out by hand into small cigar shapes.

The secret to success with these and other oil-based biscuits is not to overwork the dough, as this tends to make it split and it is then hard to roll and shape.

75g sesame seeds, plus extra for sprinkling (optional)

100ml extra virgin olive oil

200ml rapeseed or vegetable oil

¼ tsp bicarbonate of soda

100ml dry white wine

125g caster sugar

1 tsp ground cinnamon

1 tbsp baking powder

approx. 550g–600g plain flour

Preheat the oven to 190°C/375°F/gas 5 and line a baking tray with baking parchment or a silicone baking mat.

In a dry frying pan, roast the sesame seeds until golden brown and fragrant. Set aside a few for sprinkling and crush the rest in a blender or using a pestle and mortar. Put the oils into a mixing bowl. In a glass, dissolve the bicarbonate of soda in the wine, stir and add to the oils.

Add the caster sugar, sesame seeds, cinnamon and baking powder, then start adding the flour, mixing with your hands until you have a soft dough which is not too sticky.

Roll out the dough and cut into the desired shapes, or put it into a biscuit-making machine, using the attachment for the shape you prefer. If you like, you can roll the biscuits in extra sesame seeds or just sprinkle the reserved ones over the top. Place the biscuits on a baking tray and bake for about 30 minutes, until golden and crisp.

Leave them to cool on the tray, then store in an airtight container. They will keep for 3–4 weeks.

Carob, fig and walnut loaf

SERVES 12–14

What I love about carob is that it makes sugar redundant when baking. Carob pods themselves, and therefore molasses and flour made from them, are rich in calcium, fibre and antioxidants. Carob is also delicious. Add it to walnuts and dried figs, and you have a powerhouse of a snack.

I also find it exciting to use something that's normally fed to pigs, in Greece at least, to make a dish that's delicious and pleasurable to eat, while at the same time good for you. Although carob pods themselves are low in fat, this bread contains a fair amount of butter, so it is not meant to be eaten in large quantities – as with so many other foods that we love but that we also know should be eaten in moderation.

This bread is delicious with soup and also with blue or other strong cheese. Apart from eating it freshly baked, I often freeze the baked bread for 30 minutes, then take it out of the freezer, slice it thinly and bake it in a low oven (150°C/300°F/gas 2) until crisp. This way it keeps quite well in an airtight container and makes a great alternative to cheese biscuits or as a base for canapés.

200g self-raising flour, plus extra for dusting the tin

50g carob flour

175g butter, melted and cooled

100ml carob molasses

2 eggs

50g dried figs, chopped into small pieces

100g walnuts, roughly chopped

Preheat the oven to 160°C/325°F/gas 3. Grease a small bread tin (21cm x 11cm) and dust it with a little flour.

Sift the self-raising flour and carob flour into a bowl.

Put the melted butter, carob molasses and a pinch of salt into the bowl of your electric mixer and blend at a medium speed for a couple of minutes, then stop the motor and add half the flour mixture and 1 egg. Mix for a minute or two more, then remove the bowl from the machine and add the rest of the flour mix and the second egg. Add the figs and walnuts and fold everything in well using a spatula.

Pour the mixture into the prepared bread tin. Tap the tin a couple of times to get rid of any air bubbles, and place on a low shelf in the oven. Bake for 50 minutes, then test by inserting a skewer or a thin knife into the centre – if the loaf is cooked, the skewer should come out clean. If it doesn't, return it to the oven for a few more minutes. It may take as long as 1 hour.

Remove from the oven and leave to cool in the tin, then turn out and slice thinly to serve.

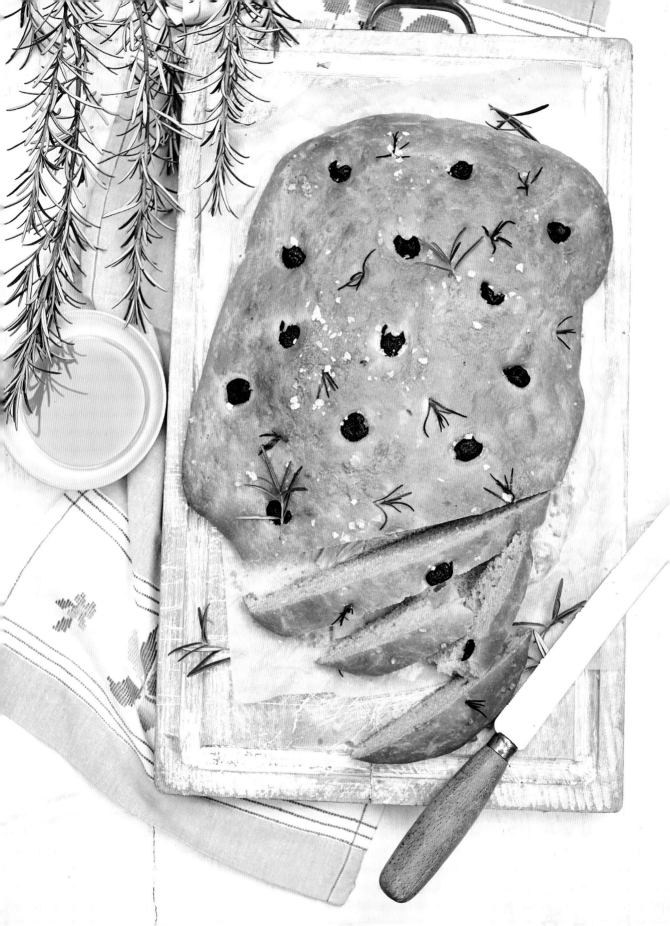

Olive and rosemary bread

SERVES 8–10

Similar to Italian focaccia, this is the perfect bread to accompany soups or dishes that require their delicious sauce to be mopped up, for example, the prawn *saganaki* on page 81. It is very easy to make, requires few ingredients and goes a long way.

When using yeast, the water used to dissolve it should not be too hot, as this will kill the bacteria in the yeast. The pinch of sugar is not needed for flavour but as a 'feeding' agent for the yeast.

2 tsp dried active yeast

a pinch of caster sugar

300ml warm water

500g strong flour

100ml extra virgin olive oil

30g stoned Kalamata olives

tips from a few fresh
rosemary sprigs

fleur de sel and extra virgin
olive oil, for sprinkling

In a bowl, mix the yeast and sugar with the warm water. Cover and put in a warm place for about 15 minutes, or until you see bubbles on the surface.

Place the flour, olive oil and a pinch of salt in the bowl of a stand mixer and add the yeast liquid. Using the dough hook, knead the dough for 5 minutes at a medium speed. Alternatively, knead the dough by hand on a floured surface for about 20 minutes, until it is shiny and elastic.

Place the dough in a clean bowl rubbed with a little oil, cover the bowl with cling film, then a dry tea towel, and leave in a warm place for about 1 hour, until it has risen to double its original size. Knead gently again, then shape into a flat piece about 2cm deep and place it on a baking tray lined with baking parchment or a silicone baking mat.

Gently push the olives and rosemary tips into the dough, sprinkle with a little *fleur de sel* and extra virgin olive oil, cover with a slightly dampened tea towel, and leave for 30–60 minutes so it can rise some more.

Preheat the oven to 200°C/400°F/gas 6.

Put the bread into the oven and bake for about 30–40 minutes. Remove when it is golden in colour and hollow when you tap it underneath.

Butternut squash and feta savoury cake

SERVES 8–10

Savoury cakes did not exist when I was growing up. We did live on bread, however, and a meal was often just that, with some olives, sliced tomato or a piece of cheese. I see savoury cakes as a natural extension of that and the sandwich. The addition of eggs, seeds or nuts as well as vegetables makes a slice of such a cake a nutritious snack, and perhaps makes it appealing to children who would not otherwise eat its component parts. I know that, as a child I could not stand eggs, but loved all the cakes and biscuits my mother used them in.

This recipe came about when I wanted to use up some surplus roast butternut squash after I'd made soup. Roasting tends to intensify the flavour of vegetables, and to roast butternut squash or pumpkin, I usually cut it into slices with the skin on, drizzle it with extra virgin olive oil, season it with salt and pepper, add some fresh thyme sprigs and a couple of garlic cloves, and roast it at 180°C/350°F/gas 4 for about 30 minutes.

Savoury cakes like this make a great base for canapés too.

250g plain flour

1 tsp baking powder

3 eggs

100ml full fat milk

200g roasted and diced
  butternut squash flesh

100g feta cheese, diced

30g mixed seeds

50ml extra virgin olive oil,
  plus a little extra for the tin

2 tsp dried thyme

1 tbsp soft light brown sugar

Preheat the oven to 150°C/300°F/Gas 2. Oil a 21cm x 11cm loaf tin and line it with baking parchment.

Sift the flour and baking powder into a bowl. In another bowl, beat the eggs and milk with a hand-held whisk. Add the rest of the ingredients, apart from the flour and baking powder, and mix with a spoon. Add the flour and baking powder and stir well.

Pour the mixture into the loaf tin, level the top and bake for 45 minutes, or until a wooden skewer inserted into the centre comes out clean. Leave to cool in the tin, then turn out and cut into slices. Decorate with edible flowers and herbs, if you wish.

This bread freezes well for a couple of months. Just take it out of the freezer and defrost it thoroughly before using.

Tyropitakia
Feta and manouri cheese pies

MAKES 30 SMALL PIES

Greek food includes many different pies – probably at least as many as there are types of vegetable and meat found in the country. Spinach and cheese pies, more than any other, define this type of healthy, quickly made and hassle-free (needing few ingredients) favourite of young and old alike.

One of my favourite snacks on the way back from school, along with *peinirli* (see page 60) and *souvlaki*, the smell of these freshly baked pies would permeate the air and have us pupils running for them, often queuing round the corner from the bakery for our lunch. Puff pastry, *choriatiko* filo (country filo pastry – a little thicker than the bought variety) and *kourou* are the pastries most often used in pie-making.

Kourou is normally made with butter but in smaller quantities than puff pastry – however, I find that using olive oil instead makes it a little crisper without losing its 'shortness', and it is, of course, a healthier alternative.

For the filling

1 egg

1 egg white

250g feta cheese

150g *manouri* cheese

a handful of Kalamata olives, stoned and chopped

a pinch of grated nutmeg

a pinch of black pepper

a few fresh thyme leaves

For the pastry

250g Greek yoghurt

125ml extra virgin olive oil

350g plain flour, plus extra for dusting

a pinch of caster sugar

a pinch of salt

1 egg

1 egg yolk, for brushing

mixed sesame seeds, for sprinkling

Preheat the oven to 180°C/350°F/gas 4.

Place all the ingredients for the filling in a bowl and mix well. You can add or substitute ingredients you love, such as sun-dried tomatoes, black garlic, ham, spinach, or make a few pies with each filling, sprinkling them with poppy seeds, black sesame seeds, crushed almonds etc., to differentiate between them.

For the pastry, put all the ingredients except the egg yolk and sesame seeds into a bowl and mix to form a dough. It should have a velvety feel. Sprinkle some flour on a clean surface and roll out the dough fairly thinly (about 3mm-thick). Cut out 10cm circles, place a teaspoon of filling on one half of each, and brush all round the edge with the beaten egg yolk. Turn the other half of the pastry over the filling to create half-moon shapes. Press the edge to close, or use a dumpling press mould to get uniform-looking pies. Sprinkle with sesame seeds and bake for approximately 30 minutes, until deep golden in colour.

Best served hot but can also be eaten at room temperature.

TIP:

Tyropitakia can be frozen uncooked for 2–3 months. There is no need to thaw them, they can be baked directly from the freezer, adding an extra 5 minutes to the cooking time. They can also be frozen once baked and warmed up when needed. Great for parties and picnics.

Entertaining

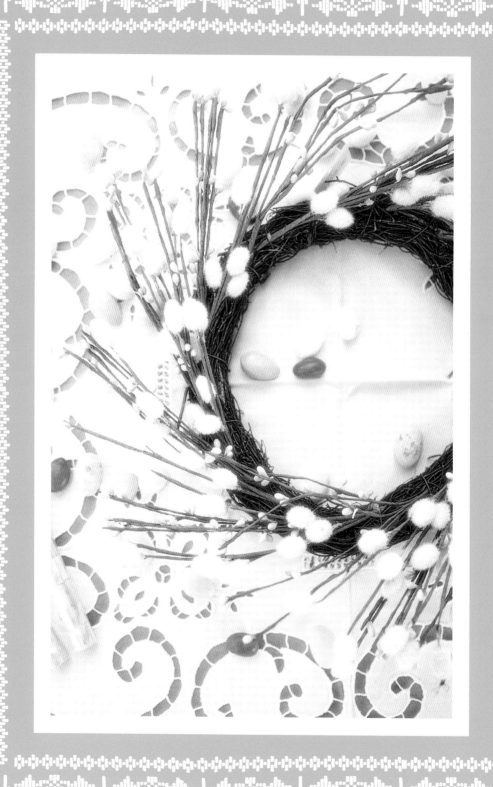

EASTER
CELEBRATIONS

Mushroom, Lettuce, Rice and Dill Soup
(Vegetarian *Mageiritsa*)

o

Slow-roasted Lamb with Garlic, Herbs,
Lemon, Mustard and Honey

o

Celebration Potato and Egg Salad

o

Spring Vegetables with a Yoghurt and Dill Sauce

o

White Chocolate, Greek Coffee and
Roasted Hazelnut Charlotte

o

Sweet Fresh Cheese and Cinnamon Tart
(*Tarta Kalitsouni*)

o

Easter Vanilla Biscuits
(*Koulourakia*)

Anyone who has experienced Greek Easter will not have forgotten it in a hurry, and will reminisce about open-air eating in large groups, with tables brimming with dishes, and, of course, the obligatory lamb (and lamb innards wrapped in intestines) roasting slowly on a spit as it turns round and round over a big open fire.

Easter is the Greek celebration of celebrations, bringing together religion, nature's spring rebirth and the outdoor lifestyle that this wonderful climate of ours makes possible. Fasting for at least the holy week (many fast for the whole forty days of Lent) leading up to Easter Sunday means that there is yet more food at the table than one would normally expect at other special celebrations, and eating starts soon after midnight on the *Megalo Savvato* (Easter Saturday), when everyone is back from church, having sung '*Xristos Anesti*' (Christ Is Risen) and cracked red eggs to stress the point.

My *mageiritsa* is a vegetarian version that will please all, particularly those, like my husband John, who cannot stand the natural smell of kidneys, heart, liver and offal in the traditional version. Spring vegetables, such as broad beans and peas had to feature, as did dairy, in the *mizithra* and cinnamon tart, and the little vanilla biscuits present in all pâtisserie glass cabinets for many days after Easter Day itself.

Finally, the epitome of Greek Easter, my lamb dish is one that can, of course, be enjoyed all year round, not just on Easter Sunday. It's one of those wonderful dishes that requires little attention: assemble, place in the oven and go to church. And, I promise you, the zingy fresh lemon, mustard, honey and herbs added to the glorious natural flavour of the lamb will fill your home with wonderful aromas that will either remind you of Easter in Greece or will make you want to reach for your credit card, in order to book a trip for the next one!

Vegetarian mageiritsa
Mushroom, lettuce, rice and dill soup

SERVES 8–10

As with so many Greek dishes, the roots of *mageiritsa* are said to go back to ancient times and to the offering of a whole lamb, with everything needing to be eaten, to the gods for the protection of the herd. Another theory is that, before feasting on the whole lamb on the spit on Easter Day, and after a forty-day fast leading up to Easter, the *mageiritsa*, a soup of spring vegetables but also pieces of lamb offal, is a gentle way for the digestive system to ease back into a meat-eating diet.

Whereas the traditional recipe indeed includes pieces of offal in the soup, these days it is also usual to have a vegetarian option, which includes everything but the meat. It is a delicious soup and, without the egg and lemon used to thicken it, it would make a tasty and complete vegan dish. Good alternative thickening agents would be tahini, ground cashew nuts or a roux made with cornflour or chickpea flour.

Dill is an important ingredient in this recipe, so use plenty of it. Also, to prevent the soup going an unappetising grey colour, add the mushrooms right at the end, when you add the eggs. The onion is used as a flavouring rather than as a vegetable, so it is grated rather than chopped.

50g dried porcini mushrooms

500g mixed mushrooms (oyster, button, field, chestnut, chanterelles)

1 large white onion

3 spring onions

500g lettuce, different types

50ml extra virgin olive oil

1 fennel bulb, finely chopped

½ tsp ground coriander

100ml dry white wine

1 bay leaf

1.25 litre vegetable stock

125g easy-cook white rice

a bunch of fresh dill, finely chopped

3 medium eggs

juice and zest of 1 unwaxed lemon

Start by preparing the vegetables for the soup. Place the dried porcini in a small bowl and pour over 100ml of boiling water. Leave to soak for 30 minutes. Wipe the fresh mushrooms and chop them into small dice. Grate the onion, and trim and finely slice the spring onions. On a clean board, slice the lettuce.

Drain the soaked porcini, reserving the liquid. Chop the porcini into small pieces. Put a large sauté pan on a low-medium heat and add the oil. Cook the mushrooms in batches, including the soaked porcini, for a few minutes until they are beautifully caramelised. Put them into a large bowl.

In a large saucepan, cook the onion, spring onions, fennel and ground coriander in a little oil over a medium heat for 3–4 minutes. Add the wine, then increase the heat slightly and let the wine almost totally evaporate. Add the chopped lettuce, the bay leaf, strained porcini soaking water and stock. Bring to the boil, then lower the heat and cook for about 15 minutes.

Rinse the rice and add it to the soup. Continue cooking for about another 20 minutes, or until the rice is fully cooked. Remove the bay leaf and add most of the chopped dill, keeping some back to sprinkle at the end. Season with salt and pepper.

In a bowl, whisk the eggs very well. Add the lemon juice to the beaten eggs in a thin stream, whisking all the time. Start adding some of the hot soup with a ladle, again in a thin stream at the beginning to avoid the eggs curdling. Repeat two or three times. Take the pan off the heat and add the whisked egg mixture, stirring well to incorporate it fully. Add the mushrooms and give the soup a good stir.

You can put the pan back on a very low heat for the eggs to fully cook, or, if you prepare the soup a few hours in advance, just reheat it gently. Serve sprinkled with the rest of the chopped dill and the lemon zest.

Slow-roasted lamb with garlic, herbs, lemon, mustard and honey

SERVES 8–10

The best way to cook lamb, to my mind, is the way it is cooked around a fire in Crete: the lamb is barbecued very slowly, fixed on vertical spikes, which are angled so that the fat renders away from the flames. The only treatment the meat receives before cooking is lots of salt! Everyone has their favourite part of the lamb, either the seriously caramelised and chewy outside, or the soft and juicy inside.

The next most delicious way, for me, is cooking the lamb slowly in the oven, wrapped in baking parchment with lots of fresh herbs. I love how, on Easter Sunday, with minimal fuss and effort, you can create a feast without even being there, as the lamb cooks away while you go to church with the family. To make cooking and carving easier, ask your butcher to make three deep cuts in the lamb. I find that foil-coated baking parchment is very good for this recipe, as it keeps all the juices in well.

I generally like to accompany the lamb with fresh flavours, but if your guests appreciate roasted vegetables, it's a shame not to take advantage of all the lamb and herb deliciousness and bake some at the same time.

1 x 2kg leg of lamb

4 garlic cloves, peeled, each cut into 3 pieces lengthwise

a few sprigs of fresh rosemary

juice and zest of 2 unwaxed lemons

1 tbsp mustard

1 tbsp honey

100ml extra virgin olive oil

a bunch each of fresh oregano, thyme and mint, finely chopped

Preheat the oven to 200°C/400°F/gas 6. Lay two very large pieces of baking parchment at right angles to each other in a large, deep roasting tray.

Trim the lamb of all its excess fat, then wash, pat dry and lay on a large board. Make slits all over the lamb with a small knife and push pieces of garlic into the slits. Put the lamb on the baking parchment in the roasting tray and add the rosemary sprigs.

Put the lemon juice, zest, mustard and honey into a small jug and whisk to amalgamate, then add the olive oil in a thin, steady stream, whisking all the time. Finally, add all the chopped herbs. Drizzle some of this mixture over one side of the lamb, and rub it in so that it coats the meat well. Season generously with salt and pepper, then turn the lamb round and do the same on the other side.

Wrap the lamb with the baking parchment to form a parcel and secure with kitchen string. Place the roasting tray in the oven for 15 minutes, then reduce the heat to 160°C/325°F/gas 3 and leave to cook for another 2½ hours. At the end of this time, take the parcel out of the oven and cut a long slit down the length of the paper, pushing it back a little to reveal the meat. Baste with the juices, then increase the temperature to 180°C/350°F/gas 4, put back into the oven and cook for another 30 minutes.

Remove from the oven and transfer the lamb to a large, warm platter. Cover and let it rest for 10–15 minutes before carving.

Pass the juices from the tray through a strainer into a saucepan. Using a spoon, remove any fat floating on top of the juices, then heat them to reduce if needed and pour into a jug to serve with the lamb.

WINE PAIRING

Hatzidakis Nykteri (*Eclectic Wines*) / **Sigalas Nykteri** (*Maltby & Greek*)
– for their richness and honeyed character.

Celebration potato and egg salad

SERVES 8–10

This salad, made with fresh new potatoes and with the strong, acidic but umami flavours of olives, gherkins and capers, makes an excellent accompaniment to the fatty lamb and a worthy substitution for the roast potatoes we all associate with roast meat.

3 eggs

1 tbsp mustard

2–3 tbsp white wine vinegar

30ml extra virgin olive oil

500g baby new potatoes

a handful of stoned Kalamata olives, quartered

3 spring onions, finely sliced

2 tbsp finely chopped gherkins

1 tbsp capers, drained

2 tbsp finely chopped fresh parsley

2 tbsp finely chopped fresh dill

Place the eggs in a saucepan with enough cold water to cover them and bring to a gentle boil. Cook for 6–7 minutes, then remove the eggs with a slotted spoon and place them under a running cold tap to cool. Peel each egg and cut into quarters.

Mix the mustard and vinegar together in a bowl. Add the oil in a thin drizzle, to make an emulsion.

Wash and scrub the potatoes. Drop them into a pot of cold water with a pinch of salt and bring to the boil. Lower the heat slightly and cook the potatoes until soft, then, while still warm but easy to touch, cut them in half and put them into a salad bowl.

Add the eggs, olives and spring onions to the potatoes and sprinkle over the chopped gherkins and capers. Drizzle the dressing over the salad and add the fresh herbs. Season with salt and pepper, add more vinegar or oil to your taste, and toss well before serving. Decorate with micro-herbs, if you have them.

Spring vegetables with a yoghurt and dill sauce

SERVES 6–8

Spring is a wonderful time of year for green, young vegetables, and this salad combines some of my favourites. Their fresh, clean taste, married with the acidity of lemon and yoghurt and the aroma of dill, perfectly suits the fatty, filling lamb, although I could eat these with fish as well as on their own, sprinkled perhaps with some seeds and nuts for texture and added nutrients.

As judges of cooking competitions often say, there is nowhere to hide here. The component parts must be fresh and vibrant, and this means paying attention to the cooking time. I love to use fresh vegetables for this dish, so it tends to be perfect in springtime. With regard to timings, try to cook them according to their size and you can't go wrong. I loved the simple but effective way of injecting flavour into vegetables shown to me by Gary Jones, the executive chef of Raymond Blanc's Belmond Le Manoir aux Quat' Saisons. I have followed it ever since and it never disappoints.

If you can't find fresh artichokes, use frozen or leave them out altogether. Canned and marinated artichoke hearts don't work in this dish.

For the vegetables

200g French beans

150g sugar snaps

150g shelled fresh peas

100g shelled broad beans

2 tbsp extra virgin olive oil, plus extra for brushing

2 garlic cloves, chopped

2 sprigs of fresh thyme

3 globe artichokes

juice of 1 unwaxed lemon

a sprig of fresh rosemary

For the sauce

200g Greek yoghurt

juice and zest of ½ an unwaxed lemon

20ml extra virgin olive oil

1 tbsp finely chopped fresh dill

To garnish

unwaxed lemon zest

finely chopped fresh dill

pistachio nibs

fresh mint leaves

Bring a large saucepan of water to the boil, and have ready a bowl containing some very cold water and a few ice cubes, and cook the vegetables one at a time, as follows: drop the French beans into the boiling water and cook for 2 minutes. Remove with a spider ladle and drop them into the icy water. Repeat with the sugar snaps, peas and broad beans. When the broad beans are cool enough to handle, remove their outer skins. They look more attractive and are easier on the digestion. Keep the water.

Place a sauté pan on a medium heat. Add 200ml of water, the oil, the garlic and a sprig of thyme. Season with salt and pepper. Whisk to create an emulsion, then drop in the broad beans, sugar snaps, French beans and peas. Cook the vegetables for a couple of minutes more, then remove with a ladle and put them into a salad bowl or on a platter. Discard the garlic and thyme.

To prepare the artichokes, first trim each stem, leaving only a couple of centimetres. Remove the outer leaves until you reach the pale yellow centre leaves, then, using a peeler or a small knife, remove the hard skin all around the base of each artichoke and cut across the top of the remaining leaves to reveal the 'choke'. Using a teaspoon, remove the hairy part of the artichoke's centre. Cut them into quarters and drop them into a bowl of cold water with plenty of lemon juice added, to prevent them oxidising and discolouring while you are working.

Bring the water you used to blanch the other vegetables to a medium heat. When it reaches a gentle boil, add a sprig of thyme and the rosemary, then drop in the artichoke quarters. Cook for 5 minutes, then drain and pat dry. Brush with a little oil, season with salt and pepper, then griddle on a hot pan for a couple of minutes on each cut side to give them pretty char marks and intensify their flavour.

To make the sauce, put the yoghurt into a bowl. Add the lemon juice, then very slowly add the oil, whisking to incorporate fully. Add the lemon zest and dill, and season with salt and pepper.

To serve, add the griddled artichokes to the rest of the vegetables. Spoon the yoghurt sauce generously over them all and sprinkle with more lemon zest and chopped dill, some pistachio nibs and a few mint leaves.

White chocolate, Greek coffee and roasted hazelnut charlotte

SERVES 8–10

Charlotte has to be the easiest and at the same most visually impressive dessert. No wonder – we adopted it from French pâtisserie and it is now a firm favourite in Greece.

When it comes to chocolate, my absolute favourite is 72% cocoa solids. My least favourite in terms of its flavour is white chocolate – which is technically not chocolate anyway. But, in fact, I often find myself using white chocolate, because it has the ability to augment other ingredients. Here, its smooth buttery flavour is the perfect foil for the acidity and roasted flavour of Greek coffee, with the coffee liqueur adding a lovely kick. You can substitute the Greek coffee with espresso or filter coffee, if you prefer.

75g hazelnuts, roughly chopped

2 heaped tsp ground Greek coffee

2 tbsp coffee liqueur

250g white chocolate, finely chopped

600ml double cream

250g sponge finger biscuits

For the caramel hazelnut spikes

7 whole hazelnuts

100g caster sugar

100g glucose syrup

Preheat the oven to 200°C/400°F/gas 6. Put the chopped hazelnuts on a baking sheet in an even layer and roast for 6–7 minutes, until golden. Remove from the oven and leave to cool.

To make the Greek coffee, put the Greek coffee powder into a very small saucepan and add 200ml of water. Heat gradually, removing the pan from the heat just as it looks as if the coffee is going to boil. Pour into a cup and let it settle. After about 10 minutes the coffee grounds will have settled on the bottom of the cup and you can then filter it through a coffee filter or a piece of muslin. Pour 100ml of the coffee into a bowl. Add the coffee liqueur and set aside.

Put the white chocolate into a bowl. Put 250ml of the double cream into a saucepan and bring to a gentle boil, then pour it over the chocolate. Leave for 30 seconds so the hot cream softens the chocolate, then whisk vigorously until melted.

Put the remaining 350ml of cream into another bowl and whip with an electric whisk until it has the consistency of Greek yoghurt. Pour it on to the melted chocolate mixture and fold it in with a spatula.

Half dip some of the sponge finger biscuits into the coffee and liqueur mixture and line the sides and bottom of a charlotte tin or 14cm-diameter round cake tin, cutting smaller pieces to fill any gaps. Spoon some of the chocolate mix on top of the biscuits and add a second layer of biscuits, half-dipped, a little more generously this time, into the coffee liqueur mixture. Spoon over the rest of the chocolate mix and finish with another layer of biscuits. Drizzle any remaining coffee liqueur mixture over the top layer of biscuits, to moisten. Cover with cling film and place in the fridge for a few hours or overnight.

To make the caramel hazelnut spikes, push each hazelnut on to a skewer, working gently so that it does not split. Put the sugar and glucose into a pan with 2 tablespoons of water and bring to a medium heat. Shake the pan often, to ensure that the sugar melts and caramelises evenly. Increase the heat to medium-high and remove from the heat when the caramel reaches a lovely golden colour. Stir while it thickens.

Dip each hazelnut into the caramel and test that it pours slowly off it as you lift the skewer so as to leave a caramel trail. If the caramel cools and thickens too much while you are working, heat it briefly to thin it. Place the skewers on the edge of your worktop so they overhang, letting the caramel drip towards the floor and using a heavy board as a weight on top.

Place a sheet of baking parchment on the floor below. Once all the caramel hazelnut spikes have cooled and hardened, cut the spikes to the same length.

When you're ready to serve, half-fill a large bowl with hot water. Take the charlotte out of the fridge and hold the tin in the water for a few seconds, then place a large cake platter over the top of the tin and turn it upside down. It should slide out easily. If it doesn't, put it back into the hot water for a little longer.

Decorate the top of the charlotte with the chopped roasted hazelnuts and the hazelnut spikes.

Tarta kalitsouni
Sweet fresh cheese and cinnamon tart

SERVES 8–10

This tart is inspired by the *anevata kalitsounia* of Crete. *Anevata* refers to the dough and means leavened or risen, while *kalitsounia* are individual dough parcels containing fresh *mizithra* cheese, sweetened with sugar and honey, with fresh mint or ground cinnamon or both, closely associated with Easter and something to really look forward to after forty days of fasting from dairy. They are one of the most recognised Cretan delicacies throughout the country, and every Cretan household still makes them at Easter in different shapes and sizes.

One thing I always had a bit of an issue with when living in Greece was how heavy the *kalitsounia* seemed once they cooled, so I would only eat them just as they came out of the oven. That still applies, and I would recommend that even if you make the tart in advance and freeze it, you bake it as near the time you want to eat it as possible – although the added egg white in this recipe helps keep the filling light beyond the first day.

Be careful when ordering *mizithra* that you don't get the savoury or sour kind. You can also substitute the *mizithra* with 400g of ricotta and 100g of soft goat's cheese.

For the tart base

1 tsp dried active yeast

75ml tepid water

350–400g plain flour, plus extra for dusting

75g caster sugar

75ml extra virgin olive oil

2 medium eggs

100g Greek yoghurt

zest of ½ an unwaxed lemon

For the filling

1 egg white

500g fresh *mizithra* cheese (see page 30)

1 egg

50g caster sugar

50g honey

1 tbsp ground cinnamon

2 tbsp finely chopped fresh mint

1 tbsp unwaxed lemon zest

To finish

1 egg yolk, for brushing

1 tbsp sesame seeds

icing sugar and ground cinnamon

Put the yeast and tepid water into a bowl, add 2 or 3 tablespoons of the flour and whisk to mix. Cover the bowl and leave in a warm place until bubbles appear on the surface, about 20–30 minutes.

In another bowl, using an electric mixer, beat the sugar, oil, eggs and yoghurt at medium speed for 10 minutes. Add the yeast mixture, the lemon zest and a pinch of salt, and mix with a spatula. Start adding the rest of the flour gradually, mixing all the time with your hands until you have a dough that is soft but not sticky (you may not need all the flour). Cover the dough and place in a warm place, to rise.

In the meantime, make the tart filling. In a clean bowl, whisk the egg white to a soft peak consistency. Put the *mizithra* into a large bowl with all the other ingredients and mix together. Fold in the egg white.

Preheat the oven to 180°C/350°F/gas 4.

When the dough has risen, punch it to let the air out, then roll it out on a floured surface to a thickness of ½cm and large enough to line a loose-bottomed 25cm tart tin with some dough hanging over the edge. Spoon the cheese mixture into the tart base and turn over the surplus dough to cover the edge of the tart by about 1cm.

In a small bowl, beat the egg yolk with 1 tablespoon of water and use this eggwash to brush over the pastry around the tart. Sprinkle over the sesame seeds, then place the tart on the middle shelf of the oven and bake for 40 minutes, until the pastry is golden. Move the tin to the base of the oven and bake for a further 10 minutes.

Remove from the oven and leave to cool a little. Dust with icing sugar and cinnamon. This tart is best enjoyed fresh out of the oven. I've decorated mine with physalis fruits.

Koulourakia
Easter vanilla biscuits

MAKES ABOUT 65

These biscuits, also known as *tsourekakia* in some parts of Greece, are traditionally made at Easter and enjoyed for many days after the long fasting period leading up to it. A large brioche-type bread of the same name (*tsoureki*) in the shape of a plait, usually seen with a red egg sticking out of it, is also made – it too is delicious and, if you are ever in Greece over the Easter period, buy one to cut and toast for your breakfast in the morning. It is Greek sunshine on a plate!

These days *koulourakia* are enjoyed all year round, and for good reason. The Easter recipe commonly uses *masticha* as a flavouring, but because I associate that version with Easter, I make the vanilla-flavoured ones from time to time during the year and enjoy them with my coffee. A guilty pleasure is one *koulouraki* eaten with a bite of milk chocolate at the same time – I know, I have admitted to myself many times that I am greedy! But please try it. A fantastic combination.

While I like eggs, I have a strong aversion to their smell, so instead of the commonly used egg yolk/milk combination, I brush the *koulourakia* with just egg white.

250g self-raising flour, plus extra for dusting

100g butter, softened

75g icing sugar

1 egg

2 tbsp vanilla paste

zest of ½ an unwaxed lemon

25ml full fat milk

1 egg white, for brushing

Preheat the oven to 180°C/350°F/gas 4. Line two baking trays with baking parchment or silicone baking mats.

Sift the flour into a bowl. In another bowl, beat the butter and icing sugar until pale and fluffy. Add the egg, vanilla and lemon zest and keep beating to incorporate it all.

Add half the flour and half the milk and mix with a spatula. Add the remaining flour and milk and knead gently with your hands to make a soft dough. The dough will be a little sticky but don't overwork it – make it into a ball, flatten it with your hands and wrap it in cling film. Place it in the freezer for 10 minutes, or in the fridge for about an hour. Chilling it will make it easier to roll out.

Take the dough out of the freezer or fridge. Dusting your hands with a little flour, take a small piece of dough (around 7g) and roll it into a short length, about 8–10cm long. Then double it up, twisting at the same time. Repeat with the rest of the dough. Lay the *koulourakia* on the baking trays.

In a bowl, whisk the egg white a little to loosen it so it is easier to apply. Brush the *koulourakia* with the egg white, then bake in the oven for 25–30 minutes, until golden brown.

Leave to cool on a wire rack. They will keep for up to 2 weeks in an airtight container.

TIP:

After you apply the egg white, you can sprinkle the *koulourakia* with sesame seeds or chopped almonds, if you like.

FEASTING
AT
CHRISTMAS

Smoked Potatoes, Smoked Eel, Bottarga Powder,
Dill Cream and Oil (*Oftes Patates*)

◦

Cured Salmon with Star Anise, Yoghurt and
Ouzo Cream, Cucumber and Fennel Salad

◦

Pork Loin Stuffed with Smoked Pork,
Leeks, Apples and Dates

◦

Sautéd Brussels Sprouts with Savoy Cabbage,
Smoked Lardons and Chestnuts

◦

Grated Cabbage and Carrot Salad with a
Pine and Fir Tree Honey and Mustard Dressing

◦

Mulled Mavrodaphne and Pear Jelly with
Vanilla Chantilly and Almond Brittle

◦

Syrup Semolina Cake with a Muscat-Spiked
Cranberry Sauce (*Ravani*)

◦

Cousin Roula's Roasted Almond
and Butter Cookies (*Kourabie*)

◦

Honey-dipped Spice Cookies (*Melomakarona*)

With its many groups of islands and the irregular shape of its mainland, Greece is very fragmented. As such, Christmas (like many other special celebrations) was, in the past, marked by traditions and customs that varied from area to area, and many of these differences continue today.

Christmas in Crete was very much a non-event when I was growing up compared to what it is these days. It was always more of a religious celebration than a commercial one, without a Father Christmas gift list and homes full of colourful decorations. The overriding memory of Christmas was of all the activity leading up to it, which had mainly to do with killing the pig that had been specially reared all year, making lots of different meals and treats to last for a while, and all the baking that made the house smell delightfully sweet and happy.

Christmas was also about fasting during the days leading up to it. Many older people would have fasted for the preceding forty days, but for us children, fasting for just the last week leading up to the big day was considered sufficient. The day before Christmas, all the children would form into a small group and go round the houses singing carols and being given small coins and little sweet treats by the villagers, who though poor nevertheless felt generous during the festive days and saw it as good luck to have carols sung on their doorstep.

The food on the day was predictably pork and various vegetables, including roast potatoes. The sweet treats would be baked goodies that would last well beyond Christmas and see us into the New Year. Without electricity and all the comforts of a modern kitchen, we were limited to treats baked in a wood-burning oven (which would not be routinely lit, as it was quite laborious) or over an open fire. *Kourabiedes* and *melomakarona* were sweet, baked biscuits that I loved as a child and which still remain favourite treats today. Being more affluent now than in the 1960s in a small village in Crete, I like to use lots more toasted almonds in my *kourabie* and lots more honey in the syrup of my *melomakarona* than my grandmother and my mum did.

New Year, on the other hand, was celebrated much more, and some of the traditions still fill my heart with warmth and joy. On New Year's Eve we would cut the *vassilopita* (the cake of St Basil – the Greek Orthodox church's version of Father Christmas), which always included a lucky coin, and waiting to see who got it was agony. The men would spend the night playing cards to see who would have all the luck the following year, and the women would stay up to serve them food and drink, chatting happily, putting the world to rights.

May the recipes of this section bring you joy and good fortune too!

Smoked potatoes, smoked eel, bottarga powder, dill cream and oil

SERVES 4

This recipe is an evolution of the *oftes patates* (potatoes cooked in the embers) that I grew up with. Many winter evenings in villages up and down Greece are still spent gathered around the wood-burning stove, warming up by drinking raki or *tsikoudia* and eating roast chestnuts and *oftes patates*. The potatoes are wrapped in foil and cooked in the ashes of the burnt olive wood. The foil is opened, the potato is cut down the middle, salted and eaten just like that. It is the most delicious, melt-in-the-mouth thing you could ever imagine!

This is a grown-up version, made decadent with smoked eel and bottarga powder, great for a warm-up to Christmas lunch and a lovely accompaniment to that first glass of bubbly!

2 large baking potatoes

5 tbsp extra virgin olive oil

3 tsp finely chopped fresh dill

3 tsp Trikalinos bottarga powder (see page 306)

2 tsp capers, drained and finely chopped

zest of ½ an unwaxed lemon

50g Greek yoghurt

100g smoked eel

a few fresh dill fronds

For the dill oil

20g fresh dill

10g spinach leaves

200ml light extra virgin olive oil or rapeseed oil

Preheat the oven to 180°C/350°F/gas 4.

Place the potatoes on a baking tray and bake for 1 hour, or until soft. Remove from the oven and leave to cool.

To make the dill oil, bring a saucepan of water to the boil. Drop in the dill and spinach for a few seconds, then take out and refresh quickly in a bowl of ice-cold water. Drain and squeeze all the water out. Gently warm the oil and blitz it with the dill and spinach, using a stick blender. Add a pinch of salt and give the oil a good stir. Strain through a fine mesh strainer or a piece of muslin and transfer to a squeezy bottle.

Using a spoon, scoop out the potato flesh and place in a bowl. Mix in 3 tablespoons of the oil, 2 teaspoons of the dill, 1 teaspoon of the bottarga powder, the chopped capers and the lemon zest. Season with a little salt and mix well. Cover the bowl with cling film and smoke with a smoking gun (see page 38), using apple wood chippings.

Put the yoghurt into a bowl and stir in the remaining oil and dill. Taste and season with a little salt. Transfer to a piping bag and put to one side. You can prepare this in advance and keep it in the fridge until needed.

Slice the smoked eel into thin slices on the diagonal.

To serve, place a food ring in the centre of each plate. Spoon a quarter of the smoked potato mixture into each ring. Sprinkle the remaining bottarga powder over the potato, and top each with a quarter of the eel slices. Make a small cut in the end of the piping bag and pipe on some dots of yoghurt. Top each with a small piece of dill, then remove the food ring and drizzle the dill oil all around the plate.

WINE PAIRING

Vassaltis Assyrtiko (*Wimbledon Wine Cellar*) – for its salty nature and lemony acidity.

Cured salmon with star anise, yoghurt and ouzo cream, cucumber and fennel salad

SERVES 2

This is the perfect starter for your Christmas dinner party. Creamy, aromatic, refreshing and zingy, it sets the scene beautifully for what is to follow. Ouzo is often served with little seafood *meze*, and the anise flavour goes beautifully with the smokiness, while the pickled salad cuts right through the richness of the salmon.

When it comes to spices, I prefer to start with whole ones. Lightly toast them, then grind them into powder using either a spice grinder or a pestle and mortar.

For the salmon

150g salt

150g caster sugar

2 star anise, ground

1 tsp fennel seeds, ground

1 salmon fillet, weighing approx. 200g

extra virgin olive oil

a squeeze of lemon juice

½ tsp finely chopped fresh chives or dill

For the pickled cucumber and fennel salad

1 small fennel bulb

a squeeze of lemon juice

½ a cucumber

2 radishes, sliced (or a small bunch of watercress)

extra virgin olive oil

1 tsp chopped fresh dill

For the yoghurt and ouzo cream

50g Greek yoghurt

50g light cream cheese

1 tbsp ouzo

To make the cure, mix together the salt, sugar, star anise and fennel seeds. Remove the salmon skin, then wash the fish and pat dry. Put it into a container where it fits snugly, and cover it with the cure. Cover with cling film and put into the fridge for 3 hours. Adjust the time depending on the thickness of your salmon. If using a whole side of salmon, adjust the quantities and cure for approximately 12 hours.

To make the salad, 15 minutes before serving, trim the fennel and use a vegetable peeler to make shavings. Put it into a bowl with a squeeze of lemon juice and a pinch of salt and leave to marinate. Cut the cucumber into quarters lengthwise, then cut into thin slices using the vegetable peeler. Slice the radishes thinly (or separate the watercress into small sprigs). Add the cucumber and radishes (or watercress) to the fennel, then sprinkle with extra virgin olive oil and the dill, and taste for seasoning.

To make the yoghurt and ouzo cream, place all the ingredients in a bowl with a pinch of salt and mix thoroughly.

Rinse the salmon and pat it dry. Slice it thinly or cut it into small dice, then brush or drizzle over some extra virgin olive oil mixed with a squeeze of lemon juice. Serve with the pickled salad and the yoghurt cream, sprinkled with the chopped chives or dill and drizzled with more extra virgin olive oil.

WINE PAIRING

San Gerasimo Robola (*Maltby & Greek*) – for its freshness and unmistakable fennel and aniseed character.

Pork loin stuffed with smoked pork, leeks, apples and dates

SERVES 4

I should start by apologising to all turkey lovers, but for me it would not be Christmas without at least one pork dish. It would almost seem disloyal to my grandmother and all my early years in Crete! The stuffing in this recipe and the short time in the oven ensure juicy meat that's full of flavour, so whether you choose to make it for Christmas or for another occasion, it will draw many compliments.

If you're making it for Christmas, you can prepare it on Christmas Eve. You can substitute *apaki* with 3–4 thin slices of Iberico ham or pancetta, or even a couple of rashers of smoked bacon. However, below is a recipe for you to cure and smoke your own pork fillet, and I believe, if you try it once, you will be treating pork this way again and again to add to other dishes.

One accompaniment that we would never have with this dish in Crete, or with any other meat dish for that matter, would be gravy, and we certainly would never eat pork with apples or apple sauce – we are not keen, as a nation, on mixing savoury and sweet. However, on this occasion I think a simple gravy made with reduced chicken stock and perhaps flavoured with some sage, or this simple cider sauce, is a good idea.

For the stuffing

100g dates, chopped

1 large leek

2–3 tbsp extra virgin olive oil

1 medium onion, finely chopped

2 garlic cloves, finely chopped

100ml dry white wine

100g *apaki* (see opposite), chopped into small cubes

2 tbsp fresh breadcrumbs

½ tsp dried sage, or 2 fresh sage leaves, finely chopped

2 Granny Smith apples, peeled, cored and chopped into small cubes

Preheat the oven to 200°C/400°F/gas 6.

Put the dates into a bowl and just cover with warm water. Trim the leek and cut lengthwise in the shape of a cross and then slice widthwise, so you end up with very small pieces.

Heat the oil in a sauté pan. When the oil is hot, add the onion, garlic and leek and cook for 2–3 minutes, stirring all the time. Add the wine and cook until it has evaporated. Add the *apaki*, breadcrumbs and sage and cook for 2–3 more minutes. Add the apples and the dates with their liquid, and continue cooking and stirring until the liquid has been absorbed. Season the stuffing and put it aside to cool.

Butterfly the loin of pork, or ask your butcher to do it for you. Put it on a board, cover it with baking parchment or cling film, and beat it with a mallet to flatten and expand it, aiming to end up with an oblong that will be easy to roll into an even sausage-like shape and taking care not to tear the meat. Season with salt and pepper. Spoon the stuffing along one of the longer sides of the meat and roll it up. Use some kitchen string to tie it, so as not to lose any of the stuffing during cooking.

Place a frying pan large enough to fit the loin on your stove. Add a couple of tablespoons of oil and bring it to a high heat, then add the loin and brown it all over. It should not take more than 2–3 minutes. If you are using two loins, it's best to do one at a time. Keep the pan to one side for making the sauce.

For the pork

1 loin of pork, weighing 1kg,
  or 2 loins weighing
  500g each

extra virgin olive oil, for
  frying and browning

For the cider sauce

1 medium onion,
  finely chopped

2 cloves of garlic,
  finely chopped

200ml dry cider

150ml pork or chicken stock

1 tsp mustard

150ml double cream

Place the loin in an oiled roasting tin and roast in the oven for about 60–75 minutes, testing after 60 minutes. The cooking time may vary, depending on whether you are using one large loin or two smaller ones.

When the pork is nearly ready, add the onion for the sauce to the oil in the pan used to brown the pork and cook gently for a few minutes. Add the garlic and cook for a couple more minutes. Add the cider, turn the heat up and cook until reduced by half. Add the stock and let it reduce by half again. Stir in the mustard and cream and cook for a couple more minutes. Keep warm.

Once cooked, leave to rest for 5 minutes, then serve, carved in slices, with the cider sauce.

WINE PAIRING

Douloufakis Aspros Lagos Vidiano (*Maltby & Greek*) / **Oenops Vidiano** (*Clark Foyster*) – for their ripe apple, stone fruit and citrus character.

Apaki
Smoked pork fillet

SERVES 4

200g pork fillet

75ml dry white wine

75ml good red wine vinegar

1 tsp salt

1 tsp dried thyme

½ tsp yellow mustard seeds

½ tsp ground cumin

½ tsp black pepper

1 bay leaf

1 small cinnamon stick

1 strip of unwaxed orange
  rind, chopped into small
  pieces (approx. 1cm)

Wash and dry the pork fillet. Put it into a glass or Tupperware container with a tightly-fitting lid. Mix together the rest of the ingredients and pour over the pork. It should be totally covered – if not, add equal amounts of wine and vinegar until it is all submerged. Close the lid and put into the fridge for 48 hours.

Remove the pork from the curing liquid, pat dry with kitchen paper and bring to room temperature.

At this point, you can smoke it in your home-made or stovetop smoker, or by using a smoking gun (see page 38). Alternatively, lay some bunches of fresh thyme, oregano and marjoram in a roasting tray, lay the fillet on top, and cook in a preheated oven at 80°C/175°F/gas as low as possible, for 8 hours.

You can store in an airtight container, in the fridge, for up to 5 days.

Sautéd Brussels sprouts with Savoy cabbage, smoked lardons and chestnuts

SERVES 8–10 AS A SIDE DISH

I can't remember exactly when during my teenage years Brussels sprouts made it to Greece, but because of their smell while they were cooking, my father did not let my mother cook them all that often. I feel he was probably not alone in that aversion, but once a year, at Christmas, I love to eat them. The secret to their success for me is not overcooking them.

This recipe makes a virtue of the vegetable and its perfect partners: chestnuts and smoked lardons. I know that, with the addition of the white wine, onion and stock, even my father, who believed that if you 'throw enough good ingredients at something, you will make it sing', would enjoy eating this dish!

500g Brussels sprouts

20ml extra virgin olive oil

1 large onion, finely chopped

200g smoked lardons

a sprig of fresh thyme, leaves picked

a sprig of fresh rosemary, leaves picked and finely chopped

350g Savoy cabbage leaves, shredded

100ml dry white wine

250ml vegetable stock

250g cooked peeled chestnuts

1 tbsp finely chopped fresh parsley

Start by blanching the Brussels sprouts. Peel off and discard their outer leaves and make a cross at the base. Bring a large saucepan of water to the boil. Add the sprouts and cook for 3 minutes, then plunge them into a big bowl of ice-cold water. Drain and put to one side.

Bring another large saucepan to a medium heat. Add the oil and onion and cook, stirring, for 2–3 minutes. Add the lardons, thyme leaves and rosemary, and cook them with the onion until the lardons have rendered most of their fat and the onion is cooked.

Add the shredded cabbage and the Brussels sprouts, then increase the heat and toss everything in the saucepan for a couple of minutes. Add the wine and let it evaporate. Add the stock and the chestnuts, bring to the boil again, then reduce the heat to low-medium and cook everything gently for about 15–20 minutes. Stir from time to time and take care not to overcook the vegetables. You want them to have a little bit of a crunch and maintain their vivid colours. If they are cooked to your liking but there is still too much liquid in the pan, increase the heat for a minute for the liquid to evaporate.

Check for salt, stir in the parsley, sprinkle with pepper, and serve.

Grated cabbage and carrot salad with a pine and fir tree honey and mustard dressing

SERVES 6

Salads are never absent from the Greek table. In the winter they tend to be wild greens, boiled and served simply with some good olive oil and lemon juice, or a salad of lettuce and dill, which is a great accompaniment for fish, or this, a favourite with Greek families.

The salad, traditionally, is just grated cabbage and carrots, seasoned generously with salt and flavoured with olive oil and vinegar. Both these vegetables, however, take well to the added sweetness in the sultanas as well as the nuttiness of the seeds. For the dressing, I have used a pine and fir tree honey, as I find its strength and woody aroma are perfect for a winter dish. Any woodland-type honey would be lovely in this recipe.

Although it is simple to make, this goes a long way and, unlike other salads, it improves if made the day before. Perfect for a busy Christmas Day!

a wedge of cabbage
  (approx. 250g), grated
2 medium carrots
  (approx. 200g), grated
50g sultanas
50g mixed seeds (pumpkin,
  sunflower, sesame)
a handful of fresh
  coriander leaves

For the dressing
3–4 tbsp white wine vinegar
1 tbsp pine and fir tree honey
1 tbsp grain mustard
30ml extra virgin olive oil
juice and zest of ½ an
  unwaxed lemon

First, make the dressing. In a bowl, whisk together the vinegar, honey and mustard. Start adding the oil in a thin stream, whisking all the time as the dressing thickens. Finish by adding the lemon juice and zest and salt and pepper to taste.

Place all the salad ingredients in a bowl, pour the dressing over, and toss well to coat completely.

Cover the bowl and leave in the fridge until you need it.

Mulled Mavrodaphne and pear jelly with vanilla Chantilly and almond brittle

SERVES 6

One of the nicest desserts I know is pears poached in red wine and spices. You will need to start this the night before or the morning of the day you need it – perfect for a gathering or busy day of festivities. This dessert has the same flavours as poached pears, which are also very much the flavours of Christmas.

For the pears
30ml water
30g caster sugar
2 sprigs of fresh lemon thyme
a small strip of unwaxed lemon peel
2 ripe but firm pears

For the mulled Mavrodaphne wine jelly
1 bottle of Mavrodaphne wine
50g caster sugar
2 tangerines
6 cloves
2 bay leaves
3 cardamom pods
1 vanilla pod
1 cinnamon stick
5–6 gelatine leaves

For the pear jelly
4 gelatine leaves
5 Comice pears, or 400ml fresh organic pear juice
2 tbsp lemon juice

For the almond brittle
75g almond flakes
25g caster sugar
25g glucose syrup

For the vanilla Chantilly
150ml double cream
1 tsp vanilla extract
1 heaped tbsp icing sugar

To cook the pears, put the water, sugar, lemon thyme and lemon peel into a saucepan and bring to a medium heat. Stir to dissolve the sugar, then turn the heat up and bring to the boil. Continue cooking for 2 minutes after it boils, then remove from the heat and leave to cool. Strain the syrup before using. Peel and core the pears, then cut them into ½cm dice. Put them into a sous vide bag with 2 tablespoons of the strained syrup and vacuum to compress (see page 38). Leave in the fridge overnight.

To make the wine jelly, pour 100ml of the wine into a small jug and set aside. Pour the rest of the bottle into a saucepan. Add all the other ingredients apart from the gelatine leaves and bring to a gentle boil, then simmer for about 15 minutes. Take it off the heat and leave to cool, then strain the wine into a measuring jug and add the reserved 100ml. Measure the quantity that you have now, in order to determine how much gelatine to use. Allow a little less than 1 leaf of gelatine per 100ml of liquid. So if you have 600ml of liquid, allow 5½ gelatine leaves.

Place the gelatine leaves in a glass with some very cold water for a few minutes. Warm a small quantity of the wine, squeeze the water out of the gelatine leaves and dissolve them in it, then stir back into the rest of the wine. Fill 6 stem glasses a third of the way up, and place in the fridge.

While the wine jelly is setting, make the pear jelly. Soak the gelatine leaves as before. Core and peel the pears and cut each one into pieces small enough to be juiced. As you go, drop the pear pieces into a bowl of cold water with the lemon juice to stop them browning. Juice the pears – you need approx. 400ml of juice. You can top up with water if necessary. If you don't have a juicer, use fresh organic pear juice.

Warm a third of the pear juice in a saucepan. Squeeze the water from the gelatine leaves and whisk them into the warm pear juice to melt completely. Remove from the heat and cool for a few minutes. Add the remaining pear juice, mix well and pour carefully over the wine jelly in the glasses. Put back into the fridge.

To make the almond brittle, toast the almond flakes in a dry frying pan over a medium heat for 2–3 minutes, shaking the pan so they don't catch. Put the sugar, glucose and 2 tablespoons of water into a small saucepan and bring to a medium-high heat. Once the sugar has dissolved, cook until it makes a golden caramel. Drop the almond flakes into the caramel, stir quickly, then tip out on to one half of a piece of baking parchment. Fold over the paper and use a rolling pin to quickly flatten the brittle. Leave to cool, then remove from the parchment and break into pieces.

To make the vanilla Chantilly, place all the ingredients in a bowl and whip until soft peaks form. Place in a piping bag with a pretty nozzle.

To serve, remove the jelly from the fridge. Take the pears out of the syrup and place some in each glass. Pipe the Chantilly cream on top and serve with almond brittle.

Ravani

Syrup semolina cake with a Muscat-spiked cranberry sauce

SERVES 12–15

One of the popular *syropiasta* (syrup-soaked) cakes, the one from the northern Greek town of Veria being the most revered, *ravani* was nonetheless never a favourite of mine. I always found it a little too sweet and without much flavour. Despite the vanilla, that still holds true if you eat a piece of *ravani* on its own. However, pair this sticky, solid cake with a tangy ice cream, baked apricots or peaches, a quick red fruit compote or anything with a little acidity, and *ravani* comes into its own.

I like to serve it in small pieces with at least one other element on the plate, and always with cream. Here, for a really festive feel, I've paired it with a cranberry sauce sweetened only with some wonderful Samos Muscat wine, and a vanilla Chantilly cream. You can substitute Samos Muscat with another dessert wine (try to find it, though – it's wonderful).

For the cake

125g plain flour

250g coarse semolina

2 tsp baking powder

1 tsp bicarbonate of soda

75g whole blanched almonds, roughly ground

200g unsalted butter, softened, plus extra for the tin

125g caster sugar

2 tbsp vanilla extract

6 medium eggs, separated

For the Muscat-spiked cranberry sauce

300g fresh cranberries

50g caster sugar

100ml Samos Muscat wine

zest of 1 unwaxed orange

For the syrup

275g caster sugar

300ml water

juice of ½ a lemon

For the vanilla Chantilly cream

200ml double cream

1 tbsp icing sugar

1 tbsp vanilla extract

Preheat the oven to 180°C/350°F/gas 4 and butter a 23cm-diameter round cake tin.

Sift the flour into a bowl and add the semolina, baking powder, bicarbonate of soda and ground almonds. In another bowl, using an electric hand-held mixer, beat the butter with the sugar for a few minutes until pale and fluffy. Add the vanilla, then the egg yolks, one at a time, beating to incorporate them fully each time.

Wash the whisks of your mixer and dry them thoroughly, then put the egg whites into a separate bowl and whisk them until they form soft peaks.

Start adding the flour mix to the bowl containing the butter and egg yolk mixture, folding it in with a spatula and adding a little of the egg whites to loosen the mix. When all the flour mix has been incorporated, fold in the remaining egg whites gently and then pour the mixture into the prepared cake tin. Bake in the oven for 45 minutes.

While the *ravani* is baking, make the cranberry sauce. Place all the ingredients in a saucepan and bring to a medium heat. Shake the pan from time to time to ensure that the sugar has melted, but don't stir, to avoid the cranberries breaking up too much. Let the fruit cook until it is soft and any juices have evaporated, about 10 minutes.

In the meantime, make the syrup. Put the sugar and water into a pan over a medium heat and bring to the boil. Continue to boil for 3 minutes. Add the lemon juice.

To make the Chantilly cream, put the cream, icing sugar and vanilla into a bowl and whip until the cream forms soft peaks.

Test that the cake is cooked by inserting a skewer or a thin knife into its centre. The skewer or knife should come out clean. Take the *ravani* out of the oven and leave it to rest for a few minutes. Cut into diamond shapes in the tin and drizzle over the hot syrup. Put the cake back into the oven for 10–15 minutes to crisp up its surface. Remove the *ravani* from the oven a final time and leave to cool fully in the tin and absorb all the syrup.

Dust the cake with icing sugar, if you like, and serve with the cranberry sauce and the Chantilly cream.

Kourabie

Cousin Roula's roasted almond and butter cookies

MAKES OVER 100 *KOURABIE*

Kourabie in Greek, *kurabiye* in Turkish and *qurabiya* in Arabic all mean a shortbread-type biscuit made with almonds. They were originally associated with Christmas and New Year, but they have come to symbolise any kind of celebration, wherever in the world there are Greeks.

My favourite *kourabie* were those made by my cousin Roula. While she was making them for me, I never thought of making my own. Why would I, when every Christmas I would receive a beautiful box full of them in the post? That is until Roula's recipe book was thrown out by her husband, Yiorgos, and both Roula and I were not best pleased. Thankfully, she had thought to give me a copy and I found it recently. Christmas joy restored!

Make these and fill your home with a beautiful roasted almond aroma!

500g almonds, skins on

500g butter, softened

150g caster sugar

2 medium egg yolks

1 tsp ground cinnamon

50ml Metaxa, or
 other brandy

1 tsp baking powder

750g plain flour

icing sugar, for dusting

Preheat the oven to 200°C/400°F/gas 6.

Roast the almonds in a single layer on a baking tray for 12–15 minutes, until they release their aroma fully and are starting to brown. Empty them on to a cold baking tray and allow to cool. Pulse them in a food processor in a few short bursts, so as not to break them up too much. You should have distinct almond pieces.

Now, reduce the oven temperature to 180°C/350°F/gas 4. Line a couple of large, flat baking trays with baking parchment or silicone baking mats.

In a mixing bowl, beat the butter and sugar together until light and fluffy. Add the egg yolks and mix well. Stir in the almonds, cinnamon and brandy.

Mix the baking powder into the flour and start incorporating it into the butter mixture with a spatula. Towards the end, use your hands to knead. Be careful with the amount of flour. You don't want the dough too sticky, but you don't want it too firm, otherwise it won't shape easily.

Take pieces of dough weighing approximately 15g and roll each one into a ball. Using the palm of your hand, press each ball of dough into your other palm to flatten it a little, and place them on the lined baking trays. Bake until the biscuits are golden, about 25–30 minutes.

Remove from the oven and dust with icing sugar while still warm. Much of the sweetness is not contained in the biscuit but is added afterwards, so don't be scared to dust the *kourabie* again when cool so they look beautiful and seasonal when you place them in layers on a lovely platter. Any *kourabie* that you don't share with friends and neighbours, you can store in an airtight container in a cool place for up to 2 weeks.

Melomakarona
Honey-dipped spice cookies

MAKES ABOUT 50

December was the month that I used to wait for most eagerly when I was a child. There would be intense activity in the kitchen, preparing all kinds of delights for Christmas, including the traditional butter and almond cookies, *kourabie* (see page 244), and *melomakarona* or *finikia*. These are a type of biscuit (think ginger biscuit without the ginger but dipped in honey), symbolising the sweetness of the good fortune we all wish to have in the coming year. Their origin lies in ancient times, in a similar-shaped offering to the dead called *makaria*, the name coming from the same source as the words *macarone* in Italian and *macarons* in French. In some places in Greece, the word *finikia* signifies their shape and decoration, alluding to the 'phoenix', the North African palm tree.

For me, the flavours of winter – spices, orange zest, brandy and honey – are better captured here than in any other dish. Bake these to fill your home with festive cheer!

For the *melomakarona*
450–500g plain flour

1 tsp baking powder

175ml light extra virgin olive oil

100g caster sugar

½ tsp ground cinnamon

½ tsp ground cloves

25ml brandy

zest of 2 unwaxed oranges

½ tsp bicarbonate of soda

75ml orange juice

50g crushed walnuts, for sprinkling

For the syrup
200ml water

100g granulated sugar

200g honey

2 tbsp lemon juice

Preheat the oven to 180°C/350°F/gas 4. Line a large baking sheet with baking parchment or a silicone baking mat.

Sift the flour and baking powder into a bowl. In a larger bowl, beat the oil and sugar with an electric hand-held whisk until the sugar has dissolved. Add the spices, brandy and orange zest and stir.

In a glass, stir the bicarbonate of soda into the orange juice so that it froths up, and add to the oil mixture.

Start adding the flour to the wet ingredients, stirring gently to incorporate, then – using your hands – mix to the point where you have a soft dough. Do not overmix, as the oil will start seeping out of the dough.

Take about 15g of dough in your hands at a time and shape it into an oval. Using a wire rack or a spider ladle, roll over each oval-shaped biscuit gently so as to give it a pretty imprint. The ridges created will also help the biscuits to absorb the syrup later. Place the *melomakarona* on the lined baking sheet and bake in the oven for 30–35 minutes, until golden.

While the *melomakarona* are baking, put the water and sugar for the syrup into a saucepan and bring to the boil. Keep boiling for 3 minutes, then add the honey and lemon juice. Remove any scum that rises to the surface, and boil for a couple more minutes.

When the *melomakarona* are cooked, take them out of the oven and let them cool for 5 minutes, then dip them into the hot syrup. Drain on a wire rack, then pile up on a beautiful platter, sprinkling each layer with the crushed walnuts and drizzling with any leftover syrup.

These will keep for 2–3 weeks in an airtight container.

Twelve Bowls

One of the many joys of the Christmas and New Year festivities was the anticipation that came with the changeover of the year. Our New Year Eve's carols spoke about waving goodbye to the old year and the celebration and welcoming of the new, filled with wishes and dreams.

I loved this little family tradition that my mother always followed, and I have continued since. I think the Greeks of Asia Minor brought this custom with them, but it is possible my mum adapted it and made it her own. I was not aware of other households following it and this, in the mind of my impressionable teenage self, made it a unique family treasure!

Twelve pretty dishes and bowls would be filled with a selection of nuts (a timeless symbol of wellness and abundance), sweet dried fruits and home-made seasonal treats, so that the twelve months ahead would be sweet, joyful and prosperous.

We were not allowed to touch the contents of the dishes until the clock struck midnight, when we shared them around while drinking and playing cards or board games.

DINNER PARTY APPETISERS

Fava Scotch Egg, Sweet Florina
Pepper Sauce and Truffle Oil

o

Uncle Yiorgos's Grilled Aubergine Slices
with Bulgur and a Feta Béchamel Sauce

o

Scallop and Crab Mousse in Cabbage Leaves
with Celeriac Velouté and Sweet Pepper Oil

o

Baked Beetroot with Amari Mizithra,
Apple, and Celery and Lemon Gel

o

Posh Taverna Cheese Saganaki
with Honey and Walnut Oil Dressing

Appetisers and desserts have always been my favourite parts of a meal, and I often choose to have a second appetiser instead of a main course. What appeals to me in making, serving and eating appetisers is that you can create something very enticing, elegant and delicious using any number of component parts, but the small quantity leaves you wanting more! In that sense appetisers are great secret weapons for a host to have. A stunning appetiser creates the perfect platform for an enjoyable occasion, my guests' mood skyrockets – well, perhaps a good aperitif and two or three mouth-watering canapés have already played a part – and I can relax and enjoy myself too, while preparing the remaining courses.

The appetisers I have included in this section consist of very simple basic ingredients, but are made to look pretty and their taste is elevated by little, unexpected touches and the combination of textures and flavours.

Fava Scotch egg, sweet Florina pepper sauce and truffle oil

SERVES 6 AS A STARTER

Dishes like this tick so many boxes. Quick, inexpensive, using up food and stunning at the same time. What's not to like? What excites me about it is being able to use up fava from the freezer (remember, a little fava makes tons of the cooked stuff!), with a couple of peppers from a jar and things I have in the fridge or the larder, and in no time I have a stunning looking and tasting starter if using half the egg, or even a light lunch if using the whole one.

What can make a simple dish like this extra exciting is playing with flavour combinations, so if, for example, I use ground toasted fennel seeds to flavour the fava, I might serve the fava Scotch egg with braised fennel. Fava flavoured with truffle oil and dried thyme makes an excellent accompaniment to mushrooms braised in red wine and thyme – there is no limit here other than your own imagination.

4 large free-range eggs

2 small shallots, finely chopped

1 tsp cumin seeds, roasted and crushed

2 garlic cloves, finely chopped

400g cooked fava (see page 140)

30g *frygania* (dried white breadcrumbs, see page 28), or 2 tbsp plain flour, for dusting

50g panko crumbs, for coating

light extra virgin olive, vegetable or rapeseed oil, for deep-frying

For the sweet Florina pepper sauce

2 flame-roasted Florina red peppers, from a jar, drained (see page 31)

3 anchovies in oil, drained

4 tbsp extra virgin olive oil

3 fresh basil leaves, finely shredded

To serve

a few lettuce leaves, washed and dried

truffle oil, for drizzling

Start by making the sweet pepper sauce. Cut the red peppers into smaller pieces and put them into a small blender, then add the anchovies and 2 tablespoons of the oil and blitz to a smooth purée. Transfer to a bowl, season and add the basil leaves. Place in a piping bag and keep in the fridge until needed.

Bring a small saucepan of water to the boil. Lower the heat to a rolling boil and add 3 of the eggs. Cook for 6 minutes, then remove and place in a bowl of cold water so that they don't continue to cook. You want the egg yolk to be a little runny when you cut into the Scotch egg. When completely cool, peel the eggs and set aside.

Heat a small frying pan to a medium heat. Add the shallots, cumin seeds and the remaining 2 tablespoons of oil (for the pepper sauce) and cook gently for a couple of minutes, then add the garlic. Lower the heat and cook for 2–3 more minutes, then remove to a bowl and mix with the cooked fava. Season and leave to cool.

Put the *frygania* or flour into one shallow dish, and the panko crumbs into another. Line a third plate with kitchen paper. Crack the remaining egg into a bowl and whisk it to loosen.

Take a large spoonful of the fava mix in your hands and flatten it out. Take one boiled egg at a time and wrap the fava all around it, using your fingers, covering it completely. Place the fava-encased egg carefully on the dish containing the *frygania* or flour. Repeat with the other 2 boiled eggs.

Pour enough oil into a small saucepan to come three-quarters of the way up the sides. Bring it to a medium heat – the temperature of the oil should be 170°C on a thermometer. Turn the heat down to stop it rising any further.

Working quickly, dust each egg well with the *frygania* or flour, then dip into the beaten egg and immediately coat completely with the panko crumbs. Using a spider ladle, lower one egg at a time into the hot oil and cook for a few minutes, until it is a deep golden colour. Remove from the oil and drain on the kitchen paper. When cool, cut each Scotch egg in half.

To serve, place one or two lettuce leaves on each plate. Add a squeeze of the sweet pepper sauce and sit a Scotch egg half on top, or two halves if serving as a light lunch. Drizzle with truffle oil and serve.

Uncle Yiorgos's grilled aubergine slices with bulgur and a feta béchamel sauce

SERVES 4

This recipe is based loosely on a popular *meze* called *boureki melitzanas*. The aubergine slices are grilled or fried, then wrapped around a thick dollop of cheese béchamel sauce, then dipped in egg and breadcrumbs and fried again.

I prefer this healthier version, which has more layers of flavour and is much prettier in appearance. If your aubergines are large enough to give you 10cm-diameter slices, allow one slice per serving but cut them thicker, around 1½cm, and cook them a little longer on each side. In my experience, I have always had to overlap three slices per serving, as described below, to obtain a pretty, perfect circle.

For the bulgur

2–3 tbsp extra virgin olive oil

1 shallot, finely chopped

1 carrot, diced very small

2 garlic cloves, finely chopped

100g bulgur

50g sultanas

250–300ml vegetable stock

50g pine nuts, dry-roasted

4 sun-dried tomatoes in oil, drained and finely chopped

1 tbsp chopped fresh parsley

For the béchamel

250ml milk

1 bay leaf

1 shallot, peeled

1 clove

25g butter

25g plain flour

a pinch of grated nutmeg

100g feta cheese, crumbled

50g Parmesan cheese, grated

For the aubergines

3 globe aubergines

a little extra virgin olive oil

a pinch of dried oregano

To serve

some dressed salad leaves

pomegranate seeds

edible flowers (optional)

Start by cooking the bulgur. Heat the oil in a sauté pan, then add the shallot and carrot and cook for 3–4 minutes over a medium-low heat. Add the garlic and cook for a further minute or two, then add the bulgur and sultanas and stir to coat. Stirring continuously, add the stock a little at a time as you would if you were making risotto, until it has all been absorbed and the bulgur is cooked, light and fluffy. Finally, add the pine nuts, chopped tomatoes and parsley. Season to taste, and keep warm.

For the béchamel, bring the milk to a gentle boil in a saucepan. Take off the heat and add the bay leaf and the shallot, with the clove stuck into it. Leave to infuse for 15–20 minutes. In another saucepan, melt the butter, then add the flour and mix well to form a roux. Cook over a medium heat for 2 minutes, then gradually add the strained infused milk. Keep stirring until the béchamel is smooth and thick. Add the nutmeg and feta and stir well for a minute or two. It doesn't matter if the feta does not melt completely. Transfer the béchamel to a piping bag and keep it warm in a pan of hot water.

To prepare the aubergines, top and tail them, wash them, then cut them into 1cm-thick slices. Place in a colander and sprinkle with fine salt. Leave for up to 30 minutes, to draw out any bitterness, then rinse well under the cold tap, press gently to get rid of most of the moisture, and lay them on a big board. Brush with olive oil and season with salt, pepper and the dried oregano.

Bring a griddle pan to a high heat. Add the aubergines in a single layer (you may need to do them in batches) and cook for a couple of minutes on each side, pressing them down to get charred lines. Remove from the griddle and keep warm.

To serve, place two aubergine slices overlapping on a board, then lay another slice across them. Using a 10cm cutter across the three slices, cut out a circle. Lift gently and place in the centre of a plate. Repeat to make four circles.

Chop the aubergine offcuts and stir into the bulgur. Add a large spoonful of the bulgur to each plate, then top with a good dollop of béchamel sauce and sprinkle with the Parmesan. Using a blowtorch, melt the Parmesan, browning it a little at the same time. Arrange some dressed salad leaves around each aubergine circle and sprinkle with pomegranate seeds. Decorate with edible flowers, if you like.

WINE PAIRING

Nemea Grand Cuvée Skouras (*Eclectic Wines*) / **Limniona Zafeirakis** (*Clark Foyster*) – for their bright acidity and cherry, nut and tobacco notes.

Scallop and crab mousse in cabbage leaves with celeriac velouté and sweet pepper oil

SERVES 4

Like most Greeks, I grew up eating stuffed vine leaves (*dolmades*), stuffed tomatoes and other vegetables (*gemista*) and courgette flowers in the summer, and stuffed cabbage leaves (*lachano-dolmades*) with an egg and lemon sauce in the winter. As an adult, through books and travelling, I have been fascinated to see what vegetables are stuffed in other cuisines and which fillings are used, feeling closer to the locals each time I've stumbled on similarities between their culinary heritage and mine.

The mousse here has been inspired by a Raymond Blanc dish I had the good fortune to cook in the *MasterChef* competition. I prepared something similar to this involving ginger, and stuffed courgette flowers. This variation brings back memories of my brothers returning home with lots of crabs they'd caught in a nearby stream (both stream and crabs sadly long gone with climate change), and of us all sitting round the fire picking the delicious meat.

For the sweet pepper oil

½ a flame-roasted sweet red pepper, from a jar, drained

50ml extra virgin olive oil

a squeeze of lemon juice

For the celeriac velouté

50g unsalted butter

250g celeriac, finely sliced

1 tsp celery seeds

250ml fish stock

200ml double cream

a pinch of white pepper

lemon juice, to taste

For the stuffed cabbage leaves

1 Savoy cabbage

4 large shelled scallops

120g mixed white and brown crab meat

50ml double cream

1 tbsp finely chopped dill

1 tbsp lemon juice

zest of ½ an unwaxed lemon

extra virgin olive oil

To serve

edible flowers or micro-herbs (optional)

To make the sweet pepper oil, blitz the red pepper with the oil in a small blender. Add the lemon juice and a pinch of salt and blitz again. Strain through a small fine sieve and transfer to a squeezy bottle.

For the celeriac velouté, bring a saucepan to a medium heat. Add the butter, celeriac and celery seeds and cook on a low heat for 5–7 minutes, or until the celeriac is soft. Add the stock and cook until reduced by about a third. Add the cream, then cover the pan and cook on a low heat for 20 minutes, by which time the celeriac should be cooked. With a stick blender, blitz the mixture to a soft purée. Pass it through a fine sieve and season with salt, white pepper and lemon juice.

Remove 4 of the bigger outer leaves from the cabbage. I would advise taking a couple more than you need in case of any accidents or tears. Trim the stems so that they will be easier to roll, wash and drop into boiling water for 2 minutes to blanch, then immediately run the cold tap over them to stop them cooking any further. Place in a colander to drain.

Place the scallops in a small blender with a pinch of salt and blitz. Transfer to a bowl and add the crab meat, cream, dill, lemon juice and zest. Season with a little white pepper and mix thoroughly, using a spatula. Season to taste. Spread one cabbage leaf at a time on a chopping board and gently pat dry. Season and place a large spoonful of the scallop and crab filling on the leaf, then turn the sides inwards and roll up tightly. Repeat with the rest of the leaves.

Place a little water in a steamer and bring to a low-medium heat. Place the stuffed cabbage leaves in the steamer, with the join underneath, and steam for 15–18 minutes, until they have puffed up and feel spongy to the touch. Remove from the heat and brush with a little oil.

To serve, divide the celeriac velouté between four bowls. Place a (halved) stuffed cabbage leaf in the centre of each, top with edible flowers or micro-herbs, if you have some (I love the vibrancy of orange nasturtium flowers), and drizzle some red pepper oil over the velouté.

Baked beetroot with amari mizithra, apple, and celery and lemon gel

SERVES 4

The intensity of flavour in the roasted beetroot, the freshness and sweetness of the apple, the heat and aroma of the cumin, and the acidity and richness of the *amari mizithra* make this a knockout simple starter!

If you cannot find *amari mizithra*, mix a couple of tablespoons of strained Greek yoghurt with some soft goat's cheese. However, do please try the real thing sometime – you will never look back!

The gel is a little fancy touch, but it helps bring the whole thing together. The tuiles can be made ahead and will keep in an airtight container for 3 days. You can also serve this with crusty bread instead.

For the compressed apple
50g granulated sugar

50ml water

1 apple

a squeeze of lemon juice

For the celery and lemon gel
2 celery hearts

lemon juice, to taste

½ tsp agar-agar

For the pink peppercorn tuiles (optional)
1 egg white

50g plain flour

50g butter, softened

1 tsp pink peppercorns

For the beetroot
3 medium mixed-colour beetroots

3 tbsp extra virgin olive oil

2 garlic cloves, whole and unpeeled

a sprig of fresh thyme

1 tbsp celery seeds

For the *amari mizithra*
finely chopped fresh herbs, to coat

zest of ½ an unwaxed lemon

200g *amari mizithra* cheese (see page 30)

Start the evening before, or, at the latest, on the morning of your dinner party, by making the compressed apple. Put the sugar and water into a saucepan and bring to a medium heat, stirring to dissolve the sugar. When the edges start to simmer, remove from the heat and leave to cool. Peel and core the apple and cut it into small matchsticks. Sprinkle with a squeeze of lemon, mix with the sugar syrup, then put into a sous vide bag and vacuum to remove the air (see page 38 or follow the manufacturer's instructions). Place in the fridge until needed. If you don't have a vacuum machine, put the apple into a ziplock bag with the syrup and insert a straw. Close the bag up to the entry point of the straw, draw the air out with your mouth, then quickly remove the straw and fully zip the bag.

Next, make the celery and lemon gel. Trim and wash the celery. Squeeze a couple of tablespoons of lemon juice into the jug of a juicer. This will prevent the juice losing its vibrant green colour. Juice the celery, including any leaves for the intensity of their flavour. Add more lemon juice to adjust the flavour to your liking.

You will need 200ml of juice for the gel, though you will probably have more than this. Pour 100ml into a saucepan and add the agar-agar. Bring to the boil, whisking for a couple of minutes so that the agar-agar gets completely incorporated into the juice, then remove from the heat and add the other 100ml of juice. Mix well, season with salt, then pour into a flat container and place in the fridge. Any time after the gel has set and is firm to the touch, empty the contents of the container into a bowl and use a stick blender to blitz it into a fluid gel. At this point, you can put it into a squeezy bottle in the fridge until you need it. The gel stays fresh for 2–3 days.

If you are making the tuiles, preheat the oven to 180°C/350°F/gas 4 and line a baking tray with baking parchment or a silicone baking mat. Put the egg white into a bowl and whisk to a frothy consistency. Put the flour, butter and a pinch of salt into another bowl and mix until combined, using an electric whisk. Add the egg white to the flour mix and stir gently to incorporate. Spread the tuile mixture on the parchment or baking mat to a thickness of 2–3mm. Sprinkle with the pink peppercorns and bake in the oven for 5–10 minutes, until golden brown. Leave to cool, then break into shards and store in an airtight container until needed.

Increase the oven temperature to 200°C/400°F/gas 6, or preheat it if you have not made the tuiles. Top and clean the beetroots, then put them on a piece of foil large enough to wrap them all. Rub with 1 tablespoon of oil and add the garlic and thyme.

For the mixed salad

mixed leaves of your choice
2 tbsp extra virgin olive oil
a squeeze of lemon juice

Close up the foil and bake the beetroots for 90 minutes. Pierce them with a metal skewer to ensure they are cooked. Halve or quarter them if large.

In a dry pan, roast the celery seeds to release their aroma. Crush them roughly either in a spice grinder or using a pestle and mortar. When the beetroots are cool, peel them and cut them into four pieces each. Place in a bowl and sprinkle with the remaining 2 tablespoons of oil and the ground celery seeds, season, and mix to coat.

For the *amari mizithra*, mix the finely chopped herbs and lemon zest in a bowl. Using two spoons, make quenelles with the *amari mizithra*. Alternatively, you can wet your hands a little and make it into balls the size of grapes. Roll the quenelles or the little balls in the herb and lemon zest mixture.

In another bowl, dress the leaves with the oil and lemon juice, and season. Arrange the beetroot and the leaves on a serving plate. Place a quenelle in the middle or, if you have made balls, place a few balls in between the beetroot pieces. Scatter over the compressed apple, add dots of the celery gel and shards of tuile.

Posh taverna cheese saganaki with honey and walnut oil dressing

SERVES 8

Naxos graviera and Cretan aged *graviera* are delightfully nutty cheeses and, when heated, they melt beautifully. If you wanted to make this dish with a different cheese, I would use Comté or Gruyère.

Saganaki (the cheese, not the seafood version) is usually a slab of cheese that is dusted with flour, or dipped in eggwash and breadcrumbs, and is always fried, usually accompanied by honey or a sweet sauce (or the spiced tomato jam on page 83).

Here, the sweetness of the sticky honey dressing and the richness of the cheese is cut through by the acidity of the pickled vegetables. I love the intensity of onion ash and it keeps in a glass jar for a long time.

For the onion ash
1 white onion

For the cheese *saganaki*
50g butter
50g plain flour
120ml vegetable stock
100ml full fat milk
75g cheese, grated
  (see intro)
leaves from a sprig of
  fresh lemon thyme
8 thin slices of white bread
50ml light extra virgin olive
  oil or rapeseed oil and
  50g butter, for frying

For the pickled vegetables
2 small turnips
2 small beetroots
100ml white wine vinegar
100ml water
50g caster sugar

For the dressing
2 tbsp honey
2 tbsp sherry vinegar
2 tbsp hazelnut or walnut oil
50ml extra virgin olive oil

To serve
mixed fresh salad leaves,
  e.g. watercress, lamb's
  lettuce, chicory
a handful of blanched
  hazelnuts

To make the onion ash, preheat the oven to 180°C/350°F/gas 4. Peel the onion and cut it into quarters. Separate the layers and place on a baking tray. Bake until crisp and black, approx. 1½–2 hours. Let the onion pieces cool down, then break them up with your hands and grind them to a powder with a pinch of salt in a spice grinder or a powerful small blender.

To make the cheese *saganaki*, melt the butter in a saucepan over a medium heat. Add the flour and cook for 2–3 minutes, stirring continuously. Add the stock and milk gradually and stir until smooth. Cook for a further couple of minutes, then add the cheese and season to taste. Add the lemon thyme leaves and transfer the mixture to a piping bag. Allow to cool, then place in the fridge to set.

To make the pickled vegetables, peel the turnips and beetroots. If you have a mandolin, use the thin cut setting to slice them. If not, slice them as thinly as you can by hand. Put them into separate bowls. Put the vinegar, water and sugar into a saucepan and bring to a medium heat. Stir until the sugar has dissolved, then bring to the boil and turn off the heat. Divide the liquid between two containers with lids and put the beetroots in one and the turnips in the other. Allow to cool, then put into the fridge for an hour.

When the cheese mixture has set, remove from the fridge. Cut the crusts from the slices of bread and flatten with a rolling pin. Put 8 squares of cling film on a board and lay the slices on top, then cut a 1cm hole in the piping bag and pipe cheese along each slice. With the help of the cling film, roll each slice tightly to form a sausage, tying the cling film in a knot at each end. Transfer to the fridge for at least 1 hour.

To make the dressing, put the honey and vinegar into a bowl and mix well. Add the oils gradually and stir to combine. Season with salt and pepper.

To assemble the dish, preheat the oven to 180°C/350°F/gas 4. Bring a frying pan to a medium heat. Add the oil and butter and, when it's smoking, unwrap, then roll each cheese *saganaki* individually around in the pan until evenly golden brown. Remove from the pan and place on kitchen paper to absorb any excess fat. Place them all on a baking tray, then transfer to the hot oven and bake for 2 minutes.

Drain the pickled vegetables and place in a bowl with the salad leaves. Drizzle with some of the dressing and toss to coat. Arrange some salad leaves and pickled vegetables on each plate. Make a line of onion ash next to the vegetables, and place a cheese *saganaki* next to it. Grate over the hazelnuts and drizzle with the rest of the dressing. Decorate with edible flowers and micro-herbs, if you like.

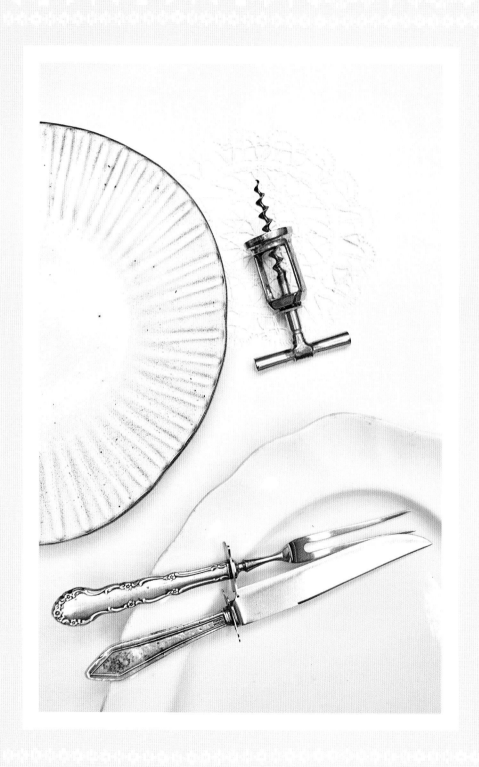

DINNER PARTY MAINS

Roasted Summer Vegetables with Asparagus
on a Cannellini Bean Purée (*Briam*)

o

Pan-fried Red Mullet, Courgette and Pine Nut Risotto
with Sun-dried Tomato Cream

o

Roast Monkfish with Russian Salad
and Roasted Garlic Foam

o

Chicken Breast Sous Vide Filled with
Sun-dried Tomatoes, Thyme and Black Olives
with a Butter and Almond Pilaf

o

Lamb Steak, Couscous Salad and Smoked Aubergine

o

Loin of Venison with Chestnuts Served
with Celeriac Purée (*Hiounkiar Beyendi*)

Following the theme of higher end, in terms of processes and presentation, the main courses here are also made up of simple ingredients. I have not used anything extraordinary or rare anywhere in the book, because Greek food isn't about that. It is, though, about respecting the integrity of the ingredients, it is about sharing and it is about giving pleasure to others.

All the dishes can be served as individual portions, but most of them work very well as sharing plates too, something I strongly encourage for breaking down barriers between guests who don't know each other very well and for bringing everyone closer together.

I do hope that if you have had any doubts about cooking sous vide, these will be dispelled when you read how easy it is to cook this way, and that you will be inspired by my approach to the ingredients, if not by the recipes themselves. Creating depth of flavour, paying attention to texture, locking in moisture, preserving tenderness: these are all things that can make a world of difference even to the simplest of dishes, and can elevate something common and everyday to the special and memorable.

Briam

Roasted summer vegetables with asparagus on a cannellini bean purée

SERVES 6

For the seed and nut crumb
50g mixed nuts
25g mixed seeds
20g plain flour
1 tbsp *frygania* (see page 28)
   or panko crumbs
20g cold butter, cut into chunks

For the *briam*
1 large globe aubergine, cut into
   2cm slices, then quartered
2 medium courgettes,
   cut into 1½cm rounds
3 carrots, cut into thin rounds
2 medium white onions,
   cut into quarters
50ml extra virgin olive oil
150ml dry white wine
1 x 400g tin of chopped
   tomatoes
6 whole peeled garlic cloves
2 tbsp fresh thyme leaves

For the cannellini bean purée
2 x 400g tins of cannellini
   beans
60ml extra virgin olive oil
4 tbsp tahini
juice of 1 lemon
1 tsp toasted and ground
   coriander seeds

For the asparagus
5 asparagus spears
2 tbsp extra virgin olive oil
juice of ½ a lemon

To serve
a few fresh coriander leaves
50g feta cheese, cut into very
   small cubes or crumbled
extra virgin olive oil, to drizzle
lemon juice, to drizzle

Briam is a wonderful summer dish that comes in many different guises around the Mediterranean. The main components are tomatoes, potatoes, aubergines, peppers, courgettes and onions, but I have omitted the potatoes, as, in my opinion they do not add much to the dish. My version is also lighter than some, including its French equivalent, ratatouille, as I choose not to sauté the vegetables before cooking them in the oven. As with other olive oil and vegetable-based casseroles or oven-baked dishes, *briam* suits salty feta very well, but there is enough flavour in the component parts to make *briam* a delicious meal in its own right.

The mild flavour and smooth texture of the cannellini bean purée makes a perfect foil for the different flavours and textures of the vegetables, while the nut and seed crumb adds another level of crispness to the dish.

This is one of the few times when I would avoid cooking two different things in the oven at the same time. The crumb needs to be crispy, while the vegetables will be releasing a lot of moisture into the oven atmosphere. So, start by making the crumb.

Preheat the oven to 180°C/350°F/gas 4. Roughly break up the nuts and mix with all the rest of the ingredients, working them to resemble chunky crumbs. Spread on a large baking tray and bake for 10 minutes, until golden. Leave to cool.

While the crumb is baking, wash and prepare the vegetables, then spread them out in a single layer on a large baking tray. Add the oil, wine, tinned tomatoes, whole garlic and thyme, season with salt and pepper, and cook in the oven for 90 minutes. On the hour, give the vegetables a stir and then again every 15 minutes. The vegetables should be soft and fully cooked but holding their shape, with good colour and almost free of liquid. Before serving, stir in a little more oil to give added flavour and gloss.

To make the cannellini bean purée, warm the beans, then drain them, reserving the liquid. Put them into a blender with the oil, tahini, lemon juice, ground coriander seeds, salt and pepper and blitz to a smooth purée. Add a little of the reserved bean liquid if necessary, to achieve the consistency you like.

Five minutes before serving, use a peeler to cut shavings from the asparagus. Put them into a bowl with the oil and lemon juice, and toss to coat.

To assemble, place a large spoonful of cannellini bean purée in the middle of each plate and spread it out to form a circle. Place a food ring in the middle of the circle and put in some of the vegetables, to make a low tower. Top with a small handful of shaved asparagus and a few coriander leaves, and sprinkle with feta and the seed and nut crumb. Drizzle over some olive oil and a few drops of lemon juice.

Pan-fried red mullet, courgette and pine nut risotto with sun-dried tomato cream

SERVES 2

Red mullet has been a favourite of mine since I was a child – it was introduced to me by my father. In those days, it was easily available in markets and was utterly delicious, straight from the warm waters of the Mediterranean. These days, I often have to content myself with frozen red mullet fillets, but the flavour I remember from those summer bathing excursions on the shores of Attica is still there.

It may be evident by now that I like pickled vegetables. Here the light sharpness of the radishes beautifully complements the richness of the red mullet, while the sun-dried tomato cream balances the gentler flavour of the rice and courgettes with its tomato acidity.

For the risotto
750ml fish stock
50g pine nuts
2 tbsp extra virgin olive oil
1 shallot, finely chopped
1 garlic clove, finely chopped
100g risotto rice
100ml dry white wine
1 courgette, cut into matchsticks

For the sun-dried tomato cream
6–7 sun-dried tomatoes packed in oil, drained
2 tbsp Greek yoghurt
2 tbsp double cream
50ml extra virgin olive oil
2 tbsp white wine vinegar
a pinch of dried rosemary

For the pickled radishes
50ml white wine vinegar
50ml water
25g caster sugar
4 small red radishes with leaves attached, thinly sliced

For the red mullet
4 fillets of red mullet
25ml extra virgin olive oil
a squeeze of lemon juice

Heat the stock in a saucepan, then keep it on a low-medium heat during the rest of the cooking process.

Bring a small frying pan to a medium heat. Add the pine nuts and shake the pan while they turn a golden colour. Empty out into a small dish and leave to cool.

To make the sun-dried tomato cream, place all the ingredients in a small blender with half the cooled pine nuts and blitz to a smooth cream. If your blender is not powerful enough, you may need to pass the cream through a sieve to remove any tomato skins. Taste and adjust the flavour with salt and pepper, or a drop of lemon juice. Spoon the cream into a squeezy bottle or a piping bag, or into a small bowl, and set aside.

To pickle the radishes, put the vinegar, water and sugar into a small saucepan. Bring to the boil, then remove from the heat. Add the sliced radishes and leave to cool.

To make the risotto, bring a sauté pan to a medium heat. Add the oil and shallot and cook for a couple of minutes. Add the garlic and the rice and toss to coat in the oil. Cook for 2–3 more minutes, then add the wine and cook until it has evaporated. Start adding the stock a ladle at a time, stirring constantly and not adding more until the previous ladle has been absorbed. Towards the end of the cooking time (about 20 minutes), add the courgettes. When the risotto is fully cooked, stir in the rest of the pine nuts.

To fry the red mullet, wash the fillets, pat dry and slash the skin in a few places. Put a large, non-stick frying pan over a medium heat and add the oil. Lay the fish in the frying pan, skin-side down, and press down gently, using a spatula. Try not to overcook the fish, as its flesh will toughen – depending on the size of the fillets, 2–3 minutes should be enough, followed by 1 minute on the other side. When the fish is cooked, transfer it to a plate and season with a little lemon juice and flaky salt.

To serve, spoon some risotto into the middle of each plate, place 2 red mullet fillets on top, followed by a few drained pickled radishes, and drizzle the sun-dried tomato cream all around each plate.

WINE PAIRING

Fountis Naousa (*Clark Foyster*) / **Dalamaras Naousa** (*Southern Wine Roads*) / **Xinomavro Jeunes Vignes Thymiopoulos** (*Eclectic Wines*) – for their high acidity and confit tomato, black olive and dried herb notes.

Roast monkfish with Russian Salad and roasted garlic foam

SERVES 2

The memorable element of this dish, for me, is the velvety, roasted garlic foam made using a gourmet whip. If you don't have one of these, you can use a stick blender to create a frothy sauce instead.

The sautéd samphire acts as a bridge between the sweetness of the Russian salad and fish and the slightly acidic sauce, while the roasted garlic foam brings the whole dish together.

For the roasted garlic foam
2 heads of garlic
1 tbsp extra virgin olive oil
a sprig of fresh rosemary
2 tbsp double cream
150ml vegetable stock

For the Russian salad
2 tbsp extra virgin olive oil
a knob of butter
1 Maris Piper potato,
  cut into small cubes
1 medium carrot, cut
  into small cubes
1 garlic clove, peeled
  but left whole
a sprig of fresh thyme
200ml vegetable stock
20g frozen peas
3 gherkins, finely chopped
½ tsp capers, drained
  and finely chopped
1 tbsp finely chopped
  fresh dill

For the samphire
100g samphire
20g butter

For the monkfish
2 x 200g monkfish steaks
1 tbsp toasted fennel seeds,
  crushed
2 tbsp extra virgin olive oil

For the olive oil hollandaise
50ml white wine vinegar
30g shallots, finely chopped
2 egg yolks
150ml extra virgin olive oil
juice of ½ a lemon

Preheat the oven to 200°C/400°F/gas 6. Start by baking the garlic. Cut off the top quarter of each head to expose the cloves. Rub with the oil and place on a piece of foil. Add the rosemary, wrap well and bake until tender, approx. 45–50 minutes. Remove the foil and bake the garlic for another 10 minutes to slightly caramelise it, then remove it from the oven and reduce the heat to 180°C/350°F/gas 4, ready to cook the fish.

When the garlic is cool enough, squeeze the cloves into a small saucepan. Add the cream and half the stock and blitz with a stick blender. Season with salt if required. Thin by adding more stock until you have the consistency of a thin batter.

For the Russian salad, put the oil and butter into a saucepan over a medium heat. Add the potato, carrot, whole garlic clove and thyme and season. Cook for 3–4 minutes, stirring constantly, then add the stock, lower the heat, cover and cook until the vegetables are soft. A couple of minutes from the end, add the peas. Drain the vegetables and put them into a clean bowl. Add the gherkins, capers and dill and put to one side. Before serving, remove the garlic.

To cook the samphire, bring a pan of water to the boil. Drop in the samphire and blanch for a couple of minutes. Rinse under cold water to stop it cooking further, then put it back into the warm pan with butter.

To cook the fish, wash it, pat dry, remove the membrane that surrounds it, season, and rub with the fennel seeds. Bring a little oil to a medium heat in an ovenproof frying pan and add the fish. Brown all over for a couple of minutes, then transfer the pan to the oven and bake for 5–7 minutes. Let the fish rest, covered, in a warm place.

While the fish is cooking, make the hollandaise. Put the vinegar and shallots into a small pan and bring to a medium heat, then simmer until the volume has reduced by half. Place a heatproof bowl over a saucepan of very hot (but not boiling) water. Add the egg yolks, the vinegar/shallot mix and 1 teaspoon of warm water, and whisk the mixture until creamy and light. Slowly whisk in the oil, a little at a time. If the mixture gets sticky, add a little warm water. Season with salt and the lemon juice and keep the sauce warm – ideally over a pan of hot water, whisking it every so often.

Before serving, warm the roasted garlic foam. Pass it through a strainer over a funnel into your gourmet whip. Charge the whip with two charging bullets consecutively and shake at least 6–7 times, then remove the charger.

To serve, warm the samphire. Place a monkfish steak in the centre of each plate. Spoon some hollandaise around the fish, and spoon the Russian salad over it. Place a few sprigs of samphire on top and dispense some of the roasted garlic foam at the side of each fillet.

WINE PAIRING

Malagousia Alpha Estate (*Maltby & Greek*) / **Malagousia Naturra Zafeirakis** (*Clark Foyster*) – for their aromatic intensity and fresh citrus tones.

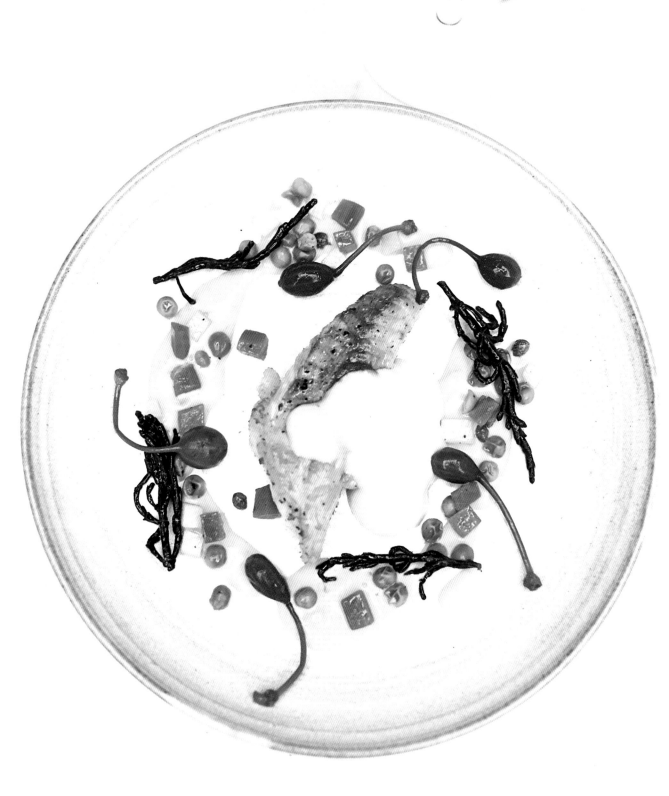

Chicken breast sous vide filled with sun-dried tomatoes, thyme and black olives with a butter and almond pilaf

SERVES 4

If you don't have a sous vide machine, you'll find how to cook the chicken conventionally at the end of the recipe.

My chef friend Alba, at Alba's Kitchen in Christchurch, New Zealand, first showed me the simplicity and benefits of cooking sous vide, and the chef of a hotel on the Black Sea recommended what equipment to buy, and I have never looked back! Cooking sous vide is not as difficult as you might think. And the results are such that, if you try it once, you won't want to go back to conventional cooking. Maintaining the temperature in the water around the sealed ingredients ensures even cooking, the texture is smooth, and red meat retains an inviting pink colour. Alba's signature dish is a whole shoulder of lamb cooked sous vide for 24 hours.

To cook sous vide, you just need a small piece of equipment that regulates the temperature of the water, and you can use any large pan you already own as the 'bath'. What I like about sous vide is that I can do other things at the same time, without the need to attend to dishes that would normally take a long time, were I to use any of the conventional methods. The only drawback I find is the anaemic exterior of flesh that's cooked by this method, but browning it quickly in a pan with a bit of oil or butter, or both, gives the otherwise succulent meat a gorgeous caramelisation and just enough crispness.

You will also benefit if you buy a small gadget that removes the air from the bag containing the food, and seals it so no water can get to it, although in the home economics lessons at our local secondary school, they use the straw and ziplock bag method (see page 262) with great success. I find that I now routinely use sous vide bags to preserve food in the fridge, even if I don't intend to cook it that way. Produce of all sorts stays fresh much longer when vacuum-packed, and, interestingly, Lakeland call their sealing machine, which I use, the FoodSaver.

Finally, please note that it is best to start this recipe the evening before.

For the chicken

4 boneless chicken breasts, skin on

40g Kalamata olives, stoned and chopped into small pieces

6 sun-dried tomatoes packed in oil, drained and finely chopped

leaves from a sprig of fresh thyme

1 tbsp oil from the sun-dried tomato jar

a knob of butter

2–3 tbsp extra virgin olive oil, for searing

Remove and reserve the skin from the chicken breasts, and lay the breasts on a board. Place each breast between two sheets of baking parchment and beat with a mallet to flatten them. Transfer each to a piece of cling film and season with salt and pepper. Scatter over the olives, sun-dried tomatoes and thyme leaves. Sprinkle over a little of the sun-dried tomato oil and then roll each tightly into a big sausage shape. Tie the ends of the cling film and place in the fridge for a few hours or overnight.

When you are ready to cook the chicken, preheat the water in your sous vide bath to 62°C. (To save time, start with hot water as near to the desired temperature as possible.) Cut off just the ends of the cling film on each breast and place separately in four sous vide bags. Add a small piece of butter to each bag and remove the air before placing in the sous vide bath. Cook for 1½ hours.

While the chicken is cooking, crisp up the skin. Scrape as much fat as you can from the skin without tearing it. Place in a cold, dry frying pan and sprinkle with salt flakes. Place something flat on top of it, plus a weight to stop it rising. I use the bottom of a cake tin and a brass mortar. Turn the heat under the pan to low and let the skin

For the warm yoghurt sauce

2 tbsp extra virgin olive oil

1 shallot, finely chopped

2 garlic cloves, finely
  chopped

150ml dry white wine

250ml chicken stock

200g Greek yoghurt

a few fresh mint leaves

For the butter and
  almond pilaf

50g almond flakes, toasted

200g easy-cook white rice

400ml water

15g butter

25g currants

render all its fat. After 3–4 minutes, turn it over. Season again and cook for a couple of minutes longer. The skin should be crispy and golden brown, but not burnt, otherwise it will taste bitter. Drain on kitchen paper and set aside.

For the warm yoghurt sauce, heat a little olive oil in a pan and cook the shallot on a low heat until translucent. Add the garlic and cook for 1 more minute. Add the wine and cook until reduced to 2–3 tablespoons. Add the chicken stock and reduce to one third. Strain the stock and put to one side. Put the yoghurt into a large bowl. Gently whisk in the reduced stock, then return it to the pan and heat until it thickens. Taste for seasoning, then set aside and keep warm.

To make the butter and almond pilaf, start by toasting the almond flakes in a dry frying pan. Watch them, as they tend to catch very quickly, then empty them out on to a cold surface so they don't continue browning. Rinse the rice a few times and put it into a pan with the water, butter and a generous pinch of salt. Bring to the boil, then reduce the heat, cover and cook until all the liquid has been absorbed. Rice varies in its cooking time, but because you want to retain the butter, start with this quantity of water – if the rice is still not cooked by the time the water has evaporated, add a little more and continue cooking it for a bit longer. Add the currants and give it a good stir. Just before serving, add the toasted almonds and adjust the seasoning.

When the chicken is cooked, remove it from the water bath, cut open the bags and remove the cling film. Pat the chicken dry, then bring a frying pan to a medium heat, add the oil and brown the chicken breasts all over. Let them rest for a couple of minutes, then slice.

To serve, spoon some pilaf on to each plate, top with a few slices of chicken, drizzle with the warm yoghurt sauce and sprinkle with the mint leaves and some of the crispy chicken skin.

TIPS:

If you want to cook the chicken without using a sous vide machine, wrap the filled and rolled breasts tightly in foil instead of cling film and place them in the fridge for a few hours for the shape to hold. Place in a roasting dish and cook in a preheated oven at 180°C/350°F/gas 4 for 35 minutes, or until the juices run clear when you pierce the breast with a skewer. Leave to rest for a few minutes. Heat a little oil and butter in a large pan. When the butter is foaming, add the chicken breasts and brown them all over. Keep them warm until ready to serve.

If you want to get ahead, you can fill and roll the chicken breasts, wrap them in cling film and keep them in your freezer. To use, just defrost and cook as above. Use within three months.

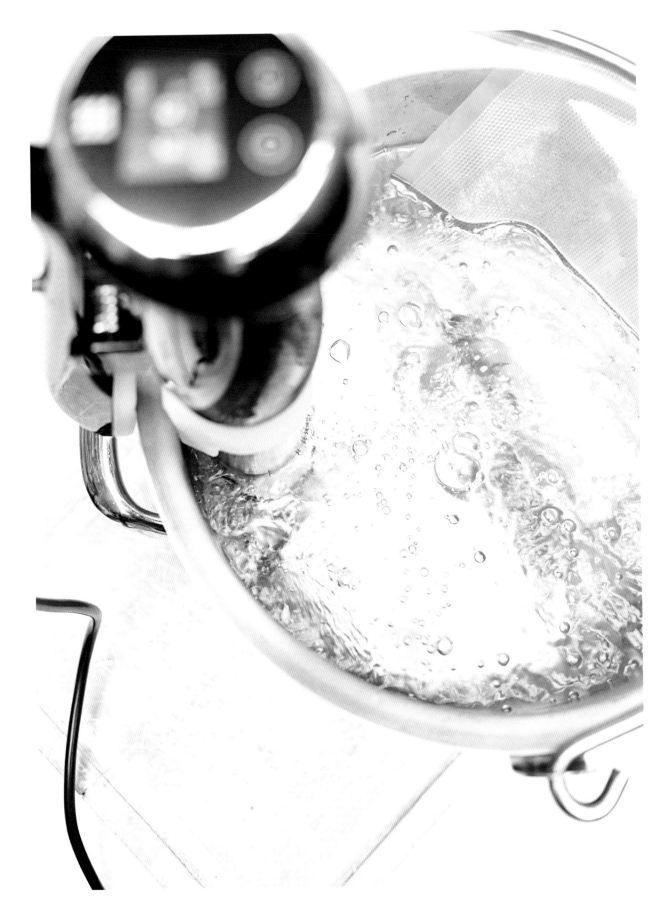

Lamb steak, couscous salad and smoked aubergine

SERVES 4

If you don't have a smoking gun but you have a stovetop smoker, cut the aubergine in half lengthwise when you take it out of the oven and place it in your smoker for 15–30 minutes. If you don't have either, you can hold the uncooked aubergine carefully over a lit gas stove, using tongs, until the skin blackens and cracks. Place it on a baking tray to finish baking in the hot oven. You could also just bake the aubergine and give a sense of the smokiness by adding some smoked paprika to the sauce.

I've chosen the sous vide method because leg steaks are tougher than other cuts. If you don't want to use a water bath, you can just cook the steaks, after you've marinaded them, on a hot griddle pan or under the grill for 3–5 minutes each side, depending on thickness and how well you want them done.

For the lamb steaks
4 leg of lamb steaks, weighing 150–180g each
2 tbsp extra virgin olive oil
4 sprigs of fresh thyme
2 garlic cloves, finely chopped
4 sprigs of fresh rosemary
2 tbsp extra virgin olive oil and a knob of butter, for searing

For the smoked aubergine sauce
1 large aubergine
2 tbsp extra virgin olive oil
1 tbsp tahini
1 tbsp Greek yoghurt
2 tbsp lemon juice
50ml vegetable stock

For the roasted garlic
1 garlic bulb
extra virgin olive oil, for brushing

For the couscous salad
200ml vegetable stock
1 tsp extra virgin olive oil
150g couscous
80g black and green olives, stoned and chopped
75g pistachios, toasted
2 tbsp finely shredded fresh mint
2 tbsp finely chopped fresh rosemary
seeds from 1 pomegranate

Put the lamb steaks into a dish, rub them with the oil and season. Sprinkle each steak with the leaves from the sprigs of thyme and half a chopped clove of garlic, then place in sous vide bags with a sprig of rosemary in each bag, and seal. Leave in the fridge to marinate for at least 2–3 hours, preferably overnight.

Place the bags containing the steaks in your sous vide bath, preheated to 55°C for rare, 57°C for medium-rare, and 63°C for medium-well done, and cook for 2½ hours. Take out the bags, remove the steaks and pat dry.

Preheat the oven to 200°C/400°F/gas 6. Wash the aubergine and pat dry. Prick with a fork a few times, then roast in the oven for about 1 hour. At the same time, cut the garlic bulb in half horizontally and brush with oil. Season with salt and wrap in foil. Place in the oven with the aubergine and roast for 35–40 minutes. Remove and set aside.

When the aubergine is cooked, remove it from the oven and leave to cool. Once cool, scoop out the flesh into the bowl of a small food processor and add the rest of the sauce ingredients. Blend to a smooth sauce. Transfer to a bowl and season. Cover the bowl with cling film, then, using a smoking gun (see page 38 or follow the manufacturer's instructions), inject a smoky chicory flavour into it. When you remove the smoking gun, wrap the bowl tightly with the cling film again and shake it from time to time, to spread the smoky flavour throughout the sauce. Uncover when you no longer see smoke in the bowl (about 10–15 minutes).

To make the couscous salad, put the stock, oil and a pinch of salt into a saucepan and bring to the boil. Add the couscous and shake the pan to ensure it is covered, then put the lid on and leave it for 5 minutes off the heat. Transfer to a bowl and stir in the olives, toasted pistachios and herbs. Season to taste. Sear the steaks in a very hot pan with the oil and butter until browned. Leave to rest for a couple of minutes.

To serve, place the couscous on a warm platter. Slice the steaks and arrange on top of the couscous. Spoon over the smoked aubergine sauce, and scatter over the pomegranate seeds and the roasted garlic cloves.

WINE PAIRING

Tsigelo Mavrodaphne Rouvalis (*Maltby & Greek*) / **T-Oinos Mavrotragano** (*Wimbledon Wine Cellar*) – for their elegant notes of thyme and rosemary and their juicy black fruit character.

Loin of venison with chestnuts served with celeriac purée

SERVES 2

For the chestnut casserole

1 cinnamon stick

3 cloves

2 sprigs of fresh rosemary

3–4 allspice berries

30ml extra virgin olive oil

1 onion, grated

2 garlic cloves, finely chopped

3 medium tomatoes (on the vine), grated on the coarse side of a grater

150ml beef stock

a small packet of cooked peeled chestnuts (180g)

a small bunch of fresh flat-leaf parsley, finely chopped

For the heritage carrots

3–4 heritage carrots

2 tbsp extra virgin olive oil

a knob of butter

1 garlic clove, peeled but left whole

½ tsp crushed coriander seeds

For the celeriac and cheese purée

500g celeriac, peeled and cut into 2cm cubes

50g butter

1 medium onion, grated

1 garlic clove, crushed

50g plain flour

300ml full fat milk

75g Cretan or Naxos aged *graviera* cheese, or another aged hard cheese such as Manchego, pecorino, or Grana Padano, grated

a pinch of grated nutmeg

Hiounkiar beyendi is traditionally a casserole dish made with lamb or beef, and it's served with a rich purée of vegetables, such as aubergines, courgettes or potatoes, mixed with a béchamel cream and lots of cheese. In this version of the dish, I've given it a sweet note by adding one of my favourite ingredients from western Crete, chestnuts, and I've paired them with venison, which suits the aromas of the spices and the sweetness of the chestnuts really well. If you can't find venison, beef loin works very well too. I usually cook the carrots whole, but sometimes I cut them into ribbons (see opposite).

Start by making the chestnut casserole. Put the cinnamon stick, cloves, rosemary sprigs and allspice berries on a piece of muslin and tie it up to make a little bag.

Bring a saucepan to a medium heat and add the oil and onion. Stir until translucent, then add the garlic and cook for a further minute, stirring continuously. Add the tomatoes, stock and the muslin bag of aromatics and bring to the boil. Reduce the heat to low, cover and continue cooking for 30 minutes. Add the chestnuts and simmer gently for another 30–45 minutes, or until the sauce has thickened.

Wash and scrub the carrots to get rid of any soil or dirt, then, using a peeler, cut the heritage carrots into thin ribbons and set aside.

To make the celeriac and cheese purée, bring a pan of salted water to the boil. Add the celeriac to the boiling water and cook almost to a purée consistency. Don't worry if the celeriac has not cooked to a mash, as it's nice if it retains a bit of texture.

In another saucepan, melt the butter over a medium heat and add the onion, garlic and flour. Cook, stirring, to soften the onion, but don't let it brown. Add the milk slowly, stirring all the time, to create a béchamel sauce. Stir the celeriac purée into the béchamel, adding the cheese, nutmeg and salt and pepper to taste. Keep warm.

To cook the venison, wash it, pat dry and season. Bring a frying pan to a medium-high heat. Add the oil and sear the venison on all sides, for 5–7 minutes. Add the butter, thyme and garlic and baste the meat for a couple of minutes more. Remove the loin from the pan, cover loosely with foil and rest somewhere warm for 5 minutes.

While the venison is resting, finish the carrots. Put the oil and butter into a pan with about 50ml of water and whisk to make an emulsion. Add the garlic and bring to a gentle boil. Add the carrots and cook for 2–3 minutes, until they are soft but still firm. Season with salt and pepper and sprinkle over the crushed coriander seeds. Remove the garlic before serving.

To serve, remove the muslin bag of aromatics from the chestnut casserole, check the seasoning, then stir in the chopped parsley. Spread some of the celeriac purée on each plate, and add slices of venison, the chestnut casserole and a few carrot ribbons. You could sprinkle with chilli flakes, if you like.

For the venison loin

400g loin of venison

2 tbsp extra virgin olive oil

50g butter

2 sprigs of fresh thyme

2 garlic cloves, peeled
  but left whole

WINE PAIRING

Kikones 'Ippeas' Limnio (*Maltby & Greek*) – for its full body, elegant aroma and flavour, and red berry notes.

DINNER
PARTY
DESSERTS

Masticha Cream and Ouzo Gel with
Chantilly Cream, Star Anise Sherbet
and a Fennel Caramel Tuile

o

Chocolate Cake with Candied Sour
Cherries and Toasted Almonds
(*Tourta Serano*)

o

Citrus Filo Syrup Cake
with Vanilla Custard

o

Lemon Curd Pavlova with
Rose Chantilly Cream, Loukoumi
and Marshmallows

This, the closing chapter of every meal and of this book, is ultimately my favourite. OK, it helps that I have a sweet tooth, but desserts are where a cook can really show off, express their creativity, play, have fun and create the prettiest of pictures and memorable, even emotional experiences. After all, it is the one course most used for celebrating, and this is why three out of the four desserts here can be taken to the table whole, bringing about a climax of excitement and delight. It is with this course that you can go a little over the top without fear. You can use colours, flavours, textures, even edible bling, with spoon sweets, creams, nuts, seeds, flowers, syrups, gold leaf and glitter. I certainly rediscover little Irini when I plate desserts, and I hope that I have given you a few plain but delicious canvases here to help you do the same.

Masticha cream and ouzo gel with Chantilly cream, star anise sherbet and a fennel caramel tuile

SERVES 5 IN NORMAL RAMEKINS, OR 9 IN ESPRESSO CUPS AS A PRE-DESSERT

For the *masticha* cream

2 gelatine leaves

300ml double cream

200ml full fat milk

80g caster sugar

a few drops of masticha oil or ½ tsp ground masticha (see intro)

For the ouzo gel

100ml water

50g caster sugar

a few drops of white food colouring (optional)

¼ tsp agar-agar

50ml ouzo

For the fennel caramel tuiles

125g caster sugar

50g glucose syrup

25g whole blanched almonds

½ tsp fennel seeds, crushed

For the Chantilly cream

100ml double cream

1 tbsp icing sugar

½ tsp vanilla extract

For the star anise sherbet

2 star anise

4 tbsp icing sugar

6 tsp citric acid powder

3 tsp bicarbonate of soda

This dish has become known by its Italian name, panna cotta, but I remember eating 'cooked cream' a lot as a child, growing up in a family where we had our own milk, although we used cornflour to thicken it, not gelatine. I decided to include it here because I have always loved cream desserts, and because the flavours of *masticha* and ouzo suit the rich, soft and velvety texture of the cream perfectly.

You can buy *masticha* in the UK in both oil and 'tears' form. If you use tears, it is worth putting 4-5 of them through your spice grinder together with a tablespoon of caster sugar (it helps to prevent the *masticha* sticking) and keeping them in a little jar. If you are not able to source *masticha* where you live, you can still enjoy this refreshing dessert with the flavours of Greece by substituting a little roasted and ground star anise. When using powerful flavourings like these, though, it's best to add them little by little and taste each time before adding more.

To make the *masticha* cream, soak the gelatine leaves in cold water for 4–5 minutes. Heat the cream, milk and sugar together until almost boiling, then add the *masticha* oil or ground *masticha* and finally add the soaked (squeezed out) gelatine leaves. Stir until the gelatine has dissolved, then pour into glasses or espresso cups. Put into the fridge for at least 2 hours, to set.

To make the ouzo gel, make a syrup with the water and sugar, adding a little white food colouring, if you like, to give it the authentic look of an ouzo drink. Add the agar-agar and cook for 2 minutes. Add the ouzo and let the liquid cool, then pour over the *masticha* cream to a depth of 1cm. Put back into the fridge to cool and set fully. If you prefer, instead of topping the cream with the liquid gel, you can pour it into a small tin, chill in the fridge, then cut it into cubes to add on top.

To make the fennel caramel tuiles, preheat the oven to 200°C/400°F/gas 6. Melt the sugar and glucose syrup in a saucepan until the temperature measures 145°C on a thermometer. Mix in the whole almonds. Pour the mixture out on to a silicone baking mat and let it cool, then blitz to a powder in a blender. Using a fine tea strainer, sprinkle in an even layer over a baking tray lined with baking parchment or a silicone baking mat. Scatter over the fennel seeds, then put the tray into the oven for 3–4 minutes. Remove from the oven and allow to cool, then break up into irregular shards and set aside.

To make the Chantilly cream, whip all the ingredients in a bowl with a hand-held electric whisk until soft peaks form. Transfer to a piping bag with a star nozzle.

To make the star anise sherbet, grind the star anise with the icing sugar in a spice grinder. Mix with the rest of the ingredients, to give that extra fizz sensation in the mouth.

To serve, take the glasses out of the fridge, pipe some Chantilly cream into each glass, sprinkle with the star anise sherbet and add fennel seed tuile shards on the side.

Chocolate cake with candied sour cherries and toasted almonds

SERVES 8–10

In Greek pâtisseries it is common to buy slices of cakes such as *serano*, named after a Chilean singer, and each piece is called a *pásta*. A cup of coffee is often accompanied by a *pásta*, and such is the variety of flavours and so enticing the appearance of each, deciding which one to order is always hard.

I have used my go-to recipe for the cake and prefer to use melted chocolate for the *serano* cream, as opposed to the classic recipe, which calls for cocoa powder. I also use the Greek sour cherry spoon sweet (*vyssino glyko*), as their acidity breaks up the richness of the chocolate and the combination of flavours is wonderful.

For the sponge cake
200g self-raising flour
25g cocoa powder
1 tsp baking powder
225g butter, softened
225g caster sugar
4 eggs
50ml full fat milk

For the *serano* cream
200g caster sugar
50ml water
4 egg whites
250g dark chocolate
 (70% cocoa solids)
650ml double cream

For the sour cherry syrup
75g granulated sugar
100ml water
3 tbsp syrup from a jar of
 sour cherry spoon sweet
2 tbsp Kirsch or brandy

To assemble
50g almond flakes, toasted
sour cherries from the jar
 of spoon sweet

WINE PAIRING

1995 Vinsanto 20 years old Argyros (*Clark Foyster*) – for its dry fruit and caramel notes.

Preheat the oven to 180°C/350°F/gas 4 and butter two 20cm-diameter round cake tins. Spread the almond flakes on a baking tray and toast in the oven for 7 minutes, until golden. Leave to cool.

To make the cake, sift the flour, cocoa powder and baking powder into a bowl. In another bowl, beat the butter and sugar until pale and fluffy. Incorporate the eggs, one by one, adding a tablespoon of the flour mixture after each egg. Add the milk and incorporate with a spatula. Divide the cake mix between the two prepared cake tins.

Transfer the tins to the oven and bake for 25–30 minutes, until they are firm and a skewer inserted into the middle comes out clean. Allow the cakes to cool for 5 minutes, then turn out on to a wire rack to cool down completely. To make slicing easier, keep the cakes in the fridge overnight, or place in the freezer for 30 minutes.

For the *serano* cream, make a syrup by heating the sugar and water in a small saucepan over a medium heat. Using a thermometer, monitor the temperature of the syrup. Start to slowly whisk the egg whites either in a stand mixer or with a hand-held electric whisk until just starting to foam. When the sugar syrup reaches 121°C, slowly pour it into one side of the bowl containing the egg whites, while still whisking. Turn the whisk up to full speed and keep whisking until cooled to room temperature.

Break the chocolate into small pieces and place in a heatproof bowl over hot water, stirring constantly until fully melted. Take off the heat and stir to bring the chocolate to room temperature. Add the chocolate to the bowl of meringue and mix thoroughly using a spatula, folding the chocolate into the meringue mix. Fold in 150ml of the cream.

In another bowl, whip the remaining cream until it forms soft peaks. Using a spatula, incorporate the whipped cream into the chocolate mixture, folding it in thoroughly but gently so as not to beat the air out.

For the sour cherry syrup, place the sugar and water in a pan over a medium heat until the sugar has fully melted. Bring to the boil and continue boiling for 2 more minutes. Stir in the syrup from the jar and the Kirsch or brandy, and leave to cool.

To assemble, cut each cake in half horizontally, to make four layers. Place one layer on a cake plate and brush it generously with the syrup. Add a layer of chocolate cream, then the second sponge layer. Repeat with the rest of the cake. Spread chocolate cream all over the cake. Sprinkle the top with almonds, and decorate with sour cherries and fresh cherries and rose petals, if you like. Place in the fridge to chill, but take it out 30 minutes before serving. The cake will keep in the fridge for 2–3 days.

Citrus filo syrup cake with vanilla custard

SERVES 6-9

The texture of this cake, normally flavoured with orange, is so good that I have always wondered why we don't use the same approach to other flavours too. The filo, being less dense than flour, creates pockets where the liquids have room to expand during cooking and also absorbs the syrup, making the overall texture light and moist.

For the cake

100g fresh filo pastry,
  or frozen filo, defrosted

100ml sunflower oil,
  plus a little for the tin

35g caster sugar

2 large eggs

1 tsp vanilla extract

1 tsp baking powder

110g Greek yoghurt

zest of ½ an unwaxed orange

zest of ½ an unwaxed lemon

For the citrus syrup

50ml water

125g granulated sugar

125ml orange juice

juice and zest of ½ an
  unwaxed lemon

zest of ½ an unwaxed orange

For the orange
  blossom Chantilly

200ml double cream

30g icing sugar

a few drops of orange
  blossom essence

For the vanilla custard

500ml full fat milk

1 vanilla pod

4 large egg yolks

40g caster sugar

1 tsp cornflour

For the pistachio praline

50g pistachio nuts

75g caster sugar

1 tbsp water

To serve

edible flowers (optional)

To make the cake, preheat the oven to 100°C/210°F/gas ¼, and line a baking tray with baking parchment. Take each filo sheet and scrunch it gently in your hands. Place on the baking tray, leaving some space between the filo bundles. Place the tray in the preheated oven for 60–75 minutes, until the filo is totally dry. Leave to cool, then break it up with your hands into the smallest pieces possible.

Turn the oven up to 180°C/350°F/gas 4 and oil a 20cm x 20cm square cake tin or 10–12 dariole moulds, depending on size.

Put the sunflower oil, sugar, eggs and vanilla into the bowl of a stand mixer and beat at high speed for 10 minutes. Add the baking powder to the yoghurt and set aside for 2–3 minutes. When the egg mixture is light, fluffy and foam-like, fold in the yoghurt and add the orange and lemon zests.

Add the broken-up filo to the mixture, fold in and leave to rest for 5 minutes. Then pour into the oiled cake tin and bake for 35–40 minutes. When it's done, a skewer inserted in the middle should come out clean. If you are using dariole moulds, as I have here, bake for 15 minutes, then test the same way.

For the citrus syrup, place all the ingredients in a saucepan, stir to mix well, then bring to the boil. Boil gently for about 5 minutes, without stirring. Make holes in the cake with a skewer and spoon the warm syrup over it.

To make the orange blossom Chantilly, place the cream and icing sugar in a bowl and beat with an electric hand whisk, adding the orange blossom essence a drop at a time as you whisk until you have the flavour that you like and it forms soft peaks.

For the vanilla custard, put the milk into a saucepan and add the vanilla pod, cut in half lengthwise and the seeds scraped into the milk. Bring to a gentle boil, then turn the heat off and let the milk infuse. In a clean bowl, whisk the egg yolks with the sugar and cornflour until pale and fluffy. Strain the milk gradually into the egg mixture, stirring until it has all been incorporated. Return the custard to the saucepan and cook on a medium heat, stirring constantly, until the cream has thickened.

For the pistachio praline, start by lining a baking tray with a silicone baking mat or baking parchment. To toast the pistachios, bring a dry frying pan to a medium heat, then add the pistachios and keep stirring until they release their nutty aroma and turn golden brown. Remove from the pan to stop them toasting and leave to cool. Once cool, put the sugar and water into a small saucepan and bring to a low-medium heat, stirring until the sugar has melted. Increase the heat and cook without stirring again until the mixture turns golden. Remove the caramel from the heat, add the pistachios and quickly pour on to the lined tray. Use an oiled spatula to spread the mixture as thinly as possible. Leave to cool, then break into shards.

To serve, place 2–3 tablespoons of vanilla custard in each bowl. Place a piece of filo syrup cake on top of the cream. Pipe a small dollop of Chantilly cream on top, then add some pistachio praline shards and decorate with edible flowers, if you like.

Lemon curd pavlova with rose Chantilly cream, loukoumi and marshmallows

SERVES 10–12

The inspiration for this dessert comes from the fact that meringue, being a neutral flavour base, can take beautifully a whole range of ingredients and flavours, which can be strong, sharp or fragrant. *Loukoumi*, or Turkish delight, as it is also known, particularly the rose-flavoured version, is a favourite of mine and reminds me of casual and quick family outings to the local *kafeneio*, where my father would have a coffee and I would have the *loukoumi* that came with it.

The combination of lemon and rose is a great one, the lemon curd helping to cut through the sweetness of the meringue, and the *masticha* marshmallows are a very pleasant surprise in terms of yet another texture. You may think the rose petal spoon sweet is an extravagance, but trust me, it is delicious on cakes and ice cream as well as complementing the rose, lemon and *masticha* flavours of this decadent dessert.

For the meringue
5 egg whites

300g caster sugar

1 tsp white wine vinegar

1 level tsp cornflour

For the lemon curd
juice and zest of 1 unwaxed lemon

50g caster sugar

1 egg, beaten

25g unsalted butter, cut into small chunks

For the rose-scented Chantilly cream
350ml double cream

2 tbsp icing sugar

rose water, to taste

To finish
a few marshmallows (see page 296)

a few pieces of rose *loukoumi* (see page 30), cut into smaller pieces

2–3 tsp rose petal spoon sweet (see page 32)

a small handful of chopped pistachios or fresh mint leaves (optional)

Start by making the meringue. Preheat the oven to 160°C/325°F/gas 3 and line a large baking sheet with baking parchment. Put a 28cm-diameter plate in the middle of the parchment and draw round it to make a circle. Then put a smaller plate inside the large circle and draw round that, so as to create the shape of a ring. Turn the paper upside down so as not to get marks on the meringue.

Whisk the egg whites in a stand mixer until soft peaks form. Turn the speed right up and start adding the sugar gradually, a little at a time. Stop whisking when the meringue is thick and glossy. Stir the vinegar and cornflour together in a small glass until smooth, and fold into the meringue.

Using a large spoon or spatula, fill the ring you have drawn on the baking parchment. Use the spoon to create a hollow trench on the surface of the meringue – once cooked and cooled, this will be filled with the curd and the cream.

Transfer the baking sheet to the oven, and immediately reduce the temperature to 140°C/275°F/gas 1. Bake for 65–70 minutes, then check that the outside is firm. Turn the oven off and leave the meringue inside for a few hours or overnight, to cool.

To make the lemon curd, put the lemon juice and zest, sugar and beaten egg into a heatproof bowl over a pan of warm water and whisk continuously over a low heat until the mixture has thickened. Remove from the heat and add the butter in small pieces, one at a time, whisking until completely melted and you have a smooth curd. Put into a piping bag, leave to cool, then place in the fridge. It will keep in the fridge in an airtight jar for up to 2 weeks. Remove 30 minutes before you are ready to assemble the pavlova.

To make the Chantilly cream, put the double cream and icing sugar into a large bowl and whip with an electric whisk until very soft peaks form. At this point, add 1 tablespoon of rose water, give it a quick whisk, and taste. You may need to use 2–3 tablespoons, depending on the strength of the rose water. It's best to add it gradually, so as to control the level of fragrance you want to impart to the cream.

Place the meringue on a large dish. Cut the tip of the lemon curd piping bag to the size of a walnut, and pipe the curd round the meringue, inside the trench. Using a spoon or another piping bag, add the Chantilly cream on top of the curd. Finish with marshmallows, rose *loukoumi*, rose petal spoon sweet and chopped pistachios or mint leaves. Decorate with edible rose petals, if you like.

Masticha flavoured marshmallows

MAKES 35–50 (DEPENDING ON SIZE)

Marshmallows are not something I knew before I came to live in the UK. And while I have tried to stay as true to Greek cuisine as possible in the recipes and the ingredients I have used, the naughty, cheeky, playful cook in me could not resist including these delicious, cloud-like morsels of delight. The thought of making them was not my own, I have to admit. I was contacted by Belinda Clark, a professional marshmallow maker (great job, right?), who asked me if I thought *masticha* flavoured marshmallows would work. I did not need to think for too long. *Masticha*, to my mind, would suit a large percentage of confectionery creations, and some savoury ones too. So Belinda made some, sent them to me, I fell in love, and one day when I wanted to experiment, I made my own.

If you want to have some fun one day, have a go. You can flavour the marshmallows with whatever takes your fancy. There are so many culinary oils out there! These marshmallows are delicious plain or combined with other sweet elements, like the meringue, cream and curd in the pavlova recipe on page 295.

For the gelatine

vegetable oil, for greasing

100ml water

20g powdered gelatine

2–3 drops of *masticha* oil (see page 30)

For the syrup

100ml water

100g glucose syrup

400g caster sugar

¼ tsp salt

For the coating

50g icing sugar

50g cornflour

Line a baking tray with a sheet of baking parchment or a silicone baking mat. Spray with some light oil.

For the gelatine, place the water in the bowl of your electric stand mixer and sprinkle the gelatine over it. Leave it to bloom for 15 minutes.

To make the syrup, place a saucepan on the heat. Add the water, glucose, sugar and salt and bring to the boil slowly, to melt the sugar – but don't stir. Remove the syrup from the heat when the temperature reaches 116°C.

Turn the mixer on to a medium speed to agitate the gelatine in the mixer bowl. Turn the speed up and start pouring in the syrup in a steady thin stream. Turn the speed higher still and let it beat the sugar/gelatine mix for another 10 minutes, until light and fluffy. Towards the end, add 2–3 drops of *masticha* oil.

When the marshmallow has expanded and is firm, with the bowl feeling barely warm, transfer it quickly into a large piping bag, using a spatula. Tie the bag to stop air getting to the marshmallow, then, still working quickly, pipe the marshmallow on to the oiled parchment or mat, pulling it away each time as you would if you were piping small meringues.

In a bowl, mix the icing sugar and cornflour for coating and use a fine sieve to dust some of it over the marshmallows. Leave them to dry overnight.

The following day, the marshmallows should be dry enough to transfer to an airtight container. Dust with the rest of the icing sugar/cornflour mix. They will keep for a couple of weeks and can also be frozen for up to 3 months.

TIP:
Instead of piping in the style of little meringues, you can pipe sausage-like shapes and sprinkle them with freeze-dried fruit or sparkles. Cut into slices the following day, using an oiled knife, then dust with the icing sugar/cornflour mix and store as above.

Greek wine

Greek wine has been making great advances in the perception of wine connoisseurs world-wide during the last few years, leaving memories of cheap retsina lost in the mists of time. I have discovered some Greek wines that can match the best from other countries. So much so that I thought it fitting to ask an award-winning young Greek sommelier working in London to pair a few of the dishes with some of my favourite wines that are available to buy outside Greece.

Terry Kandylis has won both Best Sommelier in Greece in 2015 and UK Sommelier of the Year in 2016. He represented Greece in the 2017 European Sommelier competition finals in Vienna, where he secured Greece's highest position to date in international sommelier competitions. Terry has worked in many iconic UK restaurants like Heston Blumenthal's The Fat Duck and Graham Brett's The Ledbury, and currently leads the team of sommeliers at 67 Pall Mall private members' club, with a pioneering and ground-breaking wine programme. Terry is a judge for the prestigious *Decanter* magazine and has contributed to articles and panel tastings over the years.

Irini

The Greek god of wine, Dionysos, was worshipped as far back as 1,500 BC, but modern drinkers are only now rediscovering the great wines that the country has to offer. Foreign tourists would take home jokey stories about retsina, but there was always a lot more to Greek wine than this, and in recent years producers have transformed the image by focusing on quality, craftsmanship and diversity.

Greece ranks seventeenth in annual global wine production, producing on average 2.5 million hectolitres of wine per year. Around 61,500 hectares of land are under vine cultivation, with around 1,300 wineries spread across the country. Almost one third of the total plantings are to be found in the Peloponnese. Attica and central Greece come second in terms of acreage, followed by Macedonia and Thrace. Crete and the Aegean islands together account for almost 22%. Around 13% of total production is exported, and growth has been steady for the last five to seven years.

Despite being better known for its picturesque whitewashed island houses with blue doors and shutters, Greece is the third most mountainous country in Europe and it is this geomorphology that shapes the regions and styles of wines. Most vineyards are found on slopes, making mechanisation impossible. High-altitude vineyards are a common feature, one which combined with the constant breeze off the Mediterranean moderates the warmth and heat. In the Aegean islands, winds during summer can be so fierce that vine trellising on wires is a nightmare, leading to Santorini's unique basket shape or *kouloura* training method, which protects the vines from the winds and the grapes later from the strong sunlight. Sunshine is abundant, with most rain falling during winter. The majority of vineyards are dry-farmed and most grape varieties are drought-resistant, which has brought lots of international attention in recent years from countries that experience water shortages, as plantings of the Assyrtiko grape in Australia and South Africa demonstrate.

Of the 300 different varieties of grape, Assyrtiko has attracted international attention, becoming the country's ambassador, although it doesn't account for more than 3.15% of total plantings. The white Savatiano is the most widely planted grape, followed by the pink-skinned Roditis, both strongly linked with the production of retsina. Agiorgitiko is the most widely planted red grape, and accounts for almost 5.3% of the total vine-planted acreage. Not far behind is the other important red variety, Xinomavro. Agiorgitiko and Xinomavro are considered by many to be the most noble of Greece's red grapes, the former having a juicy and fruit-driven nature, the latter a red-fruited character, firm structure and ability to age, and an unmistakable tomato character that develops with ageing in the bottle. There is constant experimentation with indigenous varieties, and many stories of modern successes like Malagousia and Limniona, varieties almost extinct a few decades ago but that are now the focus of many wine producers who have realised their unique identity and characteristics.

The question of how best to pair wine with food has been the cause of much debate among wine professionals, particularly sommeliers. Throughout my career, I have put great effort into trying to find the best possible matches for certain ingredients and their combinations, believing that the absolutely fundamental point is never to be dogmatic.

I was thrilled to be asked by Irini to pair some of our finest wines which are available to purchase outside the country and which I feel can stand up to the best wines other countries have to show. In pairing the specific dishes I selected, the focus is on the native varieties that together with Irini's recipes will transport you back to your Greek holidays.

Terry Kandylis

NAOUSSEA
ΝΑΟΥΣΑΙΑ
PROTECTED DESIGNATION OF ORIGIN NAOUSSA
ΠΡΟΣΤΑΤΕΥΟΜΕΝΗ ΟΝΟΜΑΣΙΑ ΠΡΟΕΛΕΥΣΗΣ ΝΑΟΥΣΑ

Ποικιλία Ξινόμαυρο
ξηρός ερυθρός ξηρός   Xinomavro Variety
από την Ελλάδα   Dry red wine of Greece
Παραγωγή-Εμφιάλωση   Produced & Bottled
από τον Νίκο Φουντή   by Nikos Foundi,
Ναούσα 59200 Ελλάς   Naoussa, Greece

2012

750ml   13%vol
ΦΟΥΝΤΗ

LIMNIO
IKONES
PROTECTED GEOGRAPHICAL
INDICATION ISMAROS
2015

PRODUCED & BOTTLED
BY MELINA TASSOU
PRODUCT OF GREECE

NYCHTERI
PROTECTED DESIGNATION
OF ORIGIN SANTORINI

2017
DOMAINE SIGALAS

DALAMÁRA

Naoussa
| 2015 |

ΝΑΟΥΣΑ-NAOUSSA
PROTECTED DESIGNATION OF ORIGIN
PRODUCED AND BOTTLED BY DALAMARA WINERY IN NAOUSSA GREECE
WINE OF GREECE
750mL   ALC. 12,5% BY VOL

Mια ζωή!   est. 1895
RETSINA
TRADITIONAL APPELLATION
APPELLATION TRADITIONNELLE
MALAMATINA
DRY WHITE WINE - VIN BLANC SEC
PRODUCED & BOTTLED BY:
PRODUIT & MIS EN BOUTEILLE PAR:
E. MALAMATINAS & SON S.A. - THESSALONIKI - GREECE
BEST SERVED CHILLED - SERVI FRAIS
PRODUCT OF GREECE
PRODUIT DE GREECE
11% VOL   0.5L

ΜΟΣΧΑΤΟ ΑΣΠΡΟ
- WHITE MUSCAT -
SAMOS
ΠΡΟΣΤΑΤΕΥΟΜΕΝΗ ΟΝΟΜΑΣΙΑ ΠΡΟΕΛΕΥΣΗΣ ΣΑΜΟΣ
PROTECTED DESIGNATION OF ORIGIN SAMOS

ΑΠΟ ΔΙΑΛΕΚΤΟΥΣ ΑΜΠΕΛΩΝΕΣ
GRAND CRU
VINDOUX NATUREL - ONCE DIVINO BYGREE
ΕΣΟΣ ΣΑΜΟΥ

.2018.
XINOMAVRO
JEUNES_VIGNES
THYMIOPOULOS
13,0%   750 ml
APPELLATION D'ORIGINE CONTROLEE NAOUSSA / NAOUSSA
750ml, NAOUSSA   VIN ROUGE SEC

NEMEA
ΠΡΟΣΤΑΤΕΥΟΜΕΝΗ ΟΝΟΜΑΣΙΑ ΠΡΟΕΛΕΥΣΗΣ
PROTECTED DESIGNATION OF ORIGIN
Single Vineyard Gerakina
2014
AIVALIS WINERY

Wine pairings

Smoked potatoes, smoked eel, bottarga powder, dill cream and oil (*oftes patates*) (page 228)
Assyrtiko from Santorini, made from grapes harvested early and then vinified without oak, has an unmistakable salty nature on the palate and a lemony acidity that epitomises what is referred to as a mineral wine. The smokiness of the potatoes is an ideal match for the rather sulphuric nose of gunflint and matchstick found in the fiery Assyrtikos. Add the salinity of the wine to the salty nature of the bottarga, and your mind is already at the Caldera watching the sunset.

Vassaltis Assyrtiko (Wimbledon Wine Cellar)

o

Cured salmon with star anise, yoghurt and ouzo cream, cucumber and fennel salad (page 231)
A Robola such as San Gerasimo, which is held in stainless steel tanks prior to bottling, light and fresh in nature with an unmistakable fennel, light aniseed character together with a lemony acidity and minerality, is perfect for this dish.

San Gerasimo Robola (Maltby & Greek)

o

Pork loin stuffed with smoked pork, leeks, apples and dates (page 232)
Pork is rich in lactones, which gives it naturally rich fruity notes. Lactones belong to a family of molecules with expressive tones of apricots and peaches, hence many chefs have created recipes that match pork with fruits. Wines that are rich in lactones are those that have matured in oak barrels, and Vidiano is a variety from Crete that has an affinity to oak, with ripe apple character, delicate stone fruits and citrus. One of Crete's best varieties, and definitely a rising star.

Douloufakis Aspros Lagos Vidiano (Maltby & Greek)
Oenops Vidiano (Clark Foyster)

Slow-roasted lamb with garlic, herbs, lemon, mustard and honey (page 211)
For many people, red wine goes with meat and fish is paired only with white. However, a full-bodied white Assyrtiko that has been barrel-fermented, or a late-harvested wine like Nykteri, can easily show a honeyed character, with notes of sweet spices and nuts. The alcoholic strength of these wines is quite high, which gives extra richness and weight.

Hatzidakis Nykteri (Eclectic Wines)
Sigalas Nykteri (Maltby & Greek)

o

Uncle Yiorgos's grilled aubergine slices with bulgur and a feta béchamel sauce (page 258)
Nuts or smoke and tobacco are essential notes of oak-matured wines, and Agiorgitiko is a variety that works well with some of the new oak barrels. Its bright acidity and cherry character matches the freshness of the tomatoes well, while the béchamel adds the lactic texture that develops with oak maturation. Pinot Noir fans should try a Limniona or a Black of Kalavryta.

Nemea Grand Cuvée Skouras (Eclectic Wines)
Limniona Zafeirakis (Clark Foyster)

o

Pan-fried red mullet, courgette and pine nut risotto with sun-dried tomato cream (page 273)
It is perfectly possible for red wines with a relatively low tannin content to be a very good match with fish. Xinomavro, in its youth, displays a wonderful mix of fresh cherries and strawberries, and is very vibrant and fruity, maturing to display a character of confit tomato, black olive and dried herbs. Its high acidity matches that of the tomatoes and pickled radishes.

Fountis Naousa (Clark Foyster)
Dalamaras Naousa (Southern Wine Roads)
Xinomavro Jeunes Vignes Thymiopoulos (Eclectic Wines)

Roast monkfish with Russian salad and roasted garlic foam (page 274)

Monkfish is valued for its firm, lean, bright white flesh and mild, sweet flavour. A warm Russian salad, based on carrots with an egg-based sauce, enhances the richness and weight of the dish as well as adding a sense of sweetness. Not dissimilar to a dry Muscat or a more reserved Viognier, Malagousia will seduce everyone with its aromatic intensity of peaches, apricots and white flowers. The wonderful iodine character of the samphire works exceptionally well with the crisper and more mineral version of the variety.

Malagousia Alpha Estate (Maltby & Greek)
Malagousia Naturra Zafeirakis (Clark Foyster)

○

Lamb steak, couscous salad and smoked aubergine (page 281)

Lamb with rosemary or thyme is always a great match with red Bordeaux wines, particularly those of the Left Bank. Greece's answer to this would be a dry Mavrodaphne from the Peloponnese or a Mavrotragano. Their juicy black fruit character, wrapped with elegant notes of thyme and rosemary, matches the herbal notes of the dish extremely well.

Tsigelo Mavrodaphne Rouvalis (Maltby & Greek)
T-Oinos Mavrotragano (Wimbledon Wine Cellar)

○

Loin of venison with chestnuts served with celeriac purée (page 282)

Limnio is a grape first mentioned by Ancient Greek writers – Homer and Hesiod, for example – making it a very special example of ancient viticulture in the historic Maronia region. A full-bodied wine with spice and vanilla notes, it works well with oak and is elegant in aromas and flavours, dominated by fresh red and dark berry fruits.

Kikones 'Ippeas' Limnio (Maltby & Greek)

Chocolate cake with candied sour cherries and toasted almonds (page 290)

The higher the cocoa solid content of a chocolate, the more powerful a wine it requires, with vintage port being a great match. Vinsanto from Santorini is a dessert wine made from dehydrated Assyrtiko (mainly) grapes that are left to shrivel in the sun, producing an amber-coloured wine with dried fruit notes and caramel in its early life, and coffee, mocha and walnuts after many years of maturation. By law, this wine requires a minimum of two years' ageing in barrels, but most producers exceed that and sometimes wait for more than twenty years before bottling. A great pairing not only with chocolate but also with walnut pie (*karydopita*) and candied orange or bergamot zest.

1995 Vinsanto 20 years old Argyros (Clark Foyster)

○

Lemon curd pavlova with rose Chantilly cream, loukoumi and marshmallows (page 295)

Muscat, in the hands of quality-minded producers, can produce wines with a distinctly grapey and rose-petal aroma, sometimes pungent and slightly spicy, wonderfully dry or delicate, either naturally sweet or fortified. This is the ultimate pairing dish, 50 shades of roses and Muscat of Samos!

Samos Grand Cru Samos EOS (Eclectic Wines)

UK food suppliers

When I first arrived in the UK in the early 1980s, there were hardly any Greek products on the market. I am happy to see that the list of suppliers is constantly growing, as is the array of Greek products available in supermarkets. There are areas of London and elsewhere which have grocers that serve the Greek community, and if you are lucky enough to live there, you will probably find everything you need. But if you live in the country, as I do, you may need to order some things online.

Below is an alphabetical list of food suppliers, which I hope you will find useful. By no means is this exhaustive, though, and I am constantly looking out for new suppliers and products. I would also be grateful to hear about any others that you may know. There are some suppliers on the list that I have not used personally, and I would ask you always to carry out your own research before shopping over the internet.

Agora Greek Delicacies
A Glasgow-based importer of a variety of goods, including Greek fava, Greek brown lentils, pasta no. 2 (suitable for *pastitsio*), preserved meats, and a good selection of cheeses and frozen pies as well as wine, spirits and beer.
www.agoragreekdelicacies.co.uk

Athenian Grocery
Something between a grocer, a greengrocer and a delicatessen, this shop near the Greek Cathedral of St Sophia in Bayswater, London, sells a big range of produce, and also sells online.
www.atheniangrocery.co.uk

Grecious
A young company already selling tahini and honey products through high-end retailers and online.
www.grecious.co.uk

Greek Market
An e-commerce supplier of a big range of produce, including bakery goods, such as biscuits, and pitas for souvlaki.
https://greekmarket.co.uk

Greek Tastes 4 All
A wide variety of produce, from coffee to baklava to olives to flavoured oils.
www.greektasteonline.co.uk

Greka Foods
Very enthusiastic about their heritage, Greka use local labour to make their own candied fruit in syrup, 'spoon sweets', jams and pasta, such as *kritharaki*, which is the thinner, smaller Greek version of orzo.
www.grekafoods.co.uk

Hellenic Grocery
Confectionery, bakery and other produce, as well as spirits and Greek beer.
www.hellenicgrocery.co.uk

Liquid Gold Cave
A good selection of extra virgin olive oil from different olive varieties, accompanied by solid knowledge. Also honey and some more unusual products like carob syrup.
https://liquidgoldproducts.co.uk

Maltby & Greek
Started in 2012 as part of Maltby Street Market in Bermondsey, London, with the aim of supplying the finest produce from across Greece, sourced directly from small producers. Their range of seasonal Greek produce and wines is available directly and through independent retailers. This is where I buy my smoked eel, fish roe for taramosalata and Trikalinos bottarga.
www.maltbyandgreek.com

Odysea
An importer with a passion for Greek food, established in 1991, Odysea is constantly looking to expand its offering of quality produce, stocking most of the staples, from extra virgin olive oil to cheese for pies and *saganaki*, to wines and filo pastry. Also a good selection of Greek *meze* for an effortless get-together with friends.
www.odysea.com

Oliveology
Award-winning extra virgin olive oil and organic olives, from their own farm in the Peloponnese. Apart from their olive oil, which comes in various flavours, they are good for Cretan *dakos*, raw and roasted nuts, raw green olives, bee pollen and *masticha*.
www.oliveology.co.uk

The Premium Greek Olive Oil Company
Extra virgin olive oil from a family farm on the island of Lesvos.
www.premiumoliveoil.co.uk

Two Fields Zakros
A small online company producing a very low acidity extra virgin olive oil from their own olive trees in eastern Crete.
https://twofieldszakros.com

UK wine importers and suppliers

As a foodie and a Greek who is passionate and proud of all that our small country produces, I am thrilled that some of our best wines can now be bought and enjoyed in the UK. Below are some importers and suppliers whose wines I regularly enjoy and which I am proud to introduce to you.

Agora Greek Delicacies
Exclusive importers of a big range of wines since 2012, including retsina, Glasgow-based AGD supply direct.
www.agoragreekdelicacies.co.uk

Clark Foyster
Invested as much in their relationships with small, family-run estates as in the actual wine, Clark Foyster are direct importers and often exclusive agents for their wines, which you can buy retail through the Wine Society, Waitrose or direct.
www.clarkfoysterwines.co.uk

Eclectic Wines
Importers since 2002 and passionate aficionados of Greek wines, Eclectic Wines represent well-known and respected wineries. You can buy their wines through the Wine Society, Theatre of Wine, Waitrose and Marks & Spencer.
https://eclecticwines.co.uk

Maltby & Greek
Working with more than 20 producers from across Greece, Maltby & Greek have one of the most extensive ranges of Greek wines available in the UK, representing all the main indigenous varieties and regions, as well as many hidden gems.
www.maltbyandgreek.com

Southern Wine Roads
Founded in 2014 by passionate Greek wine aficionados, Southern Wine Roads offer a variety of premium quality Greek wines (many are organic), liqueurs and a Santorini craft beer, and organise regular wine tastings both for the trade and the retail market.
www.southernwineroads.com

Wimbledon Wine Cellar
I remember my excitement when I first bought Amethystos by Lazarides here in the '80s, when I lived in the Wimbledon area. Since then, their passion and range has increased to include some delicious Greek wines. They hold wine tastings and publish regular articles on Greek wines.
www.wimbledonwinecellar.com

Index

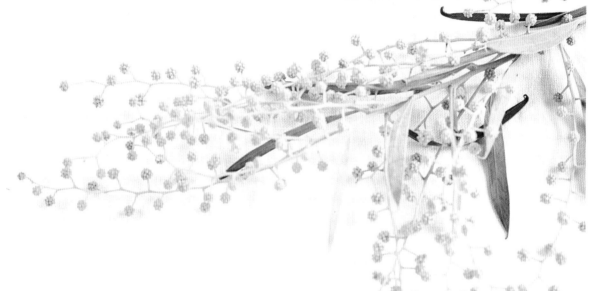

Acknowledgements

First, I would like to thank all those people who have guided, inspired and encouraged me throughout my life to be the best person and cook I can possibly be.

I am grateful to my mother for always believing in herself.

My husband, John, for always believing in me. Without his total commitment and support, this book and much that led to it being created would not have happened; the value and importance of my journey was never questioned, and I am deeply grateful for that.

My mother's mother, Irini, whom I was named after, the priest's wife who filled my early years with smells of bread, honey and smoked sausages, filling my little heart with a sense of privilege and well-being when none of it was probably real. My grandfather the priest, Pappoús Plevris, for teaching me respect for all creatures no matter how small and insignificant and for all foodstuffs.

My grandparents, the 'refugees' from Asia Minor, who loved the good things in life and did not go without them even in deepest poverty. I still remember the aroma of ground chickpeas as they were dry-fried on the open fire so that Pappoús Yiorgos could use them instead of coffee beans for his morning Greek coffee.

My father, Orestis, for infusing in me the love of good food, appreciation of fresh ingredients and respect in handling anything edible.

My brother Yiorgos, who always jumps to the challenge of growing or gathering the most rare and wonderful ingredient I might ask for, so that I can play with it and make some concoction or other.

My brother Vassilis, for leaving on our doorstep sackfuls of wild greens, snails, fruit and anything in season that he had gathered at the end of a hard day's work in the fields.

My 'soul sister', Chryssa, for visualising the book even before I did, for encouraging me all the way and for giving me so many gadgets and material things I needed in the process of recipe testing.

My uncle Yiorgos, the chef or 'teacher', as many of his students still call him years after he stopped teaching, for his childlike enthusiasm about food and the endless conversations he and I would have about ingredient combinations, methods of cooking and cookery books.

My aunty Antonia, for her marathon cookery sessions in her tiny kitchen on a daily basis, just to feed her large family, and who has always found time to bake my favourite biscuits and give me kilos of them each time I visit. Her house being en route to ours helps . . . She tirelessly continues to teach me about Crete's wild greens and I love her for that!

My uncle Minas, for being the most generous host I know, feeding me and the thousands at a drop of a hat. His wife, Katerina, for sharing the same spirit of hospitality and her recipes with me!

My cousin Roula, for always reciprocating compliments received with the simple words 'mono agape' – only love. She meant, of course, that the ingredients and style of cooking were simple but the joy people experienced with her food was simply derived from the love she injected into it while preparing it. She taught me the importance of love in cooking.

My stepchildren and friends, who, over the years, have encouraged me to believe in my cooking ability.

And all the professional chefs who have inspired me over the years with their books and videos, freely available on the internet.

Simon Rogan and his people at Our Farm, for inspiring me, teaching me and supplying me with the little things that I need and which to my mind at times have made a big difference.

It would be remiss of me if I left out the people who started me on this path, the wonderful Claire Castle and the whole contestant and production teams of MasterChef.

The judges, John Torode and Gregg Wallace. Thank you both for seeing something in my food that I could not, and for giving me a fantastic opportunity to showcase my heritage and to acknowledge the people who shaped me.

And next, I would like to extend the biggest 'thank you' to all the following for making this, my first book, a joy to work on and a dream come true. I realise that a book is a unique platform to reach out, pay tribute, showcase, inform and inspire, and I am hugely grateful to have been afforded the opportunity.

The team at Headline Publishing for their unwavering support and patience: Lindsey Evans, for believing in me and allowing me to write the book I wanted to write; Kate Miles, Jenni Leech, Robert Chilver, Jessica Farrugia, Tina Paul and everyone else for their enthusiasm for Greek food and for this book.

The very gifted photographer and lovely human being that is David Loftus. I still can't believe my luck!

Phillippa Spence, for her talent, skill and enthusiasm in styling my food in the way that most represents me as a person and as a cook; Magda Szmejchel, Ali Harrison, Gill Mitchell and Pat Kelsall, for their help during the photoshoots.

Annie Lee, for editing my Greek-English with such patience and grace.

Ian Vosper, for the ultimate proofread and for saying that he enjoyed it!

Nathan Burton, for the many hours he spent getting the design of the book as I wanted it, and better still.

The fantastic Terry Kandylis for his talent and passion for Greek wines and for the wonderful job he did pairing my dishes with the best wines Greece has to offer outside its borders.

The very talented and amazing potters Paul Mossman and Siobhan and Martin Miles-Moore of Miles-Moore Ceramics, for designing and making dishes especially for this book, having taken inspiration from Minoan pottery; and the Cretan potters Eva Zervaki and Maria Kritsotaki, for also designing and making dishes especially.

Sofia of Sofia Ceramics in London, for lending me so much of her beautiful work.

The very talented Emma Mackintosh of A Flame with Desire, for creating and lending me beautiful, hand-blown glasses and those gorgeous panna cotta bowls I love!

Ashley and Michelle of Green House Floristry, for gifting us greenery and flowers.

Nurtured In Norfolk, for the plentiful and colourful edible flowers and micro-herbs.

Lakeland, for letting me borrow and test some of their equipment.

Odysea Limited, Greka Foods, Maltby & Greek and Southern Wine Roads, for sending me lots of produce to try during the recipe testing, for the larder and photoshoot.

Clark Foyster, Eclectic Wines, Maltby & Greek and Wimbledon Wine Cellar for sponsoring the wine section of the book and sending us all the wines recommended in the book to try for ourselves.

Everyone else who supported me by shopping for me, tasting my recipes and lending or gifting me props.

Linda and David Crabtree, who offered me their kitchen for the Greek larder photograph.

The warm and generous Maria and Ioannis Andronikos, of Mia Collection in Athens, for allowing us to cause chaos in their beautiful garden and get some wonderful photographs as a result.

The owners of the stunning Lakeland holiday retreat Otter Tarn, for making us feel so welcome during the photoshoot and for accommodating all our needs.

My favourite in all central Athens, Café Avysinia in Monastiraki, for allowing us to photograph against their beautiful backdrop.

My husband, family, friends and community, for understanding that I could not always be there while I was dedicating myself to the book.

My dear friends Chryssa, Alba and Panagiotis, for encouraging, supporting and cheering me up at times when I needed propping up.

My agent, Deborah McKenna, of Deborah McKenna Limited.

Finally, I would like to acknowledge and thank in advance everyone who buys my book, from among the many wonderful cookery books in the marketplace.

Conversion charts

Weight conversions

25/30g	1oz
40g	1½oz
50g	1¾oz
55g	2oz
70g	2½oz
85g	3oz
100g	3½oz
115g	4oz
150g	5½oz
200g	7oz
225g	8oz
250g	9oz
300g	10½oz
350g	12oz
375g	13oz
400g	14oz
450g	1lb
500g	1lb 2oz
600g	1lb 5oz
750g	1lb 10oz
900g	2lb
1kg	2lb 4oz
2kg	4lb 8oz

Volume conversions (liquids)

5ml	–	1 tsp
15ml	½fl oz	1 tbsp
30ml	1fl oz	2 tbsp
60ml	2fl oz	¼ cup
75ml	2½fl oz	⅓ cup
120ml	4fl oz	½ cup
150ml	5fl oz	⅔ cup
175ml	6fl oz	¾ cup
225ml	8fl oz	1 cup
350ml	12fl oz	1½ cups
500ml	18fl oz	2 cups
1 litre	1¾ pints	4 cups

Volume conversions (dry ingredients – an approximate guide)

Flour	125g	1 cup
Butter	225g	1 cup (2 sticks)
Breadcrumbs (dried)	125g	1 cup
Nuts	125g	1 cup
Seeds	160g	1 cup
Dried fruit	150g	1 cup
Dried pulses (large)	175g	1 cup
Grains & small pulses	200g	1 cup
Sugar	200g	1 cup

Length

½cm	¼ inch
1cm	½ inch
2cm	¾ inch
2.5cm	1 inch
3cm	1¼ inches
5cm	2 inches
8cm	3¼ inches
10cm	4 inches
14cm	5½ inches
16cm	6¼ inches
20cm	8 inches
23cm	9inches
25cm	10 inches
26cm	10½ inches
28cm	11 inches
30cm	12 inches

Oven temperatures

°C	°C with fan	°F	gas mark
110°C	90°C	225°F	¼
120°C	100°C	250°F	½
140°C	120°C	275°F	1
150°C	130°C	300°F	2
160°C	140°C	325°F	3
180°C	160°C	350°F	4
190°C	170°C	375°F	5
200°C	180°C	400°F	6
220°C	200°C	425°F	7
230°C	210°C	450°F	8
240°C	220°C	475°F	9

Copyright © Irini Tzortzoglou 2020

Photography © David Loftus 2020

Photographs on p. 2, 11, 12, 15 and 16 (bottom) from the author's family collection
Photograph on p.16 (top) © Diogenis Papadopoulos
Photograph on p.41 © Charlie Kartsolis

First published in Great Britain in 2020 by Headline Home
an imprint of Headline Publishing Group

1

Cataloguing in Publication Data is available from the British Library

Hardback ISBN 978 1 4722 7187 7
eISBN 978 1 4722 7188 4

Commissioning Editor: Lindsey Evans

Senior Editor: Kate Miles

Designed by Nathan Burton

Photography: David Loftus

Food and Prop Styling: Pip Spence

Home Economist Assistants: Ali Harrison and Magda Szmejchel

Copy Editor: Annie Lee

Proofreader: Anne Sheasby

Indexer: Caroline Wilding

Printed and bound in italy by L.E.G.O.S.p.A

Colour reproduction by Alta Image

Headline's policy is to use papers that are natural, renewable and recyclable products and
made from wood grown in sustainable forests. The logging and manufacturing processes
are expected to conform to the environmental regulations of the country of origin.

HEADLINE PUBLISHING GROUP
An Hachette UK Company
Carmelite House
50 Victoria Embankment
London EC4Y 0DZ

www.headline.co.uk
www.hachette.co.uk